LA DECO
RATION

GUIDE DES STYLES ET DES TECHNIQUES

Kevin McCloud

La DECO RATION

Guide des styles et des techniques

PHOTOGRAPHIES
Michael Crockett

DESSAIN ET TOLRA

Pour Katy et Hugo
et mes remerciements à Deirdre

Responsable de l'édition **Rosie Ford**
Direction artistique **Steven Wooster**
Éditeur **Mark Ronan**
Maquettiste **Sarah Ponder**

Traduction française de **Gisèle Pierson**

© 1990 Dorling Kindersley Limited, London
Decorating book

ISBN 0-86318-422-7

© 1991 Dessain et Tolra, Paris
Dépôt légal : septembre 1991
Imprimé à Hong-Kong
Réimpression, dépôt légal : Octobre 1993
ISBN : 2-249-27832-6

SOMMAIRE

INTRODUCTION • 8

PRINCIPES
DE DÉCORATION

La recherche des idées   16
Couleurs d'époque   18
Diviser l'espace mural   20
Caractéristiques structurales   22
Utilisation du rythme   24
Styles d'éclairage   26
Éclairage et atmosphère   28
Décorer toute la maison   30
Plaisir de la décoration   32

RÉPERTOIRE
DES STYLES

STYLES MÉDITERRANÉENS • 34
Chambre Mauresque   36
Salle de bains Antique   40
Chambre Baroque espagnol   44
Toilettes Byzantines   48

STYLES CLASSIQUES URBAINS • 52
Entrée Néo-classique   54
Bureau Empire   58
Salle de bains Biedermeier   62
Salon Baroque anglais   66
Chambre Parisienne   70
Salle à manger Rococo   74
Living-room Colonial américain   76
Salon Régence   80

STYLES RUSTIQUES • 84
Escalier Suédois   86
Cuisine Française   90
Living-room Nouvelle-Angleterre   94
Salle à manger Santa Fe   98
Cuisine de ferme   102
Salon Shaker   106
Cuisine Caraïbe   108

STYLES MÉDIÉVAUX • 112
Cuisine Style Primitif anglais   114
Bureau Néo-Gothique   118
Chambre Médiévale   122
Salle de bains Gothique   126

STYLES RENAISSANCE • 130
Pièce de style Tudor   132
Entrée Florentine   136
Salle à manger Delft   140
Studio Vénitien   144

STYLES VICTORIENS • 148
Entrée du Collectionneur   150
Salon Ecossais   154
Salle de bains carrelée   158
Bureau du Globe-trotter   162
Balcon Australien   166

STYLES 1900 • 170
Salle à manger Art Nouveau   172
Salon Arts and Crafts   176
Entrée Mackintosh   180
Jardin d'hiver italien   182

ANNÉES 1920 ET SUIVANTES • 186
Chambre du Savoy   188
Living-room Oriental   192
Living-room Miami Déco   196
Bureau Bauhaus   200

MATÉRIEL
PRODUITS & MATÉRIAUX
TECHNIQUES

Introduction 204

MATÉRIEL
Brosses de décorateur 206
Brosses à tableau et pinceaux à remplir 208
Brosses à lisser et à vernir 210
Brosses spécialisées, peignes faux bois 212
Pochoirs 214
Grattoirs, cuillères et autres outils 216
Entretien des brosses 218

PRODUITS ET MATÉRIAUX
Pigments et peintures artisanales 220
Types de peintures 222
Vernis et vernis gras 224
Solvants 226
Pâtes et poudres 228
La dorure 230

LES SURFACES
Plâtre et pierre 232
Décoration du plâtre 234
Bois naturel 236
Décoration du bois 238
Papier et carton 240
Finitions pour métal 242
Verre et plastique 244

TECHNIQUES
Effets décoratifs simples 246
Badigeon 248
Badigeon en trois couleurs 250
Badigeon sur bois 252
Badigeon à la chaux brossé 254
Vernis adouci 256
Vernis décoratifs 258
Bois cérusé 260
Moucheté 262

Vieillir et patiner 264
Vieillir le bois peint 266
Craquelures 268
Patine 270
Plâtre patiné 272
Murs en plâtre vieilli 274

Imitations 276
Pietra serena 278
Grès 280
Cuir 282
Terre cuite, plâtre et plomb 284
Vert-de-gris 286
Fer et rouille 288
Marbre de Carrare et serpentin 290
Marbre jaune de Sienne 292
Marbre granitique rose 294
Bois clair 296
Veinage à la brosse 298
Veinage au tampon faux bois 300
Dorure-feuille d'or 302
Dorure- poudre métallique 304
Or patiné 306
Vitrail 308

Motifs peints 310
Réalisation des pochoirs 312
Utilisation des pochoirs 314
Effets de pochoirs 316
Utilisation des photocopies 318
Grisaille 320
Trompe-l'œil 322

RÉFÉRENCES
DU DÉCORATEUR

Pigments et couleurs 324
Peintures, vernis et solvants 328
Recettes 332
Conseils et suggestions 334
Glossaire 336 à 343

Index 344 à 351
Remerciements 352

CONCENTREZ VOS EFFORTS

Depuis trop longtemps on a oublié l'art d'utiliser les ornements ponctuels au profit d'un décor uniforme et monotone. En concentrant vos efforts de décoration sur une seule partie de mur (ici j'ai choisi une frise à coller), vous pouvez associer texture et couleur pour créer un pôle d'attraction et transformer radicalement la pièce la plus ordinaire.

INTRODUCTION

L'histoire de la décoration suit les fluctuations du goût, adore et oublie, et parfois accomplit un cycle complet. Jusqu'à récemment, le décor en vogue était relativement austère, mobilier en frêne foncé et chrome disputant la place au bois blanc et au papier peint fleuri. Ceux-ci ont aujourd'hui terminé leur carrière et une nouvelle conception du bon goût les remplace, une confiance nouvelle en un décor riche et élaboré et un plus grand intérêt pour une large gamme de styles historiques et régionaux. Cette tendance se retrouve dans le choix proposé par les fabricants qui, dans le seul domaine des textiles, offrent toutes les possibilités, depuis les reproductions de damas médiévaux et de brocarts du XVIIIᵉ siècle aux dessins du mouvement Arts and Crafts victorien et aux tissages ethniques. On retrouve le même choix dans les meubles, accessoires, appareillage électrique et autre. Je fais ici le plus large usage de toutes ces possibilités, dans quarante « sections » de pièces, où vous trouverez mon interprétation de styles d'époque ou régionaux. Chacun de ces styles s'exprime par des modes de décoration ancien et

Ornements et détails vous permettront
de créer rapidement un décor nouveau.

nouveau, sur une « section de mur », grâce aux ornements, textures, motifs et finitions de peintures.
Ce livre vous montre comment tracer votre chemin, en utilisant ces modes d'expression avec confiance, armé des principes et des techniques de décoration qui vous sont proposés.

L a décoration est une activité de « surface », souvent destinée à ne durer que quelques années et non essentielle à notre existence. Elle apporte cependant beaucoup de satisfaction et rien n'empêche d'apprendre à apprécier une bonne décoration comme on apprécie un bon repas. Transformer une pièce avec de la peinture et des moulures en bois, par exemple, est en général rapide et peu onéreux, justement parce que seule la "surface" est concernée. Et même s'il vous faut passer un peu plus de temps que pour un décor classique, l'effet spectaculaire obtenu vous récompensera de vos efforts. Un autre aspect appréciable de la peinture et des éléments à

LA RÉCOMPENSE DE VOS EFFORTS
Techniques et matériaux simples permettent de créer une ambiance et un décor originaux, qui vous récompenseront amplement du temps passé à leur réalisation.

ACCESSOIRES EFFICACES

Un ou deux objets soigneusement choisis et votre décor reflète un lieu ou une époque donnée. Ces caractéristiques « marquantes », ornements en trois dimensions ou même photocopies, seront placés à des endroits stratégiques.

Le papier d'emballage marbré peut être utilisé pour une frise.

coller est leur côté temporaire : vous pouvez toujours les retirer et transformer tout ou partie du projet, ou recommencer l'ensemble à partir de zéro. L'histoire de la décoration n'est qu'imitation et emprunt. Pendant des siècles, les décorateurs ont utilisé le trompe-l'œil, en reproduisant par la peinture des matériaux coûteux comme le marbre, ou en remplaçant par des découpes en papier des ornements peints à la main. La décoration qui repose essentiellement sur les effets spéciaux et les matériaux inattendus pour créer une atmosphère d'époque ou évoquer un lieu particulier, n'est qu'un pastiche, mais qu'il faut applaudir pour la simple raison que décorer devrait être synonyme de s'amuser !

Mes idées sur la décoration rejoignent celles de William Morris, styliste et auteur de l'époque victorienne, qui écrivit qu'elle doit « refléter l'impact de l'imagination » et « pouvoir être entreprise par la plupart des gens, sans trop de difficultés et avec beaucoup de plaisir ». En décoration vous avez toute latitude d'exercer vos fantasmes et vos rêves. Le plaisir éprouvé chaque fois que vous entrez dans une pièce peut venir de la satisfaction de savoir qu'elle offre sans ostentation l'atmosphère d'une époque historique aimée, à moins qu'elle ne soit spectaculaire (par exemple pour une salle à manger ou un salon destinés à

Certains motifs et détails sont souvent communs à différentes époques.

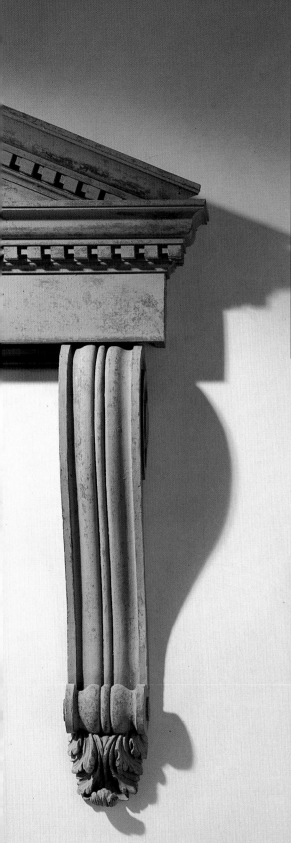

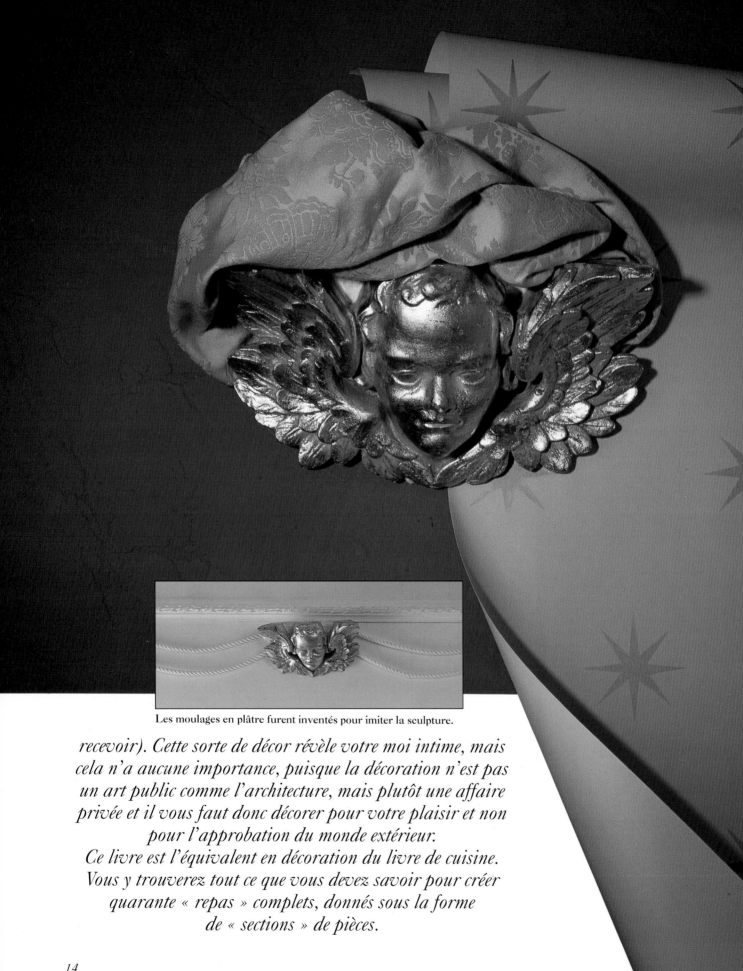

Les moulages en plâtre furent inventés pour imiter la sculpture.

recevoir). Cette sorte de décor révèle votre moi intime, mais cela n'a aucune importance, puisque la décoration n'est pas un art public comme l'architecture, mais plutôt une affaire privée et il vous faut donc décorer pour votre plaisir et non pour l'approbation du monde extérieur.

Ce livre est l'équivalent en décoration du livre de cuisine. Vous y trouverez tout ce que vous devez savoir pour créer quarante « repas » complets, donnés sous la forme de « sections » de pièces.

PRINCIPES
DE DÉCORATION

LA RECHERCHE DES IDÉES

CHAQUE pièce étant différente possède son propre point de départ pour un thème de décoration. La qualité de la lumière varie de l'une à l'autre par la hauteur de plafond et le nombre des fenêtres. Certaines pièces contiennent des meubles que vous ne pouvez mettre ailleurs.

Tous ces facteurs à prendre en compte forment en fait un point de départ permettant de créer le thème général. Dans le Répertoire des Styles vous verrez des pièces tour à tour encombrées et peu meublées, paraissant tantôt petites, tantôt beaucoup plus grandes. Chacune offre un panorama visuel vigoureux qui permet parfois de masquer un problème ou de tirer parti d'un élément défavorable.

Transformation d'une pièce
J'ai créé un nouveau thème de décoration pour le salon d'une maison fin XIXe, illustrée ci-dessous. En bas de la page ci-contre, vous verrez comment le décor de la pièce est réinterprété dans le style de l'époque *Arts and Crafts*, en utilisant quelques-uns des matériaux suggérés dans ces pages.

Rassembler des échantillons
Votre inspiration peut venir de différentes sources : magazines, livres, tableaux ou même une faïence. Cherchez dans les vieux livres, en rassemblant des images qui vous attirent et des thèmes de couleurs que vous admirez, mais en ayant toujours présentes à l'esprit les dimensions de votre pièce et l'époque de votre maison. Vous pouvez aussi rassembler des objets que vous aimez particulièrement pour leur couleur ou leur forme, ainsi que des nuanciers de peinture et des échantillons de papier peint, tissus et revêtements de sol.

Un nouveau départ
Pour vous aider dans vos essais de décoration, il est bon de prendre une photo de la pièce et de la garder comme référence, à mesure que vous assemblez coupures de magazines et autres sources d'inspiration. Une photo en couleur devant les yeux vous aidera à vous abstraire des différents problèmes ; de plus, vous pourrez y dessiner les transformations prévues, avant de commencer la décoration.

Échantillons
de peinture

Photo d'une pièce
avant décoration

Coupures
de magazines

Textile aux motifs
et couleurs d'époque

Objets, papier peint,
revêtement de sol,
source d'inspiration

Pierre pour l'âtre

Idée de pochoir
pour la cheminée

Échantillon
de papier peint

Finition
peinture
des boiseries

Échantillons
de couleurs
assorties
au papier

Échantillon de
plancher cérusé

Les ultimes décisions

A mesure que vous rassemblez vos idées, il vous faudra commencer à penser en termes de relations entre chaque élément. Réfléchissez à la façon dont les couleurs vont réagir entre elles. Envisagez l'association de surfaces naturelles comme plâtre et bois, ou celle de finitions lisses comme bois vernis et marbre. Peut-être préférez-vous un aspect pas trop neuf pour vos surfaces peintes, cherchez alors comment les vieillir légèrement. Lorsque vous juxtaposez différentes surfaces, il est bon d'établir au préalable un présentoir d'échantillons des finitions envisagées.

Pour le décor ci-dessous, j'ai associé un papier Arts and Crafts *à un haut panneau de bois teinté. Il en résulte une pièce sans prétention aux couleurs réfléchissant la lumière, dans laquelle les qualités naturelles du bois sont exploitées pour créer une atmosphère détendue et accueillante.*

COULEURS D'ÉPOQUE

PEUT-ÊTRE voudrez-vous utiliser pour un thème de décoration donné, des couleurs dites d'époque. Certaines marques de peinture offrent une gamme de couleurs « historiques » mais pas toujours très exactes. Les fabricants se fondent généralement sur l'analyse d'écailles de peinture, mais les pigments pouvant changer avec le temps, le procédé manque de précision. De plus, jusqu'à notre siècle, aucune norme n'existait pour la fabrication des couleurs, qui variaient selon les produits locaux utilisés. Essayer alors d'obtenir la nuance exacte que vous pensez être une couleur authentique peut se révéler impossible. Mieux vaut essayer une approximation et, comme je le fais souvent, utiliser des coloris se contentant de suggérer une époque. Voici quelques couleurs historiques (magazines, reproductions de tissu et papier peint) à côté d'échantillons de peinture moderne dans les mêmes tons.

Couleurs claires néo-classiques
A mesure que le style néo-classique envahissait l'Angleterre, au milieu du XVIIIᵉ siècle, les couleurs préférées de son inspirateur, Robert Adam, devinrent tout aussi populaires. Ses nuances éteintes, souvent posées contre du blanc, allaient du vert mat intense au rouge violacé en passant par les mélanges pastel d'une exquise subtilité. Voyez dans les livres d'architecture ses autres idées sur les couleurs.

Couleurs néo-classiques anglaises, XVIIIᵉ siècle

Frise peinte en couleurs néo-classiques

Le goût du début du XIXᵉ siècle
Les aquarelles de l'époque, en France et en Angleterre, révèlent un goût pour les coloris forts, vifs et parfois peu subtils. Napoléon introduisit en France les couleurs d'Égypte, jaune acide et terres brûlées, qui furent vite adoptées dans le style Empire. Les roses soutenus et les mauves furent cependant conservés du siècle précédent et incorporés en même temps que le vert émeraude, dans les rayures du style Régence anglais.

Échantillons de couleurs début XIXᵉ

Couleurs françaises
En France, au milieu du XVIIIᵉ siècle, se développa le goût des coloris intenses mais passés, en particulier les bleus, verts et roses. Pour essayer de me rapprocher au maximum des teintes de cette illustration, j'ai posé des échantillons de peinture.

Échantillons de couleurs milieu XVIIIᵉ français

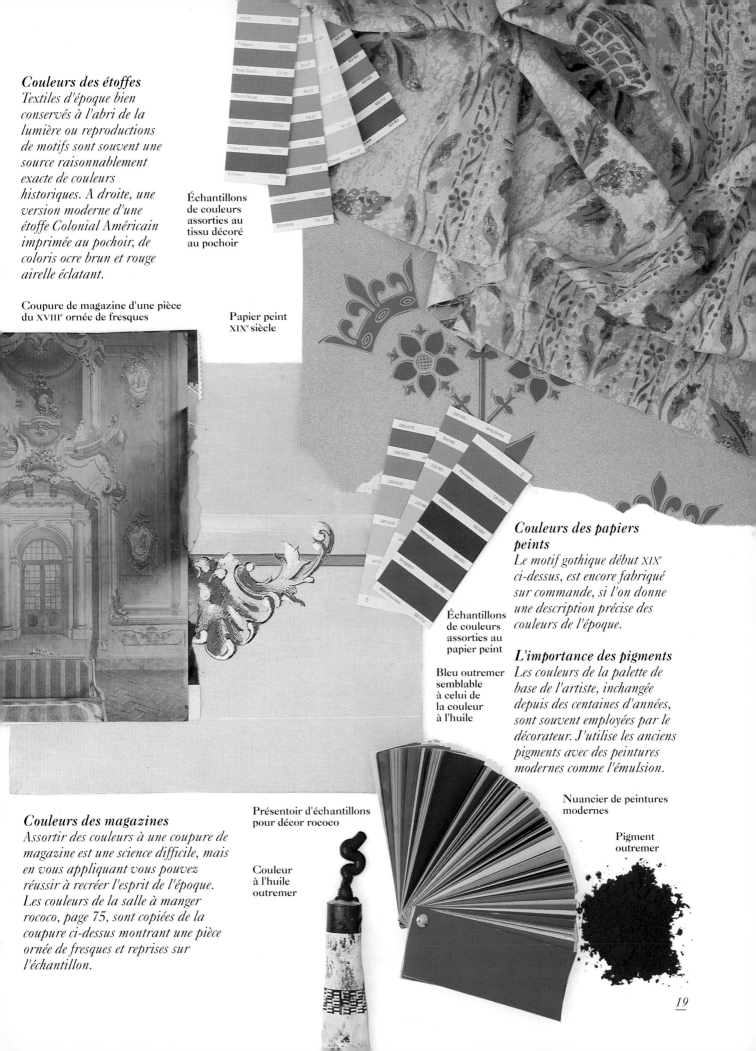

Couleurs des étoffes

Textiles d'époque bien conservés à l'abri de la lumière ou reproductions de motifs sont souvent une source raisonnablement exacte de couleurs historiques. A droite, une version moderne d'une étoffe Colonial Américain imprimée au pochoir, de coloris ocre brun et rouge airelle éclatant.

Coupure de magazine d'une pièce du XVIIIᵉ ornée de fresques

Échantillons de couleurs assorties au tissu décoré au pochoir

Papier peint XIXᵉ siècle

Couleurs des papiers peints

Le motif gothique début XIXᵉ ci-dessus, est encore fabriqué sur commande, si l'on donne une description précise des couleurs de l'époque.

L'importance des pigments

Les couleurs de la palette de base de l'artiste, inchangée depuis des centaines d'années, sont souvent employées par le décorateur. J'utilise les anciens pigments avec des peintures modernes comme l'émulsion.

Échantillons de couleurs assorties au papier peint

Bleu outremer semblable à celui de la couleur à l'huile

Nuancier de peintures modernes

Pigment outremer

Présentoir d'échantillons pour décor rococo

Couleurs des magazines

Assortir des couleurs à une coupure de magazine est une science difficile, mais en vous appliquant vous pouvez réussir à recréer l'esprit de l'époque. Les couleurs de la salle à manger rococo, page 75, sont copiées de la coupure ci-dessus montrant une pièce ornée de fresques et reprises sur l'échantillon.

Couleur à l'huile outremer

19

DIVISER L'ESPACE MURAL

QUAND vous avez choisi votre décor, que vous vouliez créer une atmosphère d'époque, une certaine rigueur formelle ou un ensemble de couleurs bien déterminé, commencez à réfléchir sur les moyens à employer pour articuler l'espace mural qui se trouve devant vous.

Un mur est comme une toile encore vierge, que l'on peut traiter de toutes sortes de façons pour obtenir des effets variés. Même si les murs sont plats et la plupart du temps traités en deux dimensions, l'effet du décor mural a beaucoup plus d'impact que celui donné par le plafond ou le sol, par le fait qu'ils entourent une pièce en fermant l'espace qu'ils délimitent. En manipulant cet espace, par la séparation, la couleur et le trait, vous en transformerez le caractère.

Les murs ont toujours été prétexte à nombre de divisions horizontales, corniches et cimaises que l'on peut utiliser séparément ou conjointement, en couleurs identiques ou complémentaires à celles du mur. Le soubassement (partie moyenne du mur entre la plinthe et la cimaise) est l'endroit rêvé pour oser l'utilisation de couleurs, de textures et de motifs différents de ceux de la partie haute du mur.

Sols et plafonds

Lorsque vous organisez le décor du mur, pensez aussi au sol et au plafond. La couleur du sol peut être en rapport avec celle du mur, soit complémentaire ou assortie en la renforçant, soit totalement différente, et agir ainsi de façon indépendante dans le thème général de couleurs.

Le plafond peut être traité séparément, bien que sa couleur puisse influencer la hauteur apparente et la clarté de la pièce.

SOUBASSEMENTS

MOUVEMENT HORIZONTAL
Dans cette section de mur du salon baroque anglais de la page 67, la boiserie sombre du soubassement est posée très bas sur un sol clair, ce qui donne une longue bande verte étroite qui guide le regard horizontalement tout autour de la pièce et donne une impression de mouvement, rythmé par les pompons et les cordelières de la corniche du haut.

SÉPARATIONS FORMELLES
Une moulure noire délimite nettement les séparations du mur : la frise rouge foncé, la partie haute et le soubassement tapissé de papier peint. Les éléments principaux sont ici la frise et la large plinthe qui se répondent. Ce rapport vertical est plus important qu'un mouvement horizontal et donne une atmosphère formelle un peu raide.

BERCEAU DE COULEUR
Dans cet environnement XIXe siècle, le haut soubassement de boiserie et le sol parqueté se combinent pour former une sorte de berceau de couleur qui occupe la moitié inférieure de l'espace et contribue à créer une impression douillette et accueillante. L'ambiance donnée par cette structure se rencontre dans des ensembles d'époques complètement différentes : Atelier Vénitien de la page 145 et Living Miami Déco de la page 197.

ÉQUILIBRE DES COULEURS
J'ai utilisé ici un haut soubassement de plâtre de couleur claire bordé d'une cimaise à effet de rouille, pour contrebalancer une grande surface murale bleue. Si le soubassement était plus bas, même de peu, il serait écrasé par l'omniprésence du bleu. Tel qu'il est, il ressemble à un mur derrière lequel se trouve un ciel nocturne. La hauteur d'un soubassement permet d'équilibrer les couleurs.

EFFETS DE LA COULEUR DU PLAFOND

Pour éclaircir *En reportant au plafond le jaune vif du soubassement, on remonte le plafond et élargit l'espace. Les couleurs qui reflètent la lumière, comme ce jaune, sont plus sûres.*

Pour assombrir *Ce plafond bleu reprend la couleur du mur et semble repousser le soubassement jaune vers le bas tout en diminuant la hauteur de l'ensemble. Un plafond sombre demande des couleurs vives.*

Mouvement horizontal Séparations formelles Berceau de couleur Équilibre des couleurs

CARACTÉRISTIQUES STRUCTURALES

LES MOULURES de style permettent de structurer un mur et d'enrichir la décoration d'une pièce. Si votre maison possède corniches, frises, cimaises ou plinthes partiellement détruites au cours de modernisations, demandez à un menuisier de vous les compléter.

Un nouveau départ

Si votre maison ne possède aucune caractéristique authentique à restaurer (ou impossible à restaurer), utilisez simplement les moulures du commerce, en les associant éventuellement pour imiter des moulures d'époque plus élaborées. Toutes les sections de mur du Ré-pertoire des Styles ont été créées avec des matériaux et moulures faciles à trouver chez les détaillants en bois et en plâtre.

Historiquement, les styles de moulure employés dans la décoration d'intérieur occidentale sont peu nombreux et ne changent d'une époque à l'autre que par leurs dimensions et leurs associations.

Les fabricants proposent la plupart des moulures de style, en de nombreuses dimensions, vous pouvez choisir celles qui conviennent à votre pièce. Quelques moulures et leurs sections sont illustrées ci-dessous.

Style Shaker

Les Shakers prenaient grand soin de chaque détail de leur vie quotidienne. Leurs pièces n'étaient pas décorées pour le simple plaisir et chaque ornement avait avant tout une importance pratique. Dans l'intérieur de la page 107, j'ai reproduit les moulures authentiques. Le long portemanteau est une simple planche, de même que la cimaise assortie d'une doucine (qui empêche les dossiers des chaises de frotter contre le mur). La plinthe est faite d'une planche au bord arrondi pour empêcher la poussière de s'accumuler, et j'ai cloué un tasseau rectangulaire à ras du plancher pour que les pieds des chaises ne puissent racler la plinthe.

Décoration Tudor

Dans ce décor Tudor la décoration du mur principal était composée de panneaux d'isorel peint et d'une frise. Mais le mur réclamait une structure plus accentuée pour contrôler ces éléments. J'ai utilisé une corniche denticulée, une moulure simple pour diviser le soubassement en rectangles et une plinthe à peine profilée.

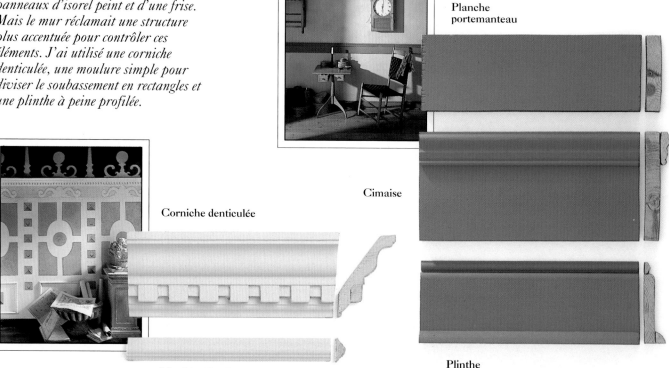

Planche portemanteau

Cimaise

Corniche denticulée

Plinthe

Moulure simple

Plinthe profilée

Intérieur néo-classique

L'architecture de Robert Adam montre une rare sensibilité à l'emploi combiné des moulures, des ornements et de la couleur. Ses intérieurs étaient décorés en une variété de matériaux différents, tels le plâtre fibreux, le bois peint et le carton-pâte. L'intérieur que j'ai réalisé utilise de la même manière des moulures de différentes compositions. La frise est en lincrusta, invention du XIXe siècle, bordée par-dessous d'une cimaise en plastique. On trouve ensuite une autre cimaise en plâtre assez basse, puis une plinthe faite d'une planche de bois surmontée d'une moulure machine.

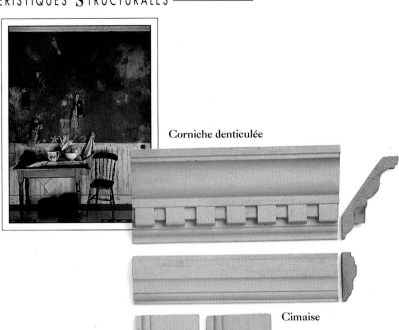

Corniche denticulée

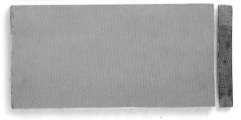

Cimaise

Lames de lambris à rainures et languettes

Frise en lincrusta

Cimaise plastique

Cimaise en plâtre

Moulure machine

Planche servant de plinthe

Plinthe

Décor Caraïbe

Dans ce décor Caraïbe j'ai réussi à retenir un peu de l'atmosphère du pays avec un mélange d'éthnique fonctionnel et d'une légère touche de style Colonial. La moulure denticulée, identique à celle utilisée dans le style Tudor se révéla être une copie exacte d'une corniche de style Colonial jamaïcain et se marie parfaitement avec les simples lambris peints (bordés d'une cimaise) situés dessous. Pour continuer à utiliser des matériaux de base, une planche ordinaire peinte avec une peinture émulsion forme la plinthe.

UTILISATION DU RYTHME

L'UNE DES techniques les plus dédaignées en décoration mais qui peut cependant insuffler une vie nouvelle à une pièce, est le rythme visuel. Son utilisation offre d'immenses possibilités et a été trop longtemps négligée, les ornements de décoration étant tombés en disgrâce au début du XXᵉ siècle.

Le rythme peut être tout simplement donné par deux fenêtres placées symétriquement dans une pièce et mises en valeur, ou bien deux miroirs assortis disposés également de façon symétrique. L'effet visuel obtenu est satisfaisant puisque l'espace situé au milieu et de chaque côté des deux éléments est ainsi défini et accentué.

Répétition d'une image

De façon plus élaborée, le rythme peut se matérialiser dans du papier peint et des tissus, en dirigeant en tous sens des images qui se répè-

tent. Ces images ou ces motifs vont ainsi vibrer tout autour de la pièce, en donnant un rythme qui servira de référence pour juger tous les autres éléments du décor. La force de ce rythme dépend de l'échelle des images utilisées et de l'importance de leur répétition par rapport à la taille de la pièce.

Rythmes horizontaux

Parfois, comme dans les exemples ci-contre, les rythmes les plus évidents et les plus intéressants sont ceux qui vont dans une seule direction, horizontalement autour de la pièce. Leur force s'en trouve concentrée et ils suivent l'architecture. Les motifs sont placés à hauteur de corniche pour être clairement visibles et ne pas se fondre avec le reste du décor. Il est important de ne pas interrompre cette ligne de motifs par des meubles, des draperies ou des personnes sous peine de casser le rythme.

MOUVEMENT LÉGER

Cette frise en lincrusta de style classique porte un dessin élaboré répété tous les 50 cm. Le relief peu important et les couleurs sobres réduisent l'impact du rythme potentiel.

RYTHME CADENCÉ

Pompons et cordelières se répètent librement sans être gênés par un arrière-plan ou un encadrement.

RYTHMES DES IMAGES

Pour reprendre l'image d'une suspension en forme de montgolfière, j'ai collé à intervalles égaux des photocopies en couleur, très haut sur le mur. La suspension aide à identifier l'image : un rythme tranquille et régulier.

MOTIFS MULTIPLES

Ce motif est si intriqué que toute la vigueur de la répétition disparaît. Le rythme ondulatoire se complique par des motifs très rapprochées, par la moulure de couleur vive et par les rayures verticales du mur. L'ensemble est généreux et décoratif.

COMPOSITION ÉQUILIBRÉE

L'oiseau, en répétition principale, produit ici un rythme évident, lié et équilibré par une chaîne de petits détails. Le zigzag au-dessus est une sorte d'ondulation angulaire, dont la répétition est plus serrée. Un rythme secondaire à l'intérieur du rythme principal crée l'équivalent visuel de la résonance d'un son.

ONDULATIONS SOUPLES

L'ondulation est un schéma rythmique simple, qui peut prendre la forme d'une cordelière, d'un drapé, d'une guirlande ou, comme ici, d'une chaîne. Ces matériaux souples se trouvent en grande longueur et vous pouvez ajuster la distance entre les « vagues ».

Répétition de cabochons
Ces cabochons dorés ont été fixés au mur du décor de style Victorien page 163. La répétition du motif est accentuée par le relief. Les cabochons sont très espacés et donnent un rythme tonique à la décoration de la pièce.

Panneaux rythmiques
Dans cet exemple, des rythmes différents sont orientés dans diverses directions. Les divisions du panneau principal correspondent cependant au rythme plus simple situé au-dessus et se répètent en un schéma strictement géométrique.

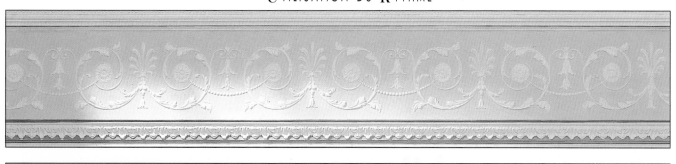

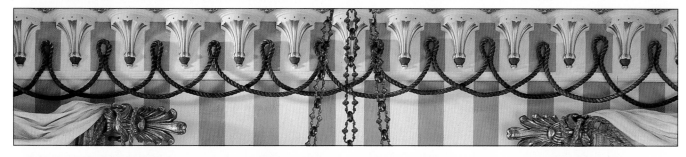

STYLES D'ÉCLAIRAGE

L'ÉCLAIRAGE artificiel s'utilise de deux façons. Soit en doublant la source de lumière, par l'installation, par exemple, d'appliques et de lampes à poser aussi nombreuses que possible, ou en établissant plusieurs circuits séparés dans une pièce de façon que chaque circuit concerne deux lampes seulement au maximum. Il est plus simple d'allumer toutes les lampes à partir d'un panneau mural et chaque circuit sera équipé d'un variateur de tension.

Vous pouvez aussi moduler la clarté naturelle, en drapant partiellement une fenêtre, par exemple, avec de la mousseline ou du papier huilé pour atténuer un soleil trop brillant ou adoucir la lumière crue de l'hiver.

Types d'éclairage artificiel

On trouve sur le marché une gamme immense de luminaires et d'ampoules. Les ampoules traditionnelles à incandescence font place à toutes sortes de nouvelles ampoules fluorescentes et de tubes « lumière du jour ». Votre choix peut affecter la couleur de votre pièce. Les ampoules standard au tungstène, par exemple, donnent une chaude lumière jaune, alors que celles dites « lumière du jour » jettent une clarté plus froide.

Lampe à pied
en papier mâché
à motifs cachemire

Lampes électriques

L'idéal est de disposer votre éclairage de façon à avoir le choix entre plusieurs sources de lumière, la suspension centrale unique étant à rejeter, sa vive clarté risquant d'anéantir toute ambiance. Pour diriger le flux de lumière utilisez des abat-jour translucides ou complètement opaques. Les globes ou les coupes, sur plafond ou en applique murale, envoient une lumière douce vers le haut, parfaite comme éclairage d'ambiance.

Applique
en métal patiné

Lustre XVIIIᵉ siècle
en bois sculpté

Lumière naturelle

La lumière naturelle change selon la saison, le temps et le moment de la journée. A certaines heures vous préférerez la voiler par des rideaux ou des stores. Mais vous pouvez aussi adapter la qualité de la lumière et même en changer la couleur en installant des vitraux dans vos fenêtres (voir l'effet sur le mur, à droite). Des voilages de mousseline de couleur ou un métrage de même tissu simplement tendu sur la fenêtre colorera délicatement la pièce. De même, le papier (même du papier d'emballage) tendu sur un cadre et huilé (voir p. 332) donnera une lumière douce et chaude.

Lampe bougie en métal

Papier de soie huilé

Papier de soie non huilé

Mousseline à rideaux

Papier brun d'emballage

Lumière des bougies

L'éclairage d'ambiance le plus romantique est certainement celui de la flamme naturelle, particulièrement dans une salle à manger et l'on trouve des bougeoirs originaux et décoratifs. N'oubliez pas cependant le risque d'incendie et utilisez des bougies à la cire d'abeille.

Chandelier en métal sud-américain

Bougeoirs en bois style XVIIᵉ siècle

ÉCLAIRAGE & ATMOSPHÈRE

LES IDÉES préconçues sur les couleurs sont souvent trompeuses. Ainsi, si selon la tradition le pêche et l'abricot clair sont des coloris chaleureux et reflétant la lumière, le jaune vif et le bleu lavande ne le sont pas moins. Si vous essayez de moduler l'atmosphère d'une pièce uniquement par des couleurs claires, vous risquez de la rendre plus lumineuse aux dépens de son originalité.

Avant de choisir une couleur pour une pièce, demandez-vous si vous y passez plus de temps de jour que de nuit. La lumière artificielle convient bien à la plupart des cou-

leurs. Si votre pièce est sombre dans la journée, essayez de lui ajouter des miroirs et des couleurs complémentaires (voir p. 336) avant de mettre des claires.

Pour le décor évoqué ici, la version marron (ci-dessous) est plus mystérieuse, moins lumineuse dans la journée (en bas à droite), mais la couleur réagit bien à la clarté du jour et rend la pièce chaleureuse et accueillante. La version claire (en haut à droite et page ci-contre) est moins attirante de jour, assez froide et morne, mais le soir, à la lumière des bougies, elle devient envoûtante.

Effets de couleurs

Pour montrer l'effet obtenu par les couleurs j'ai peint le même mur lambrissé en deux teintes différentes. Le bois teinté en bleu est tout d'abord peint en blanc avec une peinture à l'eau (ci-dessus et page ci-contre). Pour la seconde version il est décapé et peint avec la même peinture mais marron clair (ci-dessous et à gauche). Dans les deux cas, on utilise la texture du bois pour donner du relief et, en comparant les deux photographies prises de jour, on s'aperçoit aussitôt que ce relief est plus important que la couleur pour donner du caractère à la pièce. Le marron assombrit, mais donne plus d'atmosphère que le bleu.

DÉCORER TOUTE LA MAISON

LA DÉCORATION devrait être une activité amusante. Elle n'implique pas toujours des travaux importants, puisque dans tous les sens du mot, c'est une activité « en surface ». Les décors présentés dans ce livre ne sont pas des documents historiques, mais des interprétations assez libres de styles d'époques et de pays différents, et chacun d'eux pourrait convenir pour une demi-douzaine de types de maison de styles variés.

Élaboration d'un thème

Comment décorer toute la maison à partir de l'idée choisie pour une pièce ? Comment donner à l'ensemble une identité unique se manifestant de différentes façons dans chaque partie ?

Cette diversité est une nécessité évidente, puisque notre comportement est différent quand nous recevons des invités, dans l'intimité de notre chambre ou salle de bains, ou encore au retour du travail ; notre environnement doit donc varier en fonction de nos besoins. Une maison reste cependant un tout et trop de gens la décorent comme si chaque pièce était hermétiquement fermée et indépendante des autres.

Vous trouverez ici les principes des trois thèmes qu'il faut garder en tête lorsqu'on décore une maison dans sa totalité : couleur, matériaux, époque. Même si un seul des trois vous sert de critère, cela vous aidera à donner une unité au décor général. Si vous savez utiliser ces trois éléments en même temps, votre maison aura encore plus de caractère.

Maisons d'époque

Décorer une maison d'époque ne va pas sans cas de conscience. Votre projet est-il en accord avec le style de la construction ? Utilisez-vous les matériaux et couleurs qui conviennent ? Et si vous ne recherchez pas l'authenticité, respectez-vous au moins le style de l'édifice ?

Comment choisir

Toutes ces questions sont légitimes jusqu'à un certain point, surtout dans le cas de maisons anciennes de valeur. Mais la décoration est une affaire personnelle, qui a toujours reflété le goût individuel et non collectif, et c'est bien ainsi. Le point le plus important dans la décoration d'une maison d'époque n'est pas ce que l'on doit ou non ajouter, mais ce que l'on doit ou non retrancher.

En fait, il vaut mieux retrancher aussi peu que possible de la structure d'origine, car s'il est facile de retirer une moulure ou une peinture, il est beaucoup plus difficile de remettre en place un élément originel. Les actes de vandalisme domestique accomplis dans de nombreuses maisons du XIXe siècle, au cours des années 60, font que remplacements et restaurations d'aujourd'hui sont souvent inexacts et sans rapport avec les structures de départ.

Le choix par la couleur

L'une des façons les plus simples de donner une unité à l'ensemble de la maison est de décider d'un thème général de couleur. Cela ne veut pas dire choisir exactement la même couleur pour chaque pièce, mais plutôt la même palette. Dans les exemples ci-dessous, j'ai associé les couleurs de la partie orange/rouge du spectre, qui étaient utilisées dans les décors de style victorien, oriental et espagnol. Chaque décor a des finitions et des qualités de surface différentes. Le mur Victorien est peint d'un rouge profond et marbré avec de la peinture et du vernis (p. 163) ; la boiserie vernie est rouge safran (p. 193) et le mur de la Chambre Mauresque a reçu une finition terre cuite (p. 37).

Fond rouge
à effet marbré obtenu
avec de la peinture
et du vernis

Rouge safran
adouci par du vernis

Finition peinture
imitation terre cuite

Le choix par les matériaux

En adoptant un matériau principal comme élément d'unification, vous pouvez utiliser une large gamme de couleurs. Ici, j'ai choisi le plâtre texturé comme finition des murs, qu'il est possible de reprendre dans toute la maison. Les décors illustrés ici suivent un thème franco-espagnol. Bien que chacun d'eux ait été étudié pour une pièce spécifique, on peut les adapter aux autres pièces.

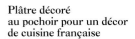

Plâtre décoré au pochoir pour un décor de cuisine française

Mur en plâtre passé à la chaux, dans un décor de chambre XVIᵉ siècle espagnol

Plâtre peint pour un décor du XXᵉ siècle, ci-dessous

Couleurs, matériaux et époque

Si vous pouvez donner plus d'un dénominateur commun à plusieurs pièces, le lien qui les unit sera renforcé. La suite illustrée ci-contre montre trois pièces ayant pour point commun une palette de verts, un matériau, le bois peint et une base semblable dans le style ; le décor anglais est établi sur un style XVIIᵉ siècle simple qui influença les premiers intérieurs américains.

Intérieur Nouvelle-Angleterre

Décor XVIIᵉ siècle anglais

Décor Colonial Américain

PLAISIR DE LA DÉCORATION

J'ESPERE que le Répertoire des Styles vous sera utile comme source d'inspiration de décors. Tous les éléments de chaque décor sont analysés afin que vous puissiez choisir soit l'ensemble complet, soit certaines de ses caractéristiques. Je suggère plusieurs façons de varier le décor et montre ce que donnent des gammes de couleurs différentes sur les murs, sols, meubles et tissus.

Décorez vous-même

Apprendre les techniques vous donnera beaucoup de satisfaction. Vous les trouverez dans la seconde moitié du livre, où elles sont rassemblées et clairement expliquées, ainsi que les outils et les matériaux nécessaires.

Pour vous référer rapidement à tel ou tel point, vous trouverez pages 324-31 des tables indiquant composition, propriétés et utilisations des différents types de peinture, vernis et pigments. Pour certaines techniques vous devrez faire vos propres mélanges (ou adapter ceux du commerce) dont les recettes sont données pages 332-33. Viennent ensuite des conseils pour acheter et conserver matériaux et outils et des indications pour calculer les quantités nécessaires. Les termes utilisés dans ce livre sont brièvement expliqués dans un glossaire.

Choix du style En donnant des exemples d'ornements et de tissus, je montre les différentes possibilités de chaque style et indique comment l'adapter à votre cas particulier.

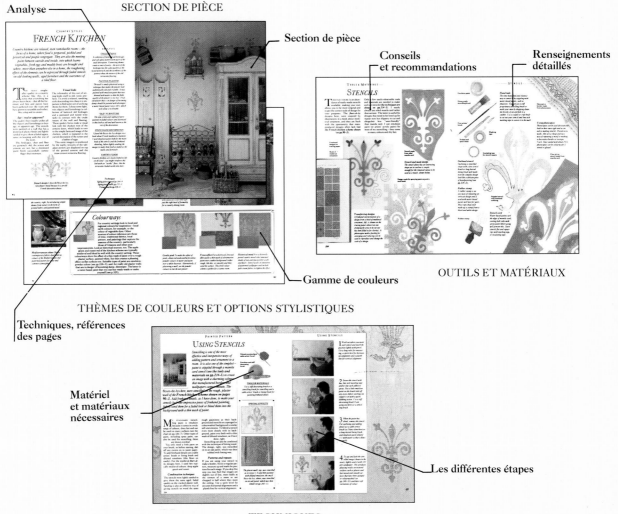

Analyse — SECTION DE PIÈCE

Section de pièce

Conseils et recommandations

Renseignements détaillés

OUTILS ET MATÉRIAUX

Gamme de couleurs

THÈMES DE COULEURS ET OPTIONS STYLISTIQUES

Techniques, références des pages

Matériel et matériaux nécessaires

Les différentes étapes

TECHNIQUES

RÉPERTOIRE
DES STYLES

STYLES MÉDITERRANÉENS

Feuilletez les albums de vacances et les guides touristiques pour découvrir les éléments essentiels du décor méditerranéen : soleil doré, couleurs chaleureuses, motifs vigoureux, terre cuite veloutée, bois clair, plâtre, et partout le témoignage du riche héritage culturel laissé par les civilisations antiques.

Au retour des vacances nous sommes toujours heureux d'avoir visité d'autres lieux et d'en avoir rapporté une perception plus précise de leur identité. Cette dernière est souvent formulée en termes d'architecture, couleur, motifs et matériaux locaux, et si vous désirez recréer l'atmosphère du lieu visité, commencez par chercher dans les guides touristiques et les cartes postales. C'est là que vous trouverez éléments clés de la décoration et inspiration.

Chaleur et lumière
Une des qualités du décor méditerranéen est la lumière. Les pays nordiques, où la clarté du jour est froide et bleue, préfèrent les couleurs douces qui atténuent la dureté de la lumière. Le soleil méditerranéen est doré et éclatant, il chauffe visuellement même le plus frais des murs blancs. Un de mes intérieurs méditerranéens possède pour cette raison, un mur typiquement blanc ; pour les autres, couleurs, motifs et textures suggéreront le lieu géographique.

Histoire ancienne
Une autre caractéristique du paysage méditerranéen est son histoire. Certaines des civilisations antiques les plus avancées s'y développèrent et les témoignages archéologiques

sont une source d'inspiration pour le décorateur. Les mosaïques romaines de Turquie, illustrées sur une carte postale, ci-dessous à droite sur le carreau de terre cuite, la frise classique romaine copiée sur une bordure de papier, à droite, et l'échantillon de lincrusta vert, à gauche, dont le mo-

tif est repris d'un dessin d'arabesques classiques, en sont des exemples.

Tout au long de l'histoire ces civilisations anciennes ont influencé profondément les autres cultures. Il est donc tout à

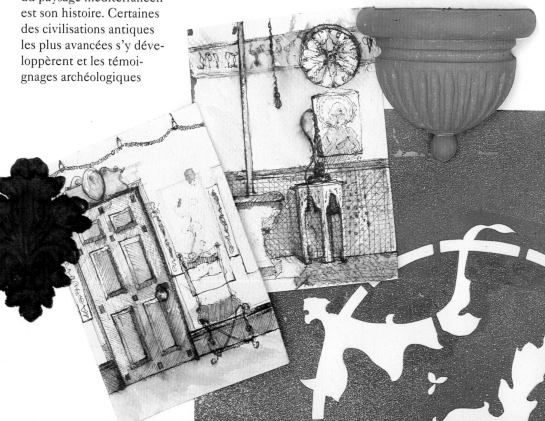

fait légitime de combiner
l'imagerie de toutes ces
périodes.
Le choix des matériaux
est important : terre cuite,

plâtre et bois clairs, comme ce miroir en pin céru-
sé, tous suggèrent la Mé-
diterranée. Les couleurs et
les textures permettront
un fond peu onéreux
contre lequel déployer les
objets qui mettront le décor dans son contexte.

CHAMBRE MAURESQUE

Les Maures, d'origine arabe et berbère, vinrent d'Afrique et établirent leur royaume dans l'Espagne méridionale. Dans ce décor mauresque, les couleurs intenses suggèrent la chaleur du pays méditerranéen, les riches draperies, les tapis « magiques » et le cuivre bruni, le mystère et le romanesque des Mille et une Nuits. *Une chambre est l'endroit rêvé pour satisfaire votre goût du luxe, en vous entourant d'étoffes et de couleurs qui créent une atmosphère de chaleur. Il n'est pas nécessaire d'y dépenser des fortunes, ce décor est en fait curieusement économique, puisqu'il repose en grande partie sur la texture et la couleur de la finition terre cuite de la peinture et sur les drapés de mousseline au-dessus du lit, qui évoquent l'image d'un palais mauresque ou d'une tente de bédouin.*

A L'ALHAMBRA, palais mauresque du XIVᵉ siècle, chaque surface est recouverte d'exubérants motifs géométriques, riche source d'inspiration, mais qui prendraient un temps infini à reproduire. J'en ai fait plutôt une interprétation impressionniste, en utilisant des couleurs méditerranéennes, des arcs peints, des ornements arabes.

Couleur et lumière

Le trait dominant est ici la couleur du mur. Avec de la peinture émulsion et une éponge, j'ai imité la terre cuite veloutée, matériau traditionnel du carrelage et des pots à fleurs méditerranéens. Le sol se marie avec le reste du thème de couleurs. La qualité de la lumière naturelle est aussi une caractéristique importante. Pour projeter sur le mur un motif semblable à celui de l'écran d'une fenêtre mauresque, j'ai fixé sur celle-ci un claustra (comme celui utilisé dans les Toilettes byzantines p. 49). La mousseline drapée aide à diffuser la lumière.

Arcs et étoffes drapées

L'arc en fer à cheval est caractéristique de l'architecture mauresque. Le rythme créé ici par la suite d'arcs peints, casse la géométrie du mur et donne de l'espace. Étoffe drapée, pompons et franges donnent l'impression d'une tente de nomade. Le brillant du tuyau de cuivre utilisé comme moulure décorative et pour soutenir le tissu à motif doré, ajoute encore au luxe de l'ensemble.

Motifs arabes Ces motifs de ziggourat sont typiquement arabes, copiez-les pour décorer les murs.

ANALYSE

ARCS PEINTS
L'arc en fer à cheval est un des éléments les plus distinctifs de l'architecture mauresque. J'ai découpé un gabarit en carton pour tracer les arcs au crayon sur le mur. Je les ai ensuite peints avec une émulsion rouge sombre, en les divisant en larges pierres par des lignes bleues, puis poncés pour obtenir le même aspect velouté que celui des murs, tout en leur donnant la texture rugueuse de la pierre.

MUR DE TERRE CUITE
La couleur veloutée de la terre cuite évoque des images méditerranéennes.

RICHESSE DES ÉTOFFES
Quelques étoffes aux riches textures aideront à créer une atmosphère de luxe dans un petit espace. Le tissu imprimé d'or est une reproduction bon marché de l'ancienne imagerie d'étoiles et de lunes. Les drapés sont interrompus par des passementeries généreuses. Tapis et coussins sont empilés sur le lit.

CUIVRE BRUNI
Le tuyau de cuivre est à la fois décoratif et pratique pour suspendre les drapés et le ciel de lit de mousseline, le poli du métal bruni ajoute à la somptuosité du décor.

TABLEAU UNIQUE
On peut évoquer un lieu ou une époque par un tableau. Cette gravure d'un potentat oriental insère tous les autres ornements dans le contexte historique.

PLINTHE ET SOL
Pour continuer le thème, j'ai donné à la plinthe la même finition qu'aux murs et choisi un carrelage terre cuite.

Techniques
Terre cuite pp. 284-285

OPTIONS STYLISTIQUES

DANS ce décor, la qualité principale du mur est son velouté rustique contrastant avec le luxe des tissus. Pour obtenir un décor encore plus extravagant peignez les murs (avec la technique de terre cuite p. 285) en rouge tomate profond, puis mouchetez-les de peinture dorée et de vernis noir comme je l'ai fait sur le mur de la pièce Victorienne de la page 163 (voir technique pp. 262-63). Pour un effet encore plus grandiose ajoutez des décorations dorées au pochoir.

Pensez aux accessoires supplémentaires de style espagnol contemporain : mobilier moderne en acier et céramiques. N'importe quel ouvrage d'artisanat méridional conviendra en fait, toutes ces traditions ayant été absorbées et utilisées par les Maures.

Motifs traditionnels

Si vous voulez incorporer quelques motifs mauresques compliqués, associez, comme les architectes de l'Alhambra, dessins et couleurs. Recherchez les tissus, carreaux de céramique, tapis et moquettes aux formes géométriques complexes et au tissage entremêlé de polygones intriqués, de motifs floraux stylisés et d'arabesques.

Motif mauresque *Les livres sur l'ornementation donnent des modèles de motifs mauresques intriqués que l'on peut simplifier et utiliser comme base d'une décoration peinte.*

*Ameublement moderne,
page ci-contre.* Vous
pouvez ajouter des meubles
modernes en acier et
quelques éléments
monochromes, en contraste
avec les couleurs vives des
textiles mauresques.

*Couleurs mauresques,
page ci-contre en bas.*
Suivez la tradition
mauresque des primaires
éclatantes, avec des tissus
contemporains de couleurs
vives pour relever la
douceur de la terre cuite.

Luxe intime. Petits objets,
bougeoirs et brûle-parfum
en cuivre et en bronze
évoquent le rituel des
ablutions ; un petit tapis
nord-africain richement
décoré ajoute au sol une
note de luxe.

Gamme de couleurs

Les constructions mauresques
d'Espagne méridionale offrent les
couleurs habituelles de
l'architecture hispano-mauresque,
dérivées des couleurs primaires
rouge, jaune et bleu : rouge sombre
légèrement marron, ocre jaune
teinté d'orange, bleu pastel soutenu,
bleu sombre intense et vert
émeraude foncé. Toutes ces couleurs fortes
conviennent surtout aux motifs peints, tissus
d'ameublement et détails plutôt qu'aux murs et aux sols,
pour lesquels les variations pastel des mêmes couleurs
seront moins dominantes.

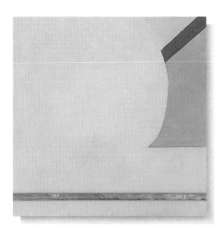

Vert et beige *Pour reposer le
regard, essayez beige, ocre rouge et
bleu oeuf-de-canne avec une finition
vert-de-gris sur le métal.*

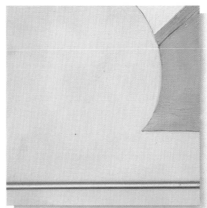

Couleurs pierre *La terre de
Sienne naturelle ajoutée à du blanc,
donne la couleur du grès, qui se
marie bien avec le blanc et l'or.*

Chaud et frais *Un fond couleur
gris pierre est enrichi de terre cuite
foncée, d'or et de cuivre, puis
rafraîchi par un bleu-gris pâle.*

SALLE DE BAINS ANTIQUE

Une salle de bains offre l'avantage de l'espace, réel ou illusoire, et il ne faut jamais essayer de dissimuler sa fonction mais plutôt de la mettre en valeur. Le style gréco-romain utilisé ici s'inspire de la Rome antique, dont les idées et les réalisations sur le thème du bain étaient très avancées. L'utilisation du plâtre doré et vieilli et d'ornements sculptés et moulés donne une impression de richesse et de luxe encore rehaussée par la gamme de couleurs fortes. La baignoire occupe le centre de la scène et les quelques ornements sont soigneusement choisis et exposés pour la mettre en valeur.

PLAISIRS et rituels du bain semblent avoir disparu, la salle d'eau d'aujourd'hui, trop souvent oubliée ou mal étudiée par les architectes, étant une petite pièce encombrée de carrelage aseptisé et de placards fonctionnels. Mieux vaut libérer l'espace et mettre en valeur la tuyauterie, comme dans la Rome antique. Ne cachez pas la plomberie dans des coffrages inesthétiques, mais faites-la participer à la décoration. Au lieu de l'éternel carrelage sol-plafond, peignez des fresques sur les murs, à la manière des intérieurs antiques.

Effets spéciaux

La splendeur de cette salle de bains vient des finitions créatives de la peinture et de l'emplacement réfléchi de quelques objets décoratifs. Le mur entier est peint au badigeon d'abord crème, puis terre de Sienne naturelle (mélange d'eau, couleur en poudre et liant vinylique). Le soubassement est ensuite peint avec un mélange dilué de peinture vert émeraude et blanche.

La baignoire, élément central

La baignoire, pôle d'attraction, est décorée au pochoir et patinée pour qu'elle paraisse vert-de-grisée et vieille de plusieurs siècles, mais avec un intérieur émaillé sans défaut. La même finition recouvre les joints des tuyaux et court autour de la pièce sur la frise.

Le soubassement vert procure un lien visuel entre la finition vert-de-gris de la baignoire et celle de la frise, et le mur forme un fond parfait pour le bas-relief en plâtre.

Détail d'architecture. *Un chapiteau ionique moulé, peint et décoré à la manière de la Rome antique, est une décoration appréciée.*

ANALYSE

FRISE ET ARABESQUES

La frise est en lincrusta, coupée aux dimensions et collée sur le mur. Pour obtenir la finition vert-de-gris, j'applique une pâte verte sur une couche de base dorée et frotte le relief avec un chiffon pour révéler la dorure. Les cabochons sont dorés, puis collés.

PANNEAU BAS-RELIEF

Ce moulage neuf en plâtre a reçu l'éclat et le poli du marbre grâce à un mélange de gomme laque et de blanc de céruse. Pour lui donner plus d'authenticité, je ne l'ai pas encadré.

BORDURE

Je peins d'abord le mur avec un badigeon crème et terre de Sienne naturelle. Après séchage, je colle le papier adhésif et passe un badigeon vert par-dessus.

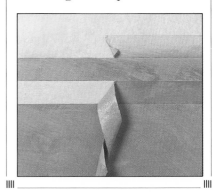

BAIGNOIRE ET SOL

La baignoire reçoit une finition vert-de-gris, un motif au pochoir et des cabochons dorés, puis est vernie. Des dalles en plastique donnent au sol un effet d'ardoise.

Techniques

Peinture à l'eau en trois couleurs pp. 250-51
Plâtre patiné pp. 272-73
Vert-de-gris pp. 286-87
Dorure-poudre métallique pp. 304-305

OPTIONS
STYLISTIQUES

POUR obtenir un décor gréco-romain, que ce soit pour une salle de bains, une salle à manger ou même une entrée, il faut choisir soigneusement les détails sans pour cela surcharger d'ornements. Mieux vaut qualité que quantité dans ce style de décoration. L'espace est un élément important, trop d'objets décoratifs ne faisant que nuire à l'aspect général.

Éléments décoratifs

Concentrez vos efforts sur un ou deux éléments décoratifs contrastant par leur forme et leur texture et qui auront plus d'impact. Utilisez les couleurs fortes pour un effet spectaculaire ou les couleurs claires pour un intérieur plus paisible. Vous pouvez aussi adoucir le décor avec d'élégants drapés.

Si cependant vous voulez créer un effet de surprise et insister sur le côté authentique du décor, ajoutez un clin d'œil stylistique, comme un objet d'albâtre ou du bois laqué.

En échangeant simplement quelques objets décoratifs, vous pouvez transformer l'atmosphère générale du décor, tout en gardant le style antique de l'ensemble.

Finitions des frises *Pour varier, on peut souligner le relief en vert-de-gris, à gauche, ou appliquer un badigeon vert-de-gris sur une couche couleur cuivre, à droite.*

Accessoires simples *On peut transformer le style d'une pièce avec des objets très simples ; ici une serviette couleur terre cuite contraste avec le décor vert rehaussé par la coupe et la sphère de marbre.*

Éléments de surprise, page ci-contre en haut. Ce cabinet chinois laqué ajoute une note originale, tout en restant en harmonie avec le sol à effet d'ardoise. Le thème romain du décor est complété par le buste en albâtre.

Textiles et fleurs Un damassé vert élégamment drapé et un nuage de gypsophyle dans un vase adoucissent l'effet provoqué par les couleurs et les formes vigoureuses du décor et sont en harmonie avec le style de base. Ce genre d'options stylistiques est parfait pour créer une ambiance paisible.

Gamme de couleurs

Les intérieurs antiques comportaient souvent des fresques de teintes pastel. Un badigeon crème, blanc ou ocre-jaune pâle donne la finition douce qui évoque si bien ce genre de décoration et pourrait former la base de n'importe quel thème de couleurs de ce style. Dans beaucoup de pièces antiques, de larges surfaces au bas des murs étaient peintes en plus foncé. On peut remplacer le vert du soubassement par de l'ocre-rouge, qui rehausse peinture dorée et vert-de-gris, de la terre cuite chaleureuse ou même du noir, plus mystérieux. Si vous supprimez la frise, pensez au pochoir.

Terre cuite et pochoir *Une bande terre cuite introduira une troisième couleur. Des motifs dorés au pochoir adoucissent le contraste.*

Bordure soulignée *Un pochoir au-dessus du soubassement donne un effet subtil. Soulignez le motif d'ocre rouge.*

Bordure dorée *De délicates lignes dorées ajoutent à la splendeur du décor, mais n'en faites pas trop et ne soulignez pas chaque rebord.*

CHAMBRE BAROQUE ESPAGNOL

Le mot Baroque suggère une architecture massive et une décoration riche et chargée particulière aux XVIIᵉ et XVIIIᵉ siècles. Pour le décor d'une simple chambre, puisez dans les idées de l'époque et utilisez les caractéristiques du Baroque sous une forme atténuée, dans un contexte rustique comme je l'ai fait ici. Mon point de départ pour cet ensemble fut la structure de base d'un intérieur typiquement méditerranéen espagnol : plâtre passé à la chaux et sol de terre cuite, auquel j'ai ajouté quelques détails de Baroque espagnol sous forme d'une tête de lit sculptée, de ferronnerie et d'une fresque portant un chérubin.

ANALYSE

CHAÎNE EN GUIRLANDE
Chaînes rouillées et bracelets sont accrochés en guirlande sur le mur pour donner un rythme. Le fer était un matériau très utilisé au XVIIIᵉ siècle.

GRISAILLE
L'encadrement de porte est peint en grisaille, version monochrome du trompe-l'œil, puis poncé pour lui donner l'apparence vieillie du mur.

PIN CÉRUSÉ
La céruse permet d'obtenir la teinte claire de la tête de lit ornée d'une guirlande, de sculptures et cannelures ; le panneau central est canné.

EN ACCORD avec le style baroque, cette chambre espagnole est spectaculaire. Différentes techniques y sont utilisées pour donner un effet théâtral, comme dans les pièces baroques richement décorées. Certains traits : tête de lit sculptée et fresque, sont de style XVIIIᵉ siècle tandis que d'autres, comme la chaîne, reprennent des thèmes anciens que j'ai transformés. Si vous utilisez ce genre d'idées, votre décor terminé suggérera une époque et un lieu historiquement reconnaissables.

Matériaux espagnols
Pour donner de l'authenticité au décor j'ai imité le fer, matériau en vogue chez les artisans espagnols de l'époque, mais qui, employé trop largement, aurait écrasé un espace restreint ; j'ai donc eu recours à diverses techniques pour imiter le métal sur différentes surfaces. La porte en bois a été peinte en faux fer et des coulures de peinture imitent les traînées de rouille. Le même effet est obtenu sur la plinthe avec du sable et de la peinture, ainsi que sur le linteau, les moulures en bois et les cabochons en plastique de la porte et de l'encadrement. Pour parachever mon œuvre j'ai ajouté de la vraie rouille par l'intermédiaire des bracelets et des chaînes ondulantes imitant de lourds drapés.

La tête de lit en pin cérusé, lourdement sculptée dans le style XVIIIᵉ siècle, ajoute encore une note historique.

Enfin, j'ai donné grandeur et profondeur au mur en plâtre vieilli, sous forme d'un encadrement de porte en grisaille et d'une fresque au-dessus du lit.

COIFFEUSE
Les meubles élégamment sculptés, comme cette coiffeuse, allègent la solennité de la pièce baroque. Le bois clair reprend les tons pâles du décor.

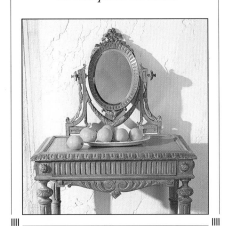

EFFET DE ROUILLE
La porte en bois moderne devient massive grâce à une technique de peinture imitant le fer rouillé.

Techniques
Bois cérusé pp. 260-61	
Plâtre vieilli pp. 274-75	
Fer et rouille pp. 288-89	
Grisaille pp. 320-21	

Délicatesse du bois sculpté
Encadrement de ce miroir baroque et bois tendre, typiques du mobilier méditerranéen européen.

OPTIONS STYLISTIQUES

LES DIFFÉRENTS matériaux employés dans la décoration de la chambre sont des substances naturelles ou minérales ou tout au moins des imitations : fer, rouille, plâtre, argile et bois blanc. Ce thème devra être complété avec d'autres matières naturelles comme la soie, la feuille d'or,

Fresque *Les matériaux naturels dominent dans le Baroque. Cet angelot est peint avec des couleurs à l'eau sur du plâtre.*

le bronze, le vert-de-gris et le carton-pâte. L'impact de tous ces éléments dépendra de l'importance de leur utilisation et de la complexité du décor. Dans la chambre baroque de la page précédente, les produits manufacturés, papier peint ou finitions élaborées, seraient déplacés.

Vous pouvez également choisir des meubles espagnols en acajou ou chêne foncé pour accentuer l'atmosphère solennelle et ajouter quelques objets dorés ou argentés, ou encore du cuir repoussé, évoquant la Renaissance.

Prenez également votre inspiration dans l'Antiquité : Grèce, Rome ou Pompéi, comme ce fut d'ailleurs le cas pour l'art et l'architecture baroques.

Ambiance méditerranéenne *Le jaune des citrons mûrs donne du piquant au damas bordeaux richement décoré. C'est l'exubérance méditerranéenne.*

Terre cuite et vert-de-gris *Les pots en terre cuite, habituels en Espagne, se détachent sur le vert-de-gris (voir pp. 286-87). La guirlande du pot rappelle l'époque et le tissu cachemire forme un lien entre les couleurs.*

Imagerie religieuse, page ci-contre. L'aspect religieux peut être accentué et produire grand effet avec un simple mur de plâtre blanc et une collection de bougeoirs, d'images dévotes, de damas et de galons. Là encore, les matériaux naturels, comme feuille d'or, métal et cire d'abeille prédominent.

Croquis à la sanguine Ces dessins à la sanguine (craie dure pigmentée avec le même ocre rouge que le chérubin de la fresque, page ci-contre), se marient parfaitement avec le mur chaulé. Le mobilier d'acajou, en harmonie avec le ton chaud des dessins, confère une certaine gravité à l'ensemble.

Gamme de couleurs

Pour conserver les qualités essentielles du décor méditerranéen vous devez insister sur les finitions naturelles les plus simples. Murs blancs et sol terre cuite sont parfaits, mais carrelages vernis, faïences et céramiques aux motifs mauresques conviennent aussi, seuls ou associés avec les précédents, en accord avec votre gamme de couleurs. Les couleurs terre peuvent également servir de point de départ, ajoutées à de la peinture blanche de façon à varier l'intensité de leurs tons ou en les appliquant sur une autre couleur, en badigeon.

Gris délicat Avec un simple badigeon vous obtiendrez une finition marbrée sur un mur lisse (voir pp. 248-49).

Terre cuite claire Deux couches de couleur sont travaillées pour imiter la terre cuite, bien en harmonie avec le vert-de-gris.

Association métallique Donnez un fond discret aux coloris tranchants argent et rouille, en peignant les murs en beige.

TOILETTES BYZANTINES

Pour les Byzantins aucune surface n'était indigne de recevoir des motifs ornementaux. Leur inspiration venait de l'art de la Méditerranée et de l'Orient et s'exprimait dans des mosaïques, tapis, émaux, céramiques, peintures et sculptures aux dessins compliqués. L'art byzantin et oriental fournit ainsi une riche moisson de dessins polychromes et des motifs décoratifs pouvant transformer même un espace restreint en un sanctuaire méditerranéen à l'atmosphère orientale. L'effet est ici facile à obtenir : j'ai décoré mur et sol avec du papier imprimé à la main, des pochoirs, des peintures aérosols, du vernis et des claustras de bois.

L'AGE d'or de l'art byzantin, au IXe siècle, offre toutes sortes de motifs et d'ornementations d'inspiration arabe, grecque et romaine ou chrétienne. Mes sources furent tout aussi éclectiques pour ce décor de toilettes : le carrelage de faïence d'une mosquée turque m'a donné la gamme de couleurs ; le motif doré m'a été suggéré par une frise arabe et celui des paons vient d'un manuscrit enluminé byzantin.

Impression et pochoir

Les tampons imprimeurs en bois sont un moyen rapide et peu onéreux d'orner un mur. Le motif du paon est imprimé sur du papier mural bleu uni, à plat, avant la pose, ce qui est plus facile que verticalement. J'ai utilisé de la couleur à l'huile pour l'impression et les détails en rouge sont retracés à main levée.

La mosaïque du sol est réalisée en passant de la peinture, brosse tenue verticalement, à travers les ouvertures des claustras, fixés ensuite au bas du mur et décorés d'arabesques au pochoir. Le motif est répété et repris partiellement dans le haut du panneau en utilisant le même pochoir, après avoir bouché la partie non destinée à être reproduite.

Finition patinée

Pour adoucir le brillant du mur fraîchement peint et donner un aspect patiné, j'ai appliqué une couche de vernis gras transparent qui est protégée ensuite avec du vernis.

La table en marqueterie, le pichet et la cassolette à encens accentuent le côté oriental du décor.

L'oiseau byzantin *Dessin semblable à celui du tampon imprimeur indien utilisé pour les murs.*

ANALYSE

DÉTAILS A LA MAIN
J'imprime les paons sur le papier avec un tampon, puis je reprends certaines parties en ocre rouge avec de la gouache. L'impression de carrelage est donnée par des lignes horizontales.

MURS VERNIS
J'adoucis les couleurs avec une couche de vernis gras transparent teinté avec de la couleur à l'huile terre d'ombre naturelle, pour patiner le mur. Sur les moulures, je passe le vernis en tapotant, brosse debout, et peins normalement sur les murs, en effaçant les marques de pinceau avec un mouilleur en soies beau blanc.

PANNEAUX AU POCHOIR
Les claustras (panneaux cache-radiateur) sont peints, puis décorés au pochoir avec de la peinture en bombe bleu, argent et marron. Le dessin des arabesques vient de la voûte d'un ancien temple. Les claustras sont fixés au mur et divisés par des moulures peintes en panneaux verticaux .

SOL MOSAIQUÉ
Avant de peindre et de fixer au mur les claustras, je les ai utilisés comme pochoir avec de la peinture beige, brosse debout, pour donner l'impression d'un sol en mosaïque.

Techniques
Vernis adouci pp. 256-57
Pochoir pp. 312-17

OPTIONS STYLISTIQUES

SI VOUS voulez une pièce très décorée, l'architecture et l'art byzantins offrent une source inépuisable d'idées à copier ou à adapter auxquelles on peut d'ailleurs ajouter des motifs d'autres parties du monde, tels les carrelages mexicains de la page ci-contre (en haut) ou le paon indien du tampon imprimeur ci-dessous, utilisé dans le décor précédent.

Les livres sur les carreaux de faïence et carrelages sont très utiles pour donner des idées pour les pochoirs ou les dessins à main levée.

Autres sources d'imagerie

La principale source de l'art byzantin fut la foi chrétienne associée à la culture grecque ; à son tour l'art byzantin influença l'art médiéval et celui de la Renaissance. C'est pourquoi il est possible de mêler sans remords des éléments de toutes ces périodes.

Dans la variante ci-contre, la copie d'une icône grecque se détache sur le papier mural à étoiles, emblème médiéval, et les coloris somptueux des tissus évoquent la Renaissance (voir pp. 130-31). Ce genre de décor offre un aspect plus européen que celui essentiellement oriental de la page précédente.

Tampon à imprimer indien Le paon apparaît fréquemment dans l'art byzantin ainsi que dans beaucoup d'autres cultures.

Interprétation moderne Pour un décor moins riche j'ai simplifié certains des motifs et introduit des étoffes monochromes.

Richesse du décor,
à gauche. L'art religieux byzantin influença le style médiéval et celui de la Renaissance. Pour une interprétation occidentale richement colorée, prenez des étoffes de couleurs Renaissance, du papier mural orné d'étoiles médiévales (décor moins long à réaliser que les motifs peints), et la reproduction d'une icône grecque qui confère à l'ensemble une atmosphère religieuse.

Variante aux carreaux de faïence *Recherchez les carreaux aux motifs ou couleurs apparentés aux dessins byzantins, quelle que soit leur origine géographique, et utilisez-les sur le sol et les murs, associés à des motifs peints à la main ou au pochoir. Ces carreaux, bien que mexicains, conviennent parfaitement.*

Gamme de couleurs

Bleus, or et ocre rouge des toilettes byzantines sont inspirés des carreaux de faïence décorant intérieur et extérieur des premières églises et des mosquées. On peut aussi prendre des couleurs plus sombres et essayer, par exemple, une riche palette de rouges marocains et de couleurs de cuir pour accentuer l'impression exotique. Ou choisir parmi les verts, orange et jaunes des deux gammes de couleurs, ci-dessous à droite. Pour adoucir les couleurs passez du vernis gras transparent teinté avec des couleurs à l'huile vert ou terre de Sienne naturelle (voir pp. 256-57).

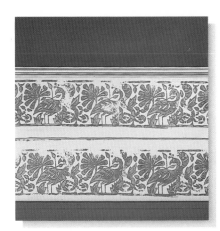

Bleu et ocre rouge *Le bleu vif du thème principal est remplacé par l'ocre rouge, qui confère retenue et dignité à la gamme des couleurs.*

Vert et orange *Association de vert menthe frais et d'orange chaud, inspirée par les couleurs des poteries orientales.*

Teintes vives et riches *Association vigoureuse pour une petite pièce. L'orange adoucit le contraste jaune/brun.*

STYLES
CLASSIQUES URBAINS

L'imagerie du style classique n'est jamais réellement tombée en disgrâce. Chaque époque de l'histoire occidentale a repris les idées de la Grèce et de la Rome antiques pour les adapter à l'esprit du temps, dans le domaine de la décoration d'intérieur comme dans celui de l'architecture. Les styles classiques urbains illustrés ici vont du thème le plus extravagant, le plus flamboyant au décor net et sans ostentation.

Les styles classiques conviennent à de nombreux intérieurs. L'une de ces variantes vous plaira peut-être pour décorer votre appartement moderne à cause justement de son côté théâtral, à moins que votre maison d'avant 1830 ne réclame au contraire l'atmosphère d'époque qui lui convienne. Bien que le style classique se rencontre essentiellement dans les constructions urbaines, les décors de ces pages peuvent s'appliquer aussi bien aux belles pièces des maisons de campagne.

Que rechercher ?
Les détails d'architecture jouent un rôle important dans les inté-

rieurs classiques. Recherchez les moulures, les trompe-l'oeil sous forme de bordures en papier ou de photocopies découpées et coloriées à la main, et les ornements en plastique, comme la couronne de lauriers, page ci-contre en bas.

Parmi les tissus d'ameublement, essayez de trouver ceux qui reproduisent les couleurs et les tissages des principaux styles européens. Somptueux brocarts, velours, damassés et tapisseries sont parfaits pour les styles classiques urbains grandioses et élaborés, alors que calicot et mousseline conviendront mieux aux décors plus simples.

Où trouver les idées
Lorsqu'on cherche à adapter les idées de la période classique, il est toujours bon d'en examiner l'architecture, avec ses colonnes, panneaux, sculptures et entablements. De nombreux livres sur l'ornementation des XVIIIᵉ et XIXᵉ

siècles offrent des pages et des pages de reproductions détaillées de constructions grecques et romaines, adaptables sous forme de pochoir et de découpage. Par la même occasion vous trouverez les

exemples des motifs à rechercher dans les tissus et les papiers muraux convenant à votre décor.

A la première place des interprétations grandioses du style classique se trouve le somptueux style Empire français, qui fait un large emploi de draperies de soie vivement colorées, de bois plaqué

reluisant et de dorures, pour créer une atmosphère de majesté et de splendeur. Le Régence anglais, plus éloigné du vrai classicisme que le style Empire, est un produit du siècle précédent. Prodigue et frivole, il mêle papier mural rayé et riches brocarts décorés.

Le décor Rococo, qui apparut au début du XVIIIᵉ siècle, est plus léger avec des formes gracieusement incurvées et des murs et tissus de couleurs claires.

Classicisme apaisé

Le style Biedermeier et le Colonial américain s'appuient sur la simplicité classique. Les pièces sont peu encombrées et les ornements simples. Bois clair incrusté d'ébène, lignes nettes et lisses et un minimum de sculptures sont les caractéristiques du décor Biedermeyer.

Les architectes partaient autrefois à la recherche du monde antique pour s'imprégner du classicisme grec et romain. Robert Adam, par exemple, créa le style néo-classique, dont le chapiteau page ci-contre, est un exemple. Les intérieurs d'Adam se caractérisent par leur élégance, la fraîcheur de leurs couleurs et l'emploi de moulures blanches.

ENTRÉE NÉO-CLASSIQUE

Si vous aimez la noblesse et la grandeur en décoration, choisissez un décor néo-classique fin XVIIIᵉ siècle. Son élégance raffinée, un peu surannée, s'adapte parfaitement aux intérieurs modernes et d'époque, en créant un environnement hautement civilisé. Le style en est théâtral, mais élaboré et équilibré. Ses couleurs pastel délicates adoucissent la noblesse des formes classiques et modulent la lumière naturelle de façon complexe et subtile.

L'EUROPE du XVIIIᵉ siècle fut le témoin d'un regain d'intérêt pour le monde classique. Robert Adam, suivant cette tendance, partit pour l'Italie à la recherche des racines de l'architecture dans le classicisme antique. Il redonna le sens des proportions à la décoration d'intérieur, en Europe comme en Amérique, ainsi qu'une délicatesse oubliée et une gamme de motifs décoratifs encore en vogue aujourd'hui.

J'ai repris ici certains traits de l'imagerie classique propres à Adam : emploi raisonné et restreint des ornements, lignes nettes, ornementation des corniches et moulures, goût des couleurs délicates et légèreté se traduisant dans l'utilisation massive de peinture blanche sur les moulures.

Éléments architecturaux

Les architectes comme Adam transposèrent à l'intérieur l'architecture d'extérieur. Il leur arriva même d'y introduire portiques et colonnes classiques, mais je me suis laissé guider par Adam pour la large corniche, la frise et la cimaise placées au-dessus d'un soubassement de marbre bordé d'une autre cimaise et d'une plinthe ornementées. Aucun de ces éléments n'est cependant sculpture onéreuse ou détail authentiquement XVIIIᵉ ; ils sont en plâtre ou bois moulé et la frise est en lincrusta.

Choix des couleurs

Pour éviter que le mur ne ressemble à un gâteau rose décoré avec du sucre glace, j'ai choisi un rose passé à peine teinté de brun. J'ai transformé la frise en lincrusta, qui nageait dans une mer d'écume blanche, en un filigrane délicat, en peignant le fond de la même couleur que le mur et le relief en blanc.

En harmonie avec ce discret thème de couleurs, j'ai ajouté un caramel pâle pour le sol en faux marbre et les panneaux sur le mur, puis une mince bande contrastante en gris-vert, sur la cimaise haute.

Ornementation XVIIIᵉ siècle
Simplifié, ce motif ferait un excellent pochoir pour remplacer une frise en papier ou en lincrusta.

ANALYSE

MOULURES DÉCORATIVES
En abaissant la moulure de façon à garnir le haut du mur, j'ai atténué la raideur de l'espace en lui donnant des proportions moins grandioses. La corniche est en plâtre moulé, la frise en lincrusta, la moulure à motif de feuille sur la cimaise haute en plastique et la baguette à chapelet en bois. Peintures émulsion.

PLAQUES EN « PLÂTRE »
Les plaques proviennent d'un rouleau de lincrusta. Les motifs, encadrés avec une bordure du même rouleau sont traités façon plâtre ancien.

MURS ET SOUBASSEMENT
Le mur est badigeonné d'émulsion rose ; le soubassement est traité en imitation marbre avec du vernis rose (la technique du marbre de Carrare). Pour donner la douceur des anciens badigeons je passe une mince couche d'émulsion blanche diluée.

TABLE NÉO-CLASSIQUE
La table est une copie d'un modèle de Robert Adam se trouvant à Osterley Park, près de Londres. Ses lignes nettes ajoutent au côté conventionnel du décor.

PLINTHE ET SOL
La plinthe en « porphyre » encadre un sol en isorel peint en imitation de marbre granitique rose. J'ai verni le sol avec un vernis gras transparent teinté avec du marron (voir p. 333) en laissant une bande plus claire.

Techniques
Badigeon en trois couleurs pp. 250-51
Mouchetis pp. 262-63
Plâtre patiné pp. 272-73
Imitation marbre pp. 290-91
Imitation marbre granitique rose pp. 294-95

OPTIONS STYLISTIQUES

L E STYLE néo-classique cérémonieux peut être interprété de façon neuve et intéressante si l'on remonte à ses origines. Lorsque vous choisissez un décor néo-classique, rappelez-vous les mots-clés : mesure, raffinement, délicatesse et clarté. Dans le doute adoptez la solution la plus simple et un thème minimaliste : frise à motifs classiques et murs clairs portant peut-être un ou deux ornements, comme cette élégante copie d'applique de la page ci-contre.

Les dorures étaient appréciées à la fin du XVIIIe siècle et pour plus d'originalité vous pouvez souligner les reliefs des moulures à la peinture dorée ou faire une frise au pochoir en utilisant un motif classique tel que l'urne, et ajouter ensuite un joli miroir.

Collection d'objets décoratifs, à droite. L'aristocratie du XVIIIe siècle faisait grand cas des ornements classiques authentiques. Faites de même, mais avec des copies.

Thèmes réinventés Ce motif d'oves et de flèches peut s'incorporer avec succès dans un décor Adam, en cimaise haute ou basse.

Motifs néo-classiques

Robert Adam, qui fut à l'origine de ce style, aimait particulièrement l'épi de blé, l'urne et le griffon, souvent présents sur ses meubles, moulures et décorations de miroir. Recherchez ces motifs sur les frises en papier, les tissus et les moulures en plastique, lincrusta ou plâtre, ainsi que des copies des meubles de Robert Adam.

Gamme de couleurs

Les thèmes de couleurs à la fin du XVIIIe siècle étaient essentiellement des teintes pastel, pâles ou intenses, associées aux coloris du marbre et aux couleurs de terre. On utilisait aussi largement l'or et le blanc. Pour un décor spectaculaire adoptez un thème de couleurs authentiques : riches nuances de gris-vert foncé rehaussé d'or et de bronze vieilli. Ou, plus sagement, des teintes pêche, orange, fraise ou bleu ciel. Choisissez toujours des couleurs pastel contenant du brun ou du gris. Une fois la peinture sèche, passez un badigeon blanc. Peignez moulures et autres ornements en blanc, puis ajoutez quelques détails en imitation marbre ou en feuille d'or.

Approche minimaliste, *à gauche. D'élégants bougeoirs en applique, centrés au-dessus d'une table au plateau de marbre, offrent une décoration simple et discrète (design attribué à Adam).*

Caractéristiques du style, *ci-dessus. Les ornements dorés étaient appréciés à la fin du XVIIIᵉ siècle. L'imposant miroir et le tissu moderne à motifs classiques sont parfaits pour une grande pièce.*

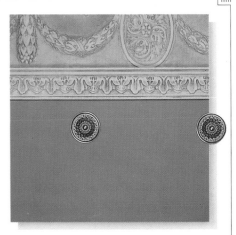

Noir et blanc *Pour une atmosphère cérémonieuse, posez contre un fond blanc sans défaut, des détails noirs relevés d'une touche d'or. Peignez le bois en noir (technique du mouchetis, page 262).*

Crème et pêche *Pour un décor délicat, léger et authentique associez le jaune crème avec du pêche, en utilisant ce dernier pour le relief des moulures ainsi que pour les boiseries unies.*

Vert tendre *Mélange de gris-vert (couleur très utilisée par Adam) et de moulures à l'aspect velouté, selon la technique des pages 256-57. Une touche d'or ici et là relève l'ensemble.*

BUREAU EMPIRE

Le style en vogue à la cour de Napoléon évoque la grandeur et les exploits guerriers – lourds motifs de style classique et couleurs fortes –, mais aussi la légèreté et la délicatesse traduites dans les étoffes mollement drapées et les revêtements en bois plaqués brillants. Une pièce calme et intime, bureau ou petit salon, est l'endroit idéal pour mettre en valeur le charme des couleurs sombres et des finitions riches qui s'animent à la lueur des bougies.

LES COULEURS généreuses de ce décor créent une ambiance de grandeur. Pour le mur j'ai choisi un authentique violet impérial à finition veinée mettant remarquablement en valeur l'éclat de l'or et le brillant de l'acajou.

Les ornements de style classique étaient appréciés sous l'Empire. La corniche en plâtre (vieilli pour lui donner un aspect ciré) est décorée d'une grecque ; les thèmes classiques sont repris dans l'urne grecque (plastique moulé) à laquelle j'ai donné une chaleureuse patine à l'ancienne.

Draperies

Les pièces Empire étaient souvent abondamment drapées de tissu, et ressemblaient parfois à l'intérieur d'une tente militaire, en souvenir des exploits guerriers de Napoléon. L'utilisation des étoffes souples don-ne à cette imagerie impériale masculine une douceur inattendue, qui cependant ne dépare pas le côté solennel de l'ensemble.

Harmonisation

La décoration du sol et des murs peut aider à harmoniser les différentes parties du décor. L'or et l'ébène sont repris, au niveau du sol, sur la plinthe, procédé utile pour unifier l'ensemble.

Des photocopies en couleurs de montgolfières (les frères Montgolfier furent les inventeurs du ballon à air chaud à la fin du XVIIIᵉ siècle) forment une décoration humoristique en accord avec le thème. La répétition d'une image à hauteur de frise autour des murs donne une unité au décor tout entier ainsi qu'un rythme allègre. Le lustre en forme de montgolfière rappelle les photocopies et ajoute une note décorative au décor, sobre par ailleurs.

Montgolfières Associées au lustre, les photocopies en couleur de ballons égayent l'atmosphère du décor Empire.

CORNICHE CLASSIQUE

Le décor Empire s'appuie sur les motifs classiques ; cette corniche en plâtre vieilli est décorée d'une grecque.

MONTGOLFIÈRES
Un lustre-montgolfière aux tons de rouille et des photocopies en couleur du même ballon ajoutent une note d'humour à un décor qui, sans elle, serait cérémonieux.

DAIS DRAPÉ
La mousseline accrochée au mur est drapée de chaque côté du bureau, comme une tente. Le tissu souple ajoute une touche délicate au décor vigoureux.

MURS VIOLET IMPÉRIAL
Le violet impérial confère aux murs une certaine solennité et un aspect sobre. J'ai tiré à la brosse, en veinage, un vernis gras transparent bleu sombre par-dessus une couche de laque satinée mauve foncé.

AU NIVEAU DU SOL
Un élément simple, comme une plinthe, peut servir à renforcer un thème de couleurs. Ici, les dorures et l'ébène, utilisés en plusieurs endroits du décor, sont repris dans le noir et l'or de la plinthe.

Techniques
Veinage pp. 258-59
Plâtre patiné pp. 272-73
Dorure, feuille d'or pp. 302-303
Utilisation des photocopies pp. 318-19

OPTIONS STYLISTIQUES

Sphinx et pyramide (souvenirs de la campagne d'Égypte), urne, sphère, cariatides et couronne de laurier (emblèmes de l'Antiquité classique) faisaient partie des accessoires et motifs courants sous l'Empire. Pour renforcer la pompe impériale d'une pièce, ajoutez-lui des ornements grecs ou égyptiens, ou des tissus et papiers peints imprimés.

Décor allégé

Si vous préférez une atmosphère plus douce et moins impériale, profitez du goût de l'Empire pour les textiles délicats et drapés.

Froncez des tissus souples : mousseline, voile ou soie légère, que vous accrocherez à larges intervalles réguliers sur une cimaise haute ou une corniche. Pour obtenir un effet de tente, drapez l'étoffe sur une tringle au-dessus du lit. Pour alléger encore le thème, atténuez la raideur des revêtements des sièges et des traversins avec de simples rideaux drapés.

Beaucoup de meubles Empire sont délicats et élégamment incurvés : lits de repos et sièges, par exemple, aux dossiers à volutes.

Objets décoratifs *Marbre et écaille de tortue étaient très appréciés. Remplacez les matériaux véritables par des imitations peintes.*

Gamme de couleurs

Le mur est d'un violet splendide, mélange de mauve et de bleu outremer. La richesse de l'ensemble est obtenue en partie par la technique d'application des couleurs, la seconde (le bleu, sous forme de vernis gras) étant tirée à la brosse sur la première (laque satinée mauve) en un effet de veinures. La large gamme de couleurs utilisée en France au début du XIXᵉ siècle, s'agrandit encore au retour des campagnes d'Égypte, avec les couleurs vibrantes des mausolées égyptiens : ocre rouge, verts profonds, bleu azur et une série de jaunes sonores et acidulés. Certains coloris délicats étaient cependant appréciés. On utilisait largement les nuances de lilas, dont la délicatesse convient parfaitement au décor d'une chambre, par exemple.

Lauriers dorés, *à gauche. La couronne de lauriers est le symbole même de la pompe et de la splendeur impériales. Ce chintz moderne bleu roi et or conviendrait tout aussi bien pour habiller un siège, en rideaux, ou drapé comme la mousseline du thème principal.*

Terre cuite classique, *à droite. Pour ajouter une note chaleureuse, adoptez des objets en terre cuite, comme cette copie d'urne et de bougeoirs néo-classiques. Il se crée entre la couleur de l'argile cuite et le violet une harmonie riche et vibrante, chaque teinte exagérant l'intensité de l'autre.*

Nuances délicates *Les teintes lilas étaient très appréciées sous l'Empire. L'aspect cendré de cette nuance-ci est mis en valeur par la teinte crayeuse de la moulure. Cette gamme de couleurs conviendrait au mobilier d'acajou d'une chambre à coucher.*

Jaune vibrant *Choisissez un jaune intense pour créer une atmosphère vibrante, une salle à manger par exemple. C'est une couleur Empire authentique, faisant beaucoup d'effet sur un mur et qui met en valeur les meubles sombres.*

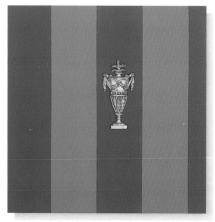

Les verts Empire *De larges rayures Régence en deux tons de vert Empire seront équilibrées par des meubles délicats, des ornements dorés et des étoffes légères. Une atmosphère somptueuse pour une salle de bains.*

BAINS BIEDERMEIER

Point n'est besoin d'encombrer une pièce de meubles d'époque pour évoquer l'atmosphère d'un style. Si vous en connaissez les éléments clés et savez les traduire en termes de décoration, il vous suffit d'un pinceau et de matériaux simples pour recréer l'ambiance d'une époque. Le style Biedermeier (d'après un personnage littéraire portant ce nom), en vogue au début du XIXe siècle en Autriche et en Allemagne, m'a inspiré ce décor. Les caractéristiques du mobilier Biedermeier – bois clair, incrustation d'ébène et simplicité du style classique – sont les thèmes de cet élégant décor de salle de bains .

LES ARTISANS viennois du début du XIXe siècle furent les créateurs des meubles de style Biedermeier, lequel tirait son inspiration directement de la décoration d'intérieur de style Empire (voir pages 58-61), massive et aux formes classiques. Mais le mobilier Biedermeier était différent par le contraste entre les surfaces de bois clair et les incrustations d'ébène, ainsi que par le peu d'ornementation sculptée ou dorée. Cette simplicité s'étendit au reste de la décoration des pièces, simples planchers ou parquets nus et murs peints de couleurs pâles ou vives.

Surfaces peintes

Il n'est pas nécessaire d'acheter des meubles Biedermeier ou même des copies pour créer l'ambiance de ce style. Il suffit de peindre des vieux meubles tout simples en imitation, ou même des surfaces moins traditionnelles comme une baignoire. Ici j'ai peint la baignoire en mouchetis avec un vernis brun sur fond pâle pour donner un effet de bois clair. Pour imiter l'ébène, j'ai collé une bande de papier imperméable autour de la baignoire et peint les pieds en noir.

Pour terminer, j'ai appliqué le même traitement à quelques « glands » en plâtre, que j'ai accrochés ensuite à une corde noire tendue contre un mur simplement badigeonné, les ornements se détachant ainsi en parfait équilibre sur le fond uni, en accord avec le style.

L'utilisation des bois clairs et des incrustations d'ébène s'étend au choix du revêtement de sol. Au lieu d'un vrai parquet, j'ai utilisé des lames de plastique à la fois pratiques et décoratives.

Vase romain *La simplicité et les lignes nettes du design XIXe Biedermeier sont inspirées des exemples de l'Antiquité classique.*

ANALYSE

SUSPENSION
Un moulage en plâtre est devenu suspension après avoir reçu une finition à l'ancienne pour lui donner un velouté crème, comme l'urne classique ci-dessous.

DRAPÉS ET GLANDS
L'Europe du XIXe appréciait les drapés et les dais. Ici des drapés de mousseline, retenus par des cordes et des glands, forment une frise contre le mur simplement badigeonné. Le long drapé à droite répond au dais maintenu en place au-dessus de la baignoire, par une rosace en bronze.

PORTE-SAVON
Imitant la bouche d'une fontaine, ce pot en bois est posé au-dessus de la baignoire.

URNE CLASSIQUE
Une copie d'urne signe le style de la salle de bains. Elle répond à la suspension en plâtre vieilli, par sa couleur crème et son bas-relief.

BAIGNOIRE PEINTE
La baignoire est peinte bois clair, matériau utilisé pour les meubles Biedermeier. Du ruban adhésif noir suggère une incrustation d'ébène.

Techniques
Badigeon pp. 248-49
Plâtre patiné pp. 272-73
Bois clair pp. 296-97

OPTIONS STYLISTIQUES

SOBRIÉTÉ, proportions, clarté sont les mots clés pour décrire le mobilier et le décor de style Biedermeier. Organisez votre pièce autour de quelques meubles et objets décoratifs soigneusement choisis, sur lesquels vous voulez attirer l'attention.

Recherchez toujours les meubles fonctionnels et sans prétention. Le fauteuil illustré ici, avec ses contours arrondis, est caractéristique de ce style. La surface des murs doit être en harmonie. On peut les tendre de papier ou de tissu aux larges rayures Régence ou aux dessins Empire. Il est possible d'ajouter quelques décorations murales sobres sous forme de pilastres, d'une corniche ou d'une frise.

Le choix des matériaux

Les matériaux naturels comme le grès et le marbre uni, ont une simplicité qui convient au style, de même que les tissus naturels comme la mousseline et le calicot. Adoptez le vrai grès et le vrai marbre, discrètement, sous forme d'ornements, ou imitez-les par la peinture (voir pp. 280-81 et pp. 290-95). Le plâtre neuf, corniches ou colonnes, peut acquérir une patine délicate et presque un aspect de marbre (voir pp. 272-73). Mettez en valeur votre plancher en le peignant en bois clair.

Ornements peints Pour un décor Biedermeier il est aussi facile d'imiter le bois clair sur des détails que sur des objets plus importants.

Gamme de couleurs

Les couleurs essentielles sont celles du bois clair et des incrustations d'ébène. Vous les adopterez sous forme de mobilier (authentique, copie ou peint) ou de petites surfaces peintes, comme portes et plinthes. Choisissez les couleurs de tous les bois clairs : cerisier, frêne, poirier, bouleau et érable, et apportez le noir sous forme de meubles marquetés, d'ornements ou de tissu. Pour les fonds peints, évitez les finitions compliquées. Les couleurs qui reflètent la lumière et évoquent les vastes espaces aérés conviennent particulièrement – teinte crème des murs du premier décor, par exemple, ou nuance pastel. On peut aussi envisager des coloris plus vibrants, ou atténuer le ton du bois en peignant les murs en terre d'ombre naturelle, vert olive ou noir.

Effet conventionnel, *à gauche. Des bandes peintes à l'émulsion diluée et ici ou là, une feuille de style classique.*

Matériaux naturels, *à droite. Un soubassement en imitation grès (voir pp. 280-81) donnera un aspect naturel.*

Clair et sombre, *ci-dessous. Le contraste entre les silhouettes noires et les murs jaune vif rappelle celui de l'ébène incrusté dans le bois clair.*

Couleurs complémentaires *Un beige délicat met en valeur les coloris plus chauds des meubles Biedermeier. Adoptez-le pour une chambre, avec de la mousseline d'un ton crème.*

Choix plus vigoureux *Jaune flamboyant contre bois clair, qui doit se trouver en proportion importante pour ne pas être écrasé par cette teinte.*

Contraste inhabituel *Bois clair contre un fond bleu, apaisé par un soupçon de gris tendre. Essayez aussi pour les murs, le bleu vert ou le turquoise.*

SALON BAROQUE ANGLAIS

L'équivalent anglais du style Baroque XVIIe siècle, bien que caractérisé par des formes exubérantes et une abondante ornementation, est plus léger et plus sobre que son analogue italien extravagant. J'ai repris les traits les plus charmants du Baroque anglais – guirlandes, glands et chérubins – pour orner un espace au décor par ailleurs minimaliste. Cet ensemble offre une atmosphère de fête et une élégance raffinée, qui peut convenir à n'importe quelle pièce moderne ou d'époque, si vous aimez mêler richesse et simplicité.

L E SIGNE distinctif de l'atmosphère Baroque est la décoration du haut du mur, en trois dimensions, composée d'une corniche en plâtre, d'une moulure et de guirlandes à glands. Cette exubérante corniche est une copie d'un motif baroque ; les glands sont également en plâtre et les cordelières ont été trempées dans le même matériau. Le chérubin est doré.

Structures principales

Afin de laisser un espace mural blanc suffisant, j'ai préféré un soubassement assez bas que j'ai lambrissé en longs rectangles horizontaux. L'espace entre ces panneaux correspond à celui entre les glands au-dessus et l'ensemble crée un rythme musical cadencé, en accord avec le caractère festif du style baroque.

Le simple choix des couleurs du soubassement, du sol et des murs peut radicalement transformer l'ambiance d'une pièce. Lorsque le soubassement et le sol sont de la même teinte et ont la même finition (comme dans le décor Miami Déco page 197), l'impression ressentie est douillette et intime, puisqu'il n'existe aucune tension visuelle entre les surfaces.

En revanche, si un soubassement est peint en couleur contrastante (comme celui de ce décor), il se détache avec sa personnalité propre, en donnant à la pièce un mouvement très net, qui devient particulièrement évident si vous vous placez au milieu d'une pièce au décor analogue à celui-ci. La peinture à l'huile sombre utilisée ici donne au soubassement une entité indépendante du sol, peint avec un badigeon presque aussi clair que le mur.

Détails d'époque

Point n'est besoin de nombreux détails d'époque. Le caractère baroque est conféré au décor par l'intermédiaire des éléments structuraux modernes et des matériaux décoratifs. Les seules caractéristiques vraiment baroques sont les portraits encadrés, la chaise et la table.

Ligne Baroque La décoration de cette urne en argent est secondaire par rapport au rythme de ses formes.

ANALYSE

ORNEMENTS EN PLÂTRE
Les décorations en plâtre, guirlandes, glands et chérubins sont tous dans l'esprit baroque. La corniche, les glands et la moulure sont en plâtre ; la cordelière a été trempée dans le même matériau. Le chérubin (doré à la feuille d'or) reflète la lumière et attire l'attention sur la décoration du haut du mur.

BOIS SOMBRE
Les portraits encadrés en chêne massif, dans l'esprit de l'époque, équilibrent par la simplicité de leurs rectangles sombres la corniche et les guirlandes.

MUR BLANC
La peinture émulsion terre d'ombre naturelle passée sur une base de blanc (étapes 3 et suivantes, p. 251) réchauffe et vieillit le mur, et met en valeur la décoration en plâtre du haut.

SOUBASSEMENT LAMBRISSÉ
Les pièces du XVIIe comportaient souvent des boiseries ; je n'ai lambrissé que le soubassement, en collant des moulures directement sur le mur. Pour imiter l'aspect des vieilles peintures à l'huile j'ai passé une couche de peinture acrylique bleu moyen teinté de gris, puis, après séchage, une couche d'acrylique vert-sauge (dilué au 1/4 avec du white-spirit), adoucie ensuite avec une brosse à lisser.

BADIGEON DU SOL
Pour créer tension et rythme visuel entre les différentes surfaces, j'ai peint le sol d'une couleur autre que celle du soubassement. Le plancher, qui reflète la lumière presque autant que le mur, a été passé au badigeon et verni.

Techniques
Badigeon en trois couleurs pp. 250-51
Badigeon pour le bois pp. 252-53
Dorure à la feuille d'or pp. 302-303

OPTIONS
STYLISTIQUES

LE SECRET du décor Baroque réside dans l'emploi de matériaux simples et naturels et de quelques objets décoratifs choisis et exposés avec soin.

Les matériaux spectaculaires, comme le marbre ou le similor et les finitions de peinture élaborées, veinées ou jaspées, ne sont pas de l'époque. Les artisans baroques modelaient la beauté à partir de matières simples comme les peintures à l'eau et à l'huile, le plâtre et le bois, particulièrement les bois durs, chêne, orme et acajou.

Mobilier et sols

La chaise du salon de la page précédente avec son haut dossier ouvert, ses pieds en sabot de biche, sa décoration sculptée et son revêtement en tapisserie est typique du mobilier de l'époque. D'autres chaises sont à dossier en cuir ou droit et recouvertes de tapisserie.

Les planchers seront laissés nus, teintés ou passés au badigeon ou encore vernis. On peut parfois les enrichir de tapis mais en laissant visible une grande surface de bois.

Les tapisseries, sous forme de rideaux, draperies et lourds revêtements de sièges ajoutent une certaine chaleur.

Chérubin *Le chérubin étant l'un des motifs baroques les plus employés, adoptez-le dans votre décor, sous forme de plâtre, plastique, bois ou photocopie teintée à la main.*

Décoration de table
Pour une rigueur ascétique, décorez votre table de salle à manger avec du linge damassé lourd, des étains et des bougeoirs. Les étains de n'importe quelle époque conviennent au décor baroque, à condition qu'ils soient de lignes simples et massives. Pour un aspect plus grandiose, adoptez l'argent sous forme de couverts et de bougeoirs.

Chaleur du textile, à gauche. Les étoffes aux tons de terres utilisées pour les revêtements de sièges, tapisseries, tapis et rideaux ajoutent confort et chaleur à la pièce baroque et sont en harmonie avec les couleurs fraîches des murs, comme le blanc et le bleu.

Décor allégé, à gauche. Vous pouvez radicalement transformer le caractère d'un espace par ce que vous accrochez au mur. Les encadrements de miroir ou de tableaux en chêne cérusé (comme cette copie d'un modèle baroque) apporteront une fraîcheur nouvelle à la pièce. Pour mettre en valeur la beauté du bois, adoptez également le chêne cérusé pour le mobilier.

Gamme de couleurs

Les badigeons d'autrefois offraient un aspect velouté et les peintures à l'huile, une apparence satinée. Pour imiter le badigeon appliquez une émulsion blanche diluée sur la couleur principale. Pour une finition satinée utilisez la laque satinée. Après séchage, passez une seconde couche plus claire de laque satinée diluée avec du white spirit ; pendant que la peinture est encore fraîche, effacez les marques de pinceau avec une brosse à lisser.

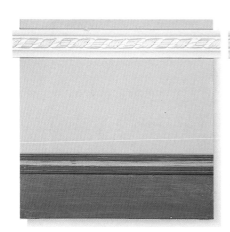

Cerise et rose Cette association de blanc brillant sur les moulures et du cerise et rose velouté est spectaculaire dans une petite pièce.

Bleu et blanc La boiserie peinte avec de la laque satinée bleue, puis blanche diluée, contraste nettement avec le fond blanc.

Poirier couleur terre Couleur baroque authentique, écrasante en grande quantité, meilleure pour les boiseries que pour les murs.

CHAMBRE PARISIENNE

Les gravures françaises du XVIIIe siècle sont une merveilleuse source d'inspiration si vous voulez créer une chambre paisible de style classique. En France, la décoration des pièces intimes associait l'ornementation et la légèreté, le classicisme et la douceur chaleureuse. J'ai suivi cet exemple, en lambrissant le mur pour donner un fond vigoureux et rythmé à une diversité de riches étoffes et en modulant un éclairage adouci pour créer une ambiance intime. Le style de ce décor s'adapte parfaitement à toute autre pièce utilisée comme refuge douillet, loin des ennuis quotidiens.

CE STYLE doit être abordé avec prudence pour éviter de le surcharger par trop d'ornementation. Le secret pour mettre en valeur l'opulence des étoffes, des miroirs et du mobilier volumineux réside dans une approche simple et structurée de la décoration des murs.

L'accent n'est pas donné ici par des techniques de peinture décoratives (le mur est simplement peint avec de l'émulsion) mais par les boiseries, qui confèrent une structure rythmée et géométrique au mur. Les boiseries, disposées en bandes verticales, sont faites de planches et bordées de moulures. Ne lambrissez qu'un seul mur de la pièce, sur lequel se trouve un élément important, ici le lit. Pour donner un intérêt horizontal, ajoutez une corniche, une plinthe ou une cimaise.

Les boiseries peintes offrent un fond simple pour les éléments disposés sur le mur, deux cordons de sonnettes anciens et un bougeoir-applique, ainsi que pour les coussins rebondis, les drapés et les riches tapisseries qui concourent à adoucir l'atmosphère. En touche finale adoptez la lumière des bougies ou un éclairage subtil répandant une douce clarté.

Choix des couleurs

Les couleurs chaudes ne sont pas indispensables pour créer une atmosphère douillette. J'ai obtenu les couleurs de ce décor en mélangeant de la peinture émulsion bleu-vert avec de la bleu et gris. Les coloris aux nuances complexes (voir Gamme de couleurs page suivante) possèdent une subtilité encore rehaussée par la douceur de l'éclairage et la chaude lueur de l'or, que vous pouvez adoucir en le vieillissant (voir p. 304). On peut remplacer les moulures verticales en lincrusta dorées à la peinture en aérosol (page ci-contre), par un motif posé sur le mur ou sur certains des meubles, et doré à la feuille d'or ou avec de la poudre métallique.

Vase de Sèvres Ce vase est en accord avec l'esthétique du style par sa surface ornementée et ses lignes strictes.

ANALYSE

CORDONS DE SONNETTE
Les textiles anciens possèdent une richesse de coloris inégalée ; ils sont chers, mais une petite quantité fait grand effet. Ici, des glands anciens et des embrasses anciennes sont disposés en imitation de cordons de sonnette.

TOUCHES DORÉES
Les moulures décoratives sont découpées dans une frise de lincrusta et dorées à la peinture aérosol. L'applique-bougeoir est une copie d'un modèle XVIIIe siècle.

BOISERIES
Des panneaux verticaux (simples planches de bois bordées de moulures) donnent à ce décor une symétrie classique et sobre. Le mur est peint de plusieurs couches d'émulsion unie, aux couleurs inspirées par un tableau du milieu du XVIIIe siècle.

TÊTE DE LIT
Un meuble important comme ce lit constitue un pôle d'attraction remarquable. La tête de lit est ancienne, sa dorure s'est fanée avec les années, mais le fin réseau de craquelures du gesso est sans doute intentionnel. Ce genre de craquelures était en vogue au XVIIIe siècle et elles furent probablement créées à cette époque. Dorure antique et craquelures peuvent être imitées.

RICHES ÉTOFFES
Pour donner une atmosphère luxueuse, disposez des coussins et des draperies possédant une couleur en commun, et variez les dessins et les textiles – velours, brocart, tapisserie et damas.

Techniques
Craquelures pp. 268-69
Dorure, feuille d'or pp. 302-303
Dorure, poudre métallique
pp. 304-305

OPTIONS STYLISTIQUES

LES QUALITÉS essentielles du style XVIIIe siècle français sont l'élégance et la sobriété. Bien que cette période soit connue pour ses tissus parmi les plus somptueux – damas, velours et brocarts – ainsi que pour son ameublement ornementé, ces éléments doivent être utilisés avec parcimonie pour éviter de créer une atmosphère étouffante et encombrée.

Grandeur ou délicatesse ?

On peut créer un décor grandiose en utilisant des reproductions de damas, de glands et de miroirs. Recherchez les tissus contemporains copiant les dessins anciens et leurs couleurs.

Les boiseries vous offrent l'avantage de concentrer vos efforts sur les petits espaces utilisables. En utilisant les panneaux comme fond pour des ornements en papier faits de photocopies coloriées, ou pour un meuble peint, on obtient un décor léger et désinvolte.

Élégance à peu de frais Un panneau de bois recouvert de damas et bordé avec une large moulure d'encadrement fera une tête de lit. Copies de gland et miroir doré complèteront la richesse de l'ensemble.

Gamme de couleurs

Pour un décor XVIIIe siècle français, où l'accent est mis sur les étoffes, recherchez les tons fanés des textiles anciens, vieux tapis ou dessus-de-lit, par exemple. Harmonisez les couleurs des tissus aux échantillons de peinture en lumière naturelle comme sous éclairage artificiel, surtout pour une chambre à coucher. Étudiez les tableaux français de l'époque, en particulier les intérieurs bourgeois, en essayant d'approcher leur palette. Les teintes du décor de base sont assorties à celles d'un tableau de Boucher et comprennent un vert très apprécié à l'époque, le vert pomme, du bleu et de l'or. L'or, sous forme de mobilier et d'ornements dorés ainsi que tissé dans les étoffes, était très en vogue et ne manquez pas d'en ajouter quelques touches à votre décor.

Poussière des siècles, *à gauche. Pour un décor grandiose rien ne vaut les tapisseries anciennes. Tirez parti au mieux de petits morceaux de tapisserie, en les utilisant pour recouvrir des coussins. Faites des embrasses pour les rideaux avec des copies de glands anciens.*

Décorations en papier, *page ci-contre. Les assemblages de gravures sont typiquement XVIIIe siècle. Imitez cette mode avec des photocopies faites à partir de livres contemporains de motifs. La couleur est ajoutée avec de la peinture diluée et un vernis transparent les protège. Les photocopies de ce décor s'harmonisent avec la coiffeuse peinte ancienne venue d'Italie.*

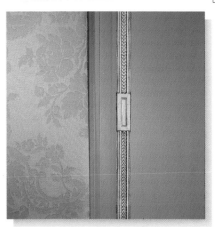

Vert et rose *Essayez des harmonies et des contrastes de couleurs. Le vert du décor de base est assorti à celui du riche damas, mais contraste avec le rose fané délicat, en vogue au milieu du XVIIIe siècle.*

Rouille et blanc *La richesse de ce rouille foncé est accentuée par le blanc crayeux (obtenu en ajoutant de la terre d'ombre naturelle et du noir à de la peinture blanche). Gardez la teinte sombre pour des petites surfaces.*

Bleu cendré *Du blanc ajouté au bleu donne une teinte veloutée mettant en valeur les motifs du damas. La peinture noire, blanche ou marron ajoutée à des couleurs qui ont tendance à jurer entre elles, permet de les harmoniser.*

SALLE À MANGER ROCOCO

Le trompe-l'œil, utilisé depuis les Romains, est un procédé de décoration peu onéreux et toujours efficace. C'est le moyen rêvé pour créer une atmosphère élaborée et théâtrale, dans un décor qui réjouira et surprendra vos invités. Pour une ambiance fantasque et légère, choisissez un décor Rococo. Ce style européen du XVIIIᵉ siècle, aux lignes courbes et aux pâles couleurs transparentes, est exprimé sur ce mur, par l'intermédiaire d'une gamme d'effets en trompe-l'œil obtenus avec des matériaux bon marché.

C'EST en Europe, au XVIIIᵉ siècle, que le trompe-l'œil fut le plus élaboré et connut sa plus grande vogue. Pour ce décor j'ai mélangé des caractéristiques de l'architecture de l'époque – arc, treillage et cimaise entre autres – facteurs courants de trompe-l'œil, dans les maisons comme au théâtre. Tous ces éléments sont obtenus par un système simple et logique d'ombres et de lumières peintes (voir pp. 320-22).

Éléments en deux dimensions
On commence par dessiner les parties principales du motif, puis on les peint avec une émulsion diluée. Les panneaux du soubassement sont ensuite marbrés avec une peinture à l'eau. Toutes les lignes des moulures, plinthes, arcs et treillage en trompe-l'œil sont alors peintes avec de l'émulsion.

Les ornements Rococo au dessin contourné, entre les deux panneaux marbrés et sur les encadrements en arc, sont des photocopies que j'ai coloriées avec de l'émulsion, pour qu'elles se fondent avec le reste du décor. Le choix des couleurs lilas, lavande et pêche, est typiquement Rococo. Pour adoucir toutes ces teintes, j'ai peint tout le mur avec une couche d'émulsion blanche diluée.

Illusion
Le trompe-l'œil offre le plaisir de créer dans la plus petite des pièces et avec un peu de peinture, de vastes décors spectaculaires qui, dans la réalité, occuperaient un grand espace. Un trompe-l'œil audacieux, comme celui de la page ci-contre, fera de l'effet même dans une pièce encombrée, mais, pour plus d'élégance, limitez le nombre de meubles et choisissez-les aux lignes légères et de préférence en bois ou en acier, comme le casier à bouteilles ci-contre.

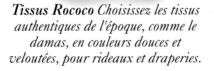

Tissus Rococo *Choisissez les tissus authentiques de l'époque, comme le damas, en couleurs douces et veloutées, pour rideaux et draperies.*

ANALYSE

RUBANS DORÉS
L'or était en vogue dans le style Rococo. Rubans et nœuds sont découpés dans une frise en lincrusta et dorés. Ils cachent les crochets qui soutiennent les panneaux en plâtre.

PANNEAUX « ANCIENS »
J'ai vieilli ces panneaux de plâtre neuf. Leurs motifs musicaux et naturalistes, ainsi que leur dessin léger et élégant, sont typiques du décor Rococo.

MOULURES EN PLÂTRE
Dorez des moulures en bois ou en plâtre et posez-les sur les murs ; recherchez les motifs asymétriques et contournés comme celui-ci.

PHOTOCOPIES
Les ornements des murs sont des photocopies peintes.

SOUBASSEMENT
Pour créer un sentiment d'espace les trompe-l'œil les plus importants (cimaise en moulure, plinthe et panneaux marbrés) sont placés assez bas sur le mur.

Techniques

Badigeon en trois couleurs pp. 250-51
Plâtre patiné pp. 272-73
Imitation marbre p. 294
Dorure, feuille d'or pp. 302-303
Photocopies pp. 318-19
Trompe-l'œil pp. 320-22

LIVING-ROOM COLONIAL

Les premiers colons d'Amérique du Nord importèrent avec eux les concepts de décoration de leur pays et c'est pourquoi les demeures de style Colonial offrent de nombreux points communs avec les maisons rurales de l'Europe du XVIIIe siècle. Ces nouveaux Américains développèrent cependant le goût de la simplicité et du pratique, reflétant l'éthique des Pères Pèlerins, vie austère et honnêteté scrupuleuse. Sobriété, boiseries et murs unis, mobilier rustique et prédominance des couleurs terre, sont les caractéristiques du style Colonial américain. Ses lignes pures et nettes créent une atmosphère tranquille et limpide, extrêmement attrayante.

LES PREMIERES demeures de style Colonial étaient souvent modestes, aux plafonds bas et aux petites fenêtres, et le décor devait utiliser au maximum lumière et espace. Ce style peut être utile chez vous, pour des pièces petites ou sombres.

Utilisation de la peinture

Lorsqu'on a un problème de lumière, on peut peindre le soubassement en couleur, en laissant murs, corniche et plafond blancs pour donner une luminosité maximum et suggérer une voûte de clarté au-dessus d'un « mur » bas, coloré (voir le Salon Baroque Anglais p. 67).

Ici, j'ai décidé au contraire d'accentuer la corniche et les moulures, qui toutes deux tracent une fine ligne de démarcation et sou-lignent l'architecture du mur sans la dissimuler. Contre ce cadre de vert satiné les surfaces blanches du mur ne sont pas emprisonnées ; elles semblent au contraire « flotter » indépendamment.

Bordures et pochoirs

Les murs sont ici peints sur du papier d'apprêt, pratique courante dans les demeures coloniales opulentes, alors que les maisons modestes étaient plus généralement blanchies à la chaux. On collait parfois sur les murs des bordures et des guirlandes en papier décoré et les plus pauvres utilisaient le pochoir en substitut. Évitez cependant de surcharger de décorations si vous voulez garder les lignes sobres du style Colonial américain. Quelques ornements soigneusement choisis se détacheront sur le fond blanc du mur.

Motifs de bordure *Cette copie de papier mural montre la préférence du style Colonial pour les motifs de fruits et de fleurs.*

ANALYSE

TABLEAUX D'ÉPOQUE
Ces deux peintures à l'huile américaines accrochées haut, à la manière fin XVIIIe, s'harmonisent parfaitement avec le thème de couleurs. Il est parfois plus facile de choisir les couleurs à partir d'un tableau que trouver un tableau en harmonie avec une pièce déjà décorée.

THÈME DE COULEURS
Ce vert, réalisé avec un mélange de peintures glycéro, est celui d'une série de couleurs du XVIIIe siècle retrouvées par un fabricant américain. De très petites quantités de bleu et de marron sont ajoutées à du blanc pour lui donner l'aspect frais du badigeon à la chaux bon marché utilisé dans les maisons Coloniales.

MOBILIER EN BOIS
La haute commode-secrétaire en acajou fut fabriquée en Amérique à la fin du XVIIIe siècle, en copie du meuble original anglais. De nombreux meubles continuèrent cependant à être importés, comme cette chaise en chêne cérusé, jusqu'à ce que se développe l'artisanat du bois et du fer forgé.

MOULURES
Cimaise, plinthe et encadrement de porte sont copiés des originaux et composés d'un certain nombre de petites moulures collées ensemble (voir pp. 22-23). La corniche à denticules est une simple copie.

TAPIS
Les toiles de jute étaient parfois peintes avec des motifs pour imiter les tapis importés, comme ce tapis d'Axminster. Le plancher est teinté en acajou chaud pour l'assortir au secrétaire.

Technique
Bois cérusé pp. 260-61

OPTIONS STYLISTIQUES

POUR CONSERVER la simplicité du décor Colonial américain, utilisez des peintures qui se rapprochent du style original par la couleur et la finition telles que les peintures traditionnelles à la caséine, à la détrempe ou les émulsions pour les murs et des peintures à base d'huile pour le bois.

Pièces de collection

La nudité d'un intérieur simple met en valeur les collections. Les premiers colons importaient de nombreux objets d'Europe, et les pièces de collection du XVIIIe siècle anglais ou hollandais sont ici tout à fait à leur place. Le sobre classicisme des moulures permet d'ajouter des objets plus somptueux, comme un miroir doré.

Le mobilier rustique américain peint et décoré au pochoir, comme la chaise ci-contre, les meubles modernes même conviennent s'ils sont peints de couleurs authentiques.

Collections de céramiques
Souvent exposées dans les intérieurs de style Colonial. Posez-les sur une étagère haute ou contre une surface peinte ou en acajou. Choisissez de solides céramiques peintes à la main, associées à de la faïence de couleur crème.

Gamme de couleurs

Vous pouvez vous inspirer de tissus originaux et de meubles peints à la main, ainsi que du nuancier, page ci-contre. Si l'occasion s'en présente, visitez le village-musée de Sturbridge, Massachusetts, États-Unis, où de nombreuses maisons sont décorées avec des couleurs très proches des teintes originales. Pour garder l'authenticité, préférez les tons de terre du mur et des bordures plutôt que les teintes primaires utilisées pour les détails : ces couleurs feutrées, moins chères, étaient les plus courantes. Les blancs frais et les bleus, verts et bruns subtils des pièces Coloniales sont parfois difficiles à reproduire avec précision, car il n'existait aucune norme pour les mélanges de couleurs.

Matelassage et tradition, page ci-contre. On trouve encore des courtepointes et des housses de coussin faites à la main. Accrochez un de ces magnifiques spécimens sur le mur ou utilisez des restes de patchworks pour recouvrir des coussins.

Collections à thème, à droite. Des petits objets de même texture ou de même couleur peuvent former la base d'une collection. La couleur de l'étain anime l'appeau en bois.

Couleurs authentiques, ci-dessus. Nuancier des coloris utilisés par les premiers colons américains.

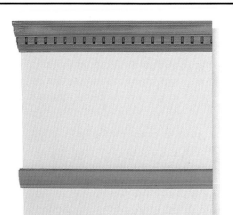

Vert adouci La laque satinée du décor de base est passée sur une peinture à l'huile rose tendre (ocre rouge et terre de Sienne brûlée ajoutée à du blanc). Après séchage, on frotte avec de l'alcool à brûler pour révéler la peinture rose.

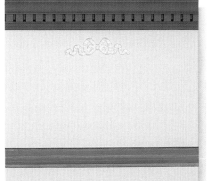

Brun doux Connu sous le nom de « poirier », ce ton est parfait pour les portes et autres boiseries : c'est un mélange frais et chaleureux de terre d'ombre naturelle et de terre de Sienne naturelle.

Rouge couleur de terre Les rouges vifs étaient assez rares, les pigments devant être importés. Ceux couleur de terre, comme l'ocre rouge, existaient localement et je les ai retrouvés en mélangeant des nuances de peinture mate.

SALON RÉGENCE

Une pièce baignée du soleil matinal, claire et accueillante convient particulièrement au caractère aimable du Régence anglais, début XIXᵉ siècle. Ce style britannique, qui reflète un mélange d'influences étrangères, se caractérise par son goût pour le papier mural à rayures et les brocarts aux motifs flamboyants, aux teintes audacieuses et vibrantes, magenta, émeraude et bleu azur. La riche palette de ce décor risque, si on l'emploie avec trop de générosité, de paraître un peu chargée et j'ai préféré n'en choisir que les éléments légers et subtils, avec de larges rayures peintes sur le mur et surtout, en mettant en valeur une corniche ornementée et dorée.

ANALYSE

CORNICHE EN PLÂTRE DÉCORÉ
La corniche est une copie d'un dessin datant probablement d'avant la Régence, ce qui importe peu, le style Régence anglais ayant absorbé quantité d'éléments d'origines diverses. La corniche est peinte en bleu anglais et bleu foncé, et dorée à la poudre métallique, et la guirlande peinte en bleu à la peinture aérosol.

DÉTAILS DES RIDEAUX
Pour placer l'accent sur la corniche et les murs, j'ai habillé les rideaux assez simplement, avec des drapés de mousseline crème, et des fleurons dorés (en fibre de verre) terminant les tringles.

LUSTRE
Pour donner un pôle d'attraction et briser les rayures murales, j'ai suspendu assez bas ce lustre.

RAYURES RÉGENCE
Avant de peindre les rayures à l'émulsion rose, j'ai dessiné des lignes verticales au crayon sur fond d'émulsion blanc-craie. Du ruban à masquer, retiré avant que la peinture soit sèche, permet d'obtenir un bord bien net. Les rayures sont adoucies avec un badigeon blanc cassé dilué à 1/5 avec de l'eau.

PLANCHER COLORÉ
Les lattes de pin sont poncées, puis peintes avec de l'émulsion rose diluée au 1/4 avec de l'eau (voir étape 2 du Badigeon pour bois) et enfin protégées par du vernis mat à base d'huile.

Sous le règne du Prince Régent (futur George IV) au début du XIXᵉ siècle, les formes pures renouvelées du classicisme de l'antiquité rivalisaient avec l'exubérance contournée du style Régence.

Le « Pavillon » à Brighton, avec son mélange exotique de décoration généreuse et frivole, est le témoignage de ce style sous sa forme la plus poussée.

Exubérance assagie
Pour adapter le style par trop excessif du Pavillon du Régent à Brighton, je n'ai utilisé cette richesse d'ornementation que sur un espace restreint, en haut du mur. Peinture bleue et poudre métallique dorée servent à décorer la corniche et la cordelière peinte est fixée au mur en double guirlande. Les motifs sont gothiques, l'un des nombreux styles adoptés par l'époque.

Rayures simples
De larges rayures sont peintes sur le mur avec de l'émulsion rose magenta sur fond blanc craie. Le côté conventionnel des rayures donne une certaine solennité au décor et le schéma linéaire lui prête une élégance gracile, équilibrée et animée par les couleurs vives et la décoration impressionnante de la corniche.

Pour atténuer le côté trop neuf des rayures fraîchement peintes, j'ai passé sur tout le mur une fine couche d'émulsion diluée blanc cassé. La clarté et la chaleur du mur se continuent sur le plancher peint avec une émulsion rose pâle.

Vase Régence *Les céramiques anglaises empruntèrent leurs thèmes à l'art chinois. Choisissez des copies contemporaines ou d'importations .*

Techniques
Badigeon en trois couleurs pp. 250-51
Badigeon pour bois pp. 252-53
Dorure, poudre métallique pp. 304-305

OPTIONS STYLISTIQUES

PEINTURE, tissus et finitions d'un décor de style Régence anglais doivent offrir un mélange de motifs, couleurs et textures. Selon que vous désirez une pièce plus ou moins généreusement décorée, vous adapterez le nombre de ces éléments.

Choix et associations

A la base de ce style on retrouve quelques caractéristiques : larges rayures des papiers muraux et des tissus ; impressions d'oiseaux et de fleurs exotiques (souvent inspirées par l'art chinois) ; bambou et osier fréquemment utilisés en compagnie de meubles simples en bois sombre. Choisissez selon votre goût.

Les styles des siècles précédents – gothique, rococo et champêtre (voir p. 339) – imprégnèrent également le style Régence anglais, ce qui vous permet un large choix dans l'ameublement, les tissus et les ornements.

Gamme de couleurs

Les meubles Régence anglais sont d'une telle sobriété dans l'élégance qu'ils semblent jurer avec la vogue de l'époque pour les tissus et papiers peints généreusement décorés. Mais les couleurs vives étaient à la mode et dans la décoration d'intérieur faisaient simplement écho à celles des vêtements de l'époque. Vous pouvez remplacer les rayures rose et crème, à gauche, par des couleurs vives « anglaises », telles que l'émeraude et le bleu azur, sur des rayures de mêmes teintes mais adoucies en pastel ou blanc cassé. Si vous n'aimez pas les rayures, peignez les murs en riches nuances pastel bleu, rouge, jaune et vert, ou jaune acidulé, bleu turquoise, outremer foncé et lilas (voyez les gammes de couleurs Empire et Biedermeier pp. 61 et 65).

Rayures vives Dans une pièce très lumineuse, essayez un décor Régence anglais à rayures blanc et jaune ; cette dernière couleur était en vogue dans le style Empire français.

Motifs et rayures, *à gauche. Au lieu de peindre les rayures, vous pouvez créer votre décor avec du papier peint rayé bordé de larges frises en papier et des tissus aux imprimés dynamiques et vibrants. Ajoutez quelques détails sous forme de motifs comme l'urne ci-contre, en plastique doré, ou des rosaces en papier, que l'on peut répéter à hauteur de frise.*

Teintes plus intenses *Ces tons intenses bleu de cobalt et ocre rouge se trouvaient dans la reproduction d'un intérieur Régence anglais. Des rayures dans ces couleurs seraient spectaculaires dans une petite pièce.*

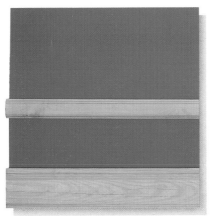

Vert conventionnel *Si vous préférez les murs unis, essayez ce vert Empire. Il se marie bien avec les bois naturels comme le pin ciré et conviendrait à une salle à manger cérémonieuse.*

Chinoiseries, *ci-dessus. Du papier peint reproduisant des motifs Régence comme celui-ci, évoque parfaitement l'atmosphère de l'époque. Prenez-le comme point de départ pour une pièce Régence anglais, en harmonisant ses coloris avec ceux des tissus, comme ici, les coussins et les glands.*

Dorure d'époque, *ci-dessus à gauche. Ce miroir doré est typiquement Régence. Animez un meuble solennel comme cette table avec des étoffes à motifs de teintes vives, comme le tissu rayé aux volutes en plumes, dont on voit le reflet dans le miroir.*

STYLES RUSTIQUES

Meubles marqués par le temps et objets rassemblés au cours des années se bousculent dans le décor paisible et sans âge d'un intérieur rustique. La simplicité des lignes est le secret de cette atmosphère, ainsi que les finitions vieillies, qui trahissent l'histoire des murs, du mobilier et des boiseries, les couleurs de terre et les images fleuries qui font écho au paysage de la campagne.

Ce que nous connaissons du style rustique est en grande partie la création des commerçants des villes, qui transfèrent en imagerie populaire leurs concepts XIXᵉ siècle de la vie à la campagne. Ce que l'on trouve réellement dans les maisons rurales est probablement différent et varie sans aucun doute selon les pays. C'est pourquoi j'ai donné ici des décors d'Amérique, de Suède, d'Angleterre et de France.

Les intérieurs rustiques exhalent une sorte de pérennité subtile. Dans

beaucoup de maisons campagnardes se trouvent des objets qui s'accumulent de façon si anarchique qu'elle semble presque organique. Cette qualité est à rechercher dans tous les styles géographiques ou d'époque pour donner l'impression que tout est là par l'effet du hasard et du temps et finit en quelque sorte par se ressembler. Une telle homogénéité n'est pas facile à recréer à partir d'un décor nu. Elle repose sur un certain nombre de principes : finitions rudimentaires, gamme de subtiles couleurs de terre et simplicité des lignes.

Bois vieilli
Murs et meubles rustiques portent souvent éraflures et marques du temps et certaines techniques de finitions, comme la peinture vieillie et la peinture à l'éponge, permettent d'obtenir l'aspect recherché. Si

tout ce qui est en bois dans une pièce est peint ou vieilli de façon à révéler le caractère du matériau, la chaleur et la complexité de ces finitions donnent une unité à des éléments qui pourraient paraître disparates (voyez l'Escalier Suédois p. 87). Il est même plus facile d'obtenir cet effet si vos couleurs ont pour base des pigments locaux et si vous utilisez des ornements comme la couronne ci-contre en bas.

Simple et vrai
Les intérieurs rustiques ne laissent guère de place pour les finitions élaborées. Les marbrures sont

du faux grandiose, mais le vernis rude et granité du pot en terre cuite, ci-contre en bas, révèle sans complexe le matériau. La décoration des surfaces et les motifs doivent suivre les mêmes principes. Le tissu portant des roses, à droite, est un bon exemple du concept victorien de la décoration rustique. Les impressions au pochoir de l'étoffe à sa gauche ont un côté plus vrai, et plus campagnard. Son motif traditionnel américain, très graphique, représentant des ananas,

possède une facture plus artisanale que les roses et les feuilles soigneusement dessinées. La frise imprimée en papier, ci-contre en bas, donne également l'impression d'avoir été exécutée au pochoir.

La main de l'amateur

Les pochoirs aux bords inégaux, les angles râpés des meubles et la peinture à la finition imparfaite, tout suggère la main de l'amateur. Inventez votre décor avec des pochoirs ou un découpage peu onéreux de photocopies. Pour finir, apportez la nature dans la maison avec des fruits, des fleurs et de l'osier.

ESCALIER SUÉDOIS

Bois peint, lignes dépouillées et sobriété de l'ornementation ont inspiré la décoration de cet escalier tout simple, dans la tradition suédoise. Les bleu-vert caractéristiques de la Scandinavie et la douce patine de l'armoire-commode m'ont servi de point de départ, ces qualités s'étendant, avec des finitions de peinture variées, à l'escalier, au soubassement, au mur et au plancher. Il en résulte un volume clair et aéré dans une atmosphère que rien ne vient encombrer.

LA QUALITÉ principale du style suédois réside essentiellement dans la forme simple et pratique des objets quotidiens ; elle est née de la tradition d'un artisanat éloigné du reste du monde, dont les réalisations devaient fonctionner sans heurts et durer des générations.

Cet escalier est meublé simplement, avec une armoire fonctionnelle et discrètement décorée. Le miroir richement sculpté, seul ornement frivole, reflète la lumière et fait paraître l'escalier plus grand.

Textures et couleurs

Suivez l'exemple suédois comme je l'ai fait et peignez boiseries et mobilier, avec de minces couches de peinture à l'eau diluée, et une finition texturée et vieillie. Ajoutez au mur l'aspect du plâtre ancien et vous aurez une pièce dont tous les éléments seront visuellement reliés.

Les couleurs me furent inspirées par la reproduction d'un intérieur suédois et l'emplacement de chacune fut influencé par la né-cessité d'obtenir un décor résistant à l'usure du temps et d'utiliser au mieux la lumière naturelle.

Les bleus sombres et satinés du soubassement et la finition à l'éponge de la peinture servent à dissimuler les éraflures, et la couleur claire du mur reflète la lumière. Le gris, que l'on retrouve dans les boiseries et le meuble, est utilisé seul, en badigeon, pour le plancher, afin de « lier » visuellement l'ensemble.

Pour d'autres pièces

L'aspect simple et charmant de cet escalier possède une authentique atmosphère rustique, qui peut convenir à n'importe quelle pièce sans prétention où se trouve du bois, à moins que vous ne vouliez en introduire, sous forme de boiseries et moulures (comme les lambris, cimaise et plinthe de ce décor), de mobilier ou de plancher.

Des couleurs claires, reflétant la lumière, au-dessus et au-dessous du soubassement , ainsi qu'un miroir rendent ce décor particulièrement approprié pour agrandir et alléger une petite pièce.

Dorures Pour enrichir un décor simple ajoutez un peu de dorure sous forme d'un moulage ou sur un meuble.

ANALYSE

LES MURS

Pour imiter le plâtre ocre, j'ai fait couler de l'eau sur un badigeon ocre-jaune. Du liant vinylique dilué teinté de jaune moutarde donne aux murs un satiné renvoyant la lumière et fait écho au vernis de la poterie rustique posée sur l'armoire.

MIROIR SCULPTÉ

Les miroirs conviennent bien aux escaliers, puisqu'ils reflètent la lumière naturelle souvent rare et agrandissent l'espace. Le style des sculptures du miroir est typique des formes simplifiées, adaptées des thèmes français XVIIIᵉ, pour suivre une tradition d'artisanat de qualité.

MEUBLES PEINTS

Netteté des formes, simplicité des ornementations et couleurs feutrées de cette petite console sont typiques du mobilier suédois.

RAMPE ET BOISERIES

La rampe et les balustres de l'escalier teintés de couleur noisette naturelle, équilibrent les couleurs en répondant à l'ocre des murs et en traçant une ligne dans le flot bleu-vert des boiseries.

Techniques

Badigeon pour bois pp. 252-53.
Vieillir la peinture sur le bois pp. 266-67.

OPTIONS STYLISTIQUES

A LA FIN du XVIIIe siècle apparut un regain d'intérêt pour le classicisme de l'Antiquité. Architecture, décoration et mobilier grecs et romains devinrent en vogue et le goût néo-classique s'étendit de la France aux pays scandinaves.

Le style qui apparut alors en Suède était éclectique par son mélange de styles traditionnels et de classique. Vous pouvez suivre cette tendance et associer les couleurs et finitions de peinture illustrées ici et dans la page précédente, avec des éléments classiques, tout en contrôlant leur nombre si vous voulez garder l'atmosphère suédoise.

Recherchez aussi les objets d'artisanat rustique – paniers, tissages et cuir travaillé : ces éléments s'harmonisent parfaitement entre eux, mais tout aussi bien avec une chaise dorée ou un lustre ornementé, puisque dans le style suédois, petit et simple est invariablement associé à grand et grandiose.

Détail en papier, ci-dessus. Des scènes de style classique, reproduites en camaïeu et agrandies, se retrouvent souvent sur les papiers peints suédois du XVIIIe siècle. Suivez cet exemple en ajoutant des décorations en papier sous forme d'un panneau mural de style classique, obtenu avec une grande photocopie en noir et blanc (voir pp. 318-19 pour les utilisations décoratives des photocopies).

Fraîcheur et lumière, à gauche. Les divers blancs cassés créent une atmosphère de fraîcheur et de netteté typique de nombreux intérieurs suédois et conviennent aussi bien aux grandes pièces qu'aux petites.

Chaleur Classique, ci-contre en bas. La chaleur des murs ocre du décor de base est renforcée par les riches coloris terre de cette copie de coupe décorative de style grec.

Rustique authentique Dans la Suède des campagnes, la tradition était de peindre même les plus simples des objets quotidiens. Si vous savez utiliser la qualité chaleureuse de tous ces objets rustiques aux riches teintes d'automne, comme ce tabouret et ce récipient, vous planterez fermement les racines de votre pièce dans le sol rustique de Scandinavie.

Gamme de couleurs

Les couleurs régionales de Suède, semblables pour certaines à celles de la Nouvelle-Angleterre (voir p. 97), sont, au départ, des mélanges subtils de pigments tels que vert-de-gris, noir de charbon, ocres locaux, terre verte, blanc et une gamme de bleu-vert nuancés. Si vous ne pouvez trouver la teinte désirée, faites un mélange de peintures, en ajoutant une goutte de terre d'ombre naturelle ou de noir, pour les assourdir et les satiner. Appliquez-les en badigeons légers pour conserver une certaine transparence.

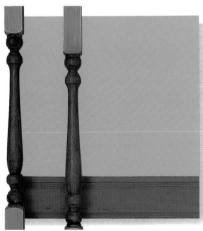

Bleus et verts traditionnels
Associez les boiseries bleu-vert foncé et un fond gris-vert pâle pour obtenir un aspect suédois.

Couleurs royales *Le mobilier suédois offre parfois des teintes vert et rouge, qui s'harmonisent avec la discrète sculpture dorée.*

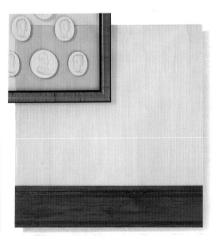

Emploi du blanc *Même bleu foncé que précédemment, mais le fond blanc passé à la chaux et les moulages donnent de la clarté.*

CUISINE FRANÇAISE

Les cuisines rustiques sont des pièces décontractées et même un peu délabrées, cœur de la maison, où l'on prépare nourriture, conserves et confitures, et lieu de rassemblement. Elles sont aussi le point de rencontre entre l'extérieur et l'intérieur, où l'on apporte légumes terreux, œufs frais et bottes boueuses et où plus que partout ailleurs dans la maison, on peut exprimer la rudesse des éléments dans des pochoirs fanés sur un mur à l'aspect défraîchi, des meubles anciens et le carrelage inégal du sol.

UN DÉCOR rustique comme celui-ci doit donner avant tout l'impression que tous les éléments s'y trouvent depuis toujours, que les meubles et les différents objets ont été rassemblés là au fur et à mesure et ont fini par se ressembler, comme un chien à son maître.

Age réel ou apparent ?
Leur âge, ou tout du moins l'âge qu'ils paraissent, va permettre d'unifier tous les éléments. Les pochoirs sont peints sur un mur à la finition de plâtre vieilli, qu'on a ensuite légèrement poncé pour lui donner l'apparence fanée en accord avec le reste de la décoration.

Cages à oiseaux, chaise et sol sont réellement anciens ; paravent et armoire ne le sont pas, mais une finition de peinture à l'éponge leur donne la patine nécessaire. L'aspect informel de ce genre de décor se prête à l'emploi d'objets anciens et rustiques. Pour éviter un décor par trop décontracté et désordonné risquant d'aboutir à une sorte de chaos visuel, il est important de trouver un thème qui puisse unifier l'ensemble.

Liens visuels
J'ai choisi quelques légers objets en fil métallique (vieilles cages à oiseaux et casier à bouteilles rouillé), en contraste avec les matériaux bruts du mur et du sol.

Ces formes légères forment un lien visuel avec le treillis métallique des portes de l'armoire, qui évoque à son tour le poulailler, et l'image du poulet reprise sur le paravent et dans le panier d'œufs. Cette imagerie rustique est renforcée par les textures des poteries vernissées posées sur l'armoire, le sol de terre cuite jonché de paille et le mur à l'aspect vieillot.

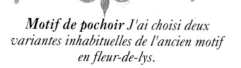

Motif de pochoir *J'ai choisi deux variantes inhabituelles de l'ancien motif en fleur-de-lys.*

ANALYSE

COLLECTIONS
Vieilles cages à oiseaux et faïence vernissée au sel forment une partie de la décoration murale. Des thèmes communs créent une unité entre les éléments – le fil de fer des cages et du casier à bouteilles rouillé, et l'argile des poteries qui répond à la texture du vieux carrelage de terre cuite.

PLÂTRE PEINT
Le plâtre neuf du mur reçoit une finition qui le vieillit et le fait paraître authentiquement ancien et écaillé. Une peinture émulsion diluée fait ressortir la qualité rugueuse du plâtre. Un plâtre réellement ancien absorbant l'humidité sera peint avec du blanc gélatineux, peinture à l'eau (voir p. 328) qui le laissera respirer.

« VIEUX » MEUBLES
Le paravent et l'armoire neufs ont été peints à l'éponge en couleurs fanées pour qu'ils paraissent aussi vieux et usés que le reste de la décoration.

DÉCORATION AU POCHOIR
Le motif à fleur-de-lys vient d'un livre sur les ornements médiévaux français. L'essentiel du dessin et les détails repris à la main sont peints à la peinture émulsion, puis le tout est poncé légèrement pour paraître aussi ancien que les murs et les meubles.

SOL EN TERRE
Les cuisines rustiques sont très proches de la vie à la campagne et ce lien sera renforcé par un sol en « terre », comme le carrelage de terre cuite ci-contre.

Techniques
Vieillir la peinture sur le bois
pp. 266-67.
Vieillir les murs en plâtre
pp. 274-75
Pochoir pp. 312-17

OPTIONS STYLISTIQUES

LE STYLE rustique français n'est pas obligatoirement aussi campagnard et délabré que mon décor de cuisine. On peut le rendre plus élégant pour qu'il convienne à d'autres pièces. Dans un salon, par exemple, atténuez la rudesse des vieux murs et meubles abîmés avec des damas et des tapisseries ou, pour créer une atmosphère plus grandiose, avec du brocart.

Pour une note délicate, ajoutez des meubles peints simples, inspirés par la nature (meubles en pin bon marché, à peindre vous-même), ou un peu de dorure sous forme de décoration murale au pochoir ou de meubles portant quelques motifs dorés (voir pp. 302-305 pour les techniques de dorure).

Naïveté rurale, à droite. De simples thèmes de la nature suggéreront la campagne sous forme de tissu imprimé et de bois peint.

Couleurs méditerranéennes
Choisissez des tissus contemporains portant les couleurs de la Méditerranée et de la faïence décorée pour donner une atmosphère chaleureuse et ensoleillée.

Gamme de couleurs

Recherchez l'inspiration rustique dans les couleurs régionales, les teintures végétales. Vin, tissage artisanal, faïence locale et tableaux qui savent capturer le climat de la campagne, en particulier ceux de Cézanne et autres post-impressionnistes, vous serviront également de référence, ainsi que les sources historiques. Le vert pomme et le rouge rouille de la cuisine sont typiquement médiévaux et se marient bien avec le décor rustique. Ces gammes de couleurs montrent l'effet d'un mince badigeon sur un fond de plâtre rugueux peint en blanc, mais le même procédé donne d'aussi bons résultats sur une surface plane. Émulsion et couleur en poudre conviennent (voir pp. 328-29) et pour les vieux murs, le blanc gélatineux.

Point de départ, *ci-dessus. Les motifs dorés de la chaise m'ont inspiré un pochoir pour les murs et les autres meubles.*

Décor net, *à droite. Un frais tissu de coton contraste avec le mobilier fané ; juste ce qu'il faut pour une salle à manger rustique.*

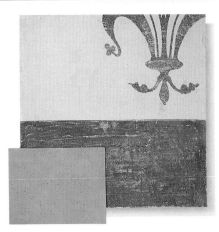

Vieux rose *Pour l'obtenir, diluez ocre rouge et terre de Sienne brûlée en poudre dans l'eau et passez sur un fond de peinture blanche. On peut aussi, pour un plâtre neuf, mélanger la couleur en poudre au plâtre en poudre.*

Effet de fresque *Pour un effet de fresque ancienne, passez une mince couche de peinture outremer sur un fond blanc (irrégulier comme celui-ci ou lisse), puis poncez. Ces couleurs fraîches sont parfaites pour une pièce ensoleillée.*

Atmosphère historique *Pour une atmosphère rustique d'époque, cherchez les teintes inhabituelles comme ce bronze et moutarde. Décorez les murs au pochoir pour imiter le papier peint et ajoutez des tissus crème pâle pour éclaircir.*

NOUVELLE-ANGLETERRE

L'atmosphère campagnarde et sans prétention des intérieurs rustiques américains des XVIIIe et XIXe siècles est le parfait antidote au stress et à l'agitation de la vie actuelle. Pourquoi donc ne pas vous recréer le calme de la campagne dans un nid douillet, entouré de murs, de sols et de meubles en bois patinés par les ans ? Ce style américain décontracté est parfait pour un living-room paisible. J'ai associé de vieux meubles traditionnels avec du bois neuf traité pour qu'il ait un aspect vieilli, en recréant l'atmosphère de bord de mer des maisons de la Nouvelle-Angleterre sur la côte Atlantique.

L E BOIS possède plus de charme que tout autre matériau, surtout lorsque sa peinture est usée et fanée par les années. Je l'ai utilisé partout, suivant la tradition de la Côte Est, en lui donnant, lorsqu'il était neuf (plancher et murs), la même qualité que les vieux meubles, par différents traitements : badigeon, pochoir, céruse et ponçage.

Par ces techniques, qui apportent un nouvel intérêt au bois sans altérer son caractère propre, on unifie visuellement des surfaces différentes en donnant ainsi une certaine homogénéité à la pièce.

Charme simple

L'attrait de ce style vient essentiellement de sa simplicité. Si l'on excepte le lustre à bougies traditionnel, le mur est dénué de structures ou d'ornements en relief, corniches ou plinthes.

Le mur est décoré de simples pochoirs,

que l'on trouve dans les foyers modestes de l'Amérique du XVIIIe siècle pour remplacer le papier peint imprimé. Une seule feuille, motif traditionnel américain, se répète juste sous le plafond. Une frise de poissons et de vagues encadre la fenêtre, témoignage de la mer toute proche.

Origine des couleurs

Le rose doux et le marron chaleureux des boiseries sont repris des couleurs d'une ferme du Texas du XVIIIe siècle. J'ai choisi ces teintes, bien que cet État soit fort éloigné des climats vifs du littoral atlantique, parce qu'elles conviennent à la simplicité décontractée du décor.

Sur les murs j'ai passé un badigeon dilué sur une teinture à bois marron pour ensuite poncer la peinture et révéler teinture et veines du bois. Pour adoucir le rose j'ai passé du vernis gras teinté transparent. Une couche finale de cire d'abeille donne un beau satiné au mur.

Inspiration. Harmonisez surfaces et boiseries aux vieux meubles en reprenant leurs teintes fanées et leurs dessins sous forme de pochoirs.

ANALYSE

POCHOIR FEUILLE

J'ai répété en frise l'image d'une seule feuille, motif traditionnel de la Côte Est, à la peinture dorée et en ajoutant les détails à la main.

BOISERIES DES MURS
Après avoir été teinté, le bois est passé au badigeon (émulsion rose diluée), puis poncé pour révéler les veines. Une couche de vernis gras teinté en marron à la gouache patine la couleur.

POCHOIR POISSON
J'ai choisi un pochoir d'imagerie marine pour souligner le lien de la Nouvelle-Angleterre avec l'Atlantique.

MOBILIER
Simplement peints, vierges de décorations ou de motifs, les meubles ont de la simplicité typique du mobilier rustique américain.

VEINES DU BOIS
Pour laisser le mur plat, j'ai préféré veiner en plus foncé la planche du bas plutôt que fixer une plinthe.

PLANCHER
Pour céruser le pin, il est passé à la brosse métallique pour relever les fibres, frotté avec un mélange d'eau et de pigment et verni.

Techniques
Badigeon pour bois pp. 252-53
Bois cérusé pp. 260-61
Vieillir la peinture sur le bois pp. 266-67
Veinage du bois pp. 300-301
Pochoir pp. 312-17

OPTIONS
STYLISTIQUES

L ES VIEUX meubles peints se ressemblent partout dans le monde, le bois et la peinture patinés par le temps prenant plus d'importance que les motifs eux-mêmes. Tout vieux meuble sera donc à sa place, s'il n'est pas trop élaboré, dans un décor XVIII e américain.

Si vous achetez des meubles bon marché et sans intérêt, donnez-leur du caractère en les peignant et en les vieillissant, ou décorez-les au pochoir avec des motifs du début de l'époque. De simples chaises à barreaux, peintes en noir et avec des motifs dorés au pochoir, feront beaucoup d'effet.

Accessoires

Dans les accessoires traditionnels on trouve faïence vernie au sel, canard appeau, couverture en patchwork et tissu à carreaux, jouets d'enfant ou attributs du jardinier, du fermier ou du marin.

Mobilier confortable *Pour se relaxer confortablement ajoutez un rocking-chair. Celui-ci est en bois uni ciré mais vous pouvez peindre une chaise neuve en pin clair.*

Tradition, *à gauche. Tissus à carreaux, courtepointes matelassées, paniers rustiques et couronnes champêtres.*

Collection de cuisine, *à gauche en bas. Le reflet métallique de la poterie vernissée au sel s'harmonise avec cuivre, étain et fer-blanc.*

Pochoir, *à droite. Recherchez papiers peints, tissus et faïence décorés et reportez leurs motifs sur murs, sols et meubles.*

Sur le rivage *Ce pochoir début XIXᵉ américain au motif de coquillages peut décorer un meuble, le dossier d'une vieille chaise, par exemple.*

Gamme de couleurs

Pour le décor de base j'ai mélangé différentes peintures émulsions pour obtenir les couleurs du XVIIIᵉ siècle américain. Même s'il est intéressant de retrouver les teintes authentiques, ne laissez pas le souci historique empiéter sur votre goût, surtout pour un séjour décontracté dont les couleurs doivent être apaisantes. Que vous choisissiez des coloris naturels ou des teintes d'époque authentiques, appliquez toujours la peinture en badigeon peu épais et poncez pour mettre en valeur les veines du bois.

Avec le crème *Pour un décor reposant mêlez le crème avec le vert, le gris et un soupçon de rouge.*

Verts authentiques *Ces verts feutrés étaient appréciés dans l'Europe du XVIIIᵉ et les colons les introduisirent en Amérique.*

Bleus des bords de mer *Vous obtiendrez ce bleu vif avec de la peinture blanche et de l'outremer ; le bleu pâle est une émulsion diluée.*

SALLE À MANGER SANTA FE

Cultures et traditions différentes ont influencé le Sud-Ouest de l'Amérique au cours des trois derniers siècles, Indiens Pueblo, Aztèques, Indiens Navajo et Espagnols ayant fourni une imagerie très riche, faite du mélange de toutes ces civilisations. Aujourd'hui les influences ethniques se sont mêlées sans complexes pour créer le style Santa Fe. Avec ses couleurs, ses textures riches et caractéristiques et un sens géographique affirmé, il n'est pas fait pour les pusillanimes, mais doit être au contraire approché audacieusement.

L ES CULTURES Pueblo, espagnole du Nouveau-Mexique et Navajo ont toutes à l'origine le même climat et les mêmes paysages, si bien que malgré leurs différences, un lien commun les unit, qui est la tradition des maisons aux murs épais en adobe, sorte de boue séchée, qui s'est adaptée et existe encore aujourd'hui.

Matériaux ethniques

Les matériaux bruts d'une pièce sont importants pour situer géographiquement le style Santa Fe. L'intérieur des équivalents modernes des maisons Pueblo est souvent peint en blanc et les sols en terre cuite s'opposent aux sols traditionnels en terre battue. Mais la plupart des poutres sont visibles et les ornements sculptés sont réservés aux portes et au mobilier.

Peinture et décoration d'une pièce en style Santa Fe devraient permettre d'unifier les différentes images. Ici j'ai choisi pour le sol des dalles d'ardoise aux coulées d'oxyde de fer, dans les couleurs de l'extérieur des maisons Pueblo. Pour le mur j'ai choisi une finition blanche à l'éponge, imitant les vieux badigeons à la chaux.

Imagerie Navajo

Bien que la nature du style Santa Fe réclame plutôt des collections d'objets ethniques, j'ai voulu innover en transférant l'imagerie Navajo directement sur les murs, à l'aide des motifs que l'on trouve généralement sur les petits tapis et les articles en perles. Vous pouvez recopier le motif d'une poterie en le peignant à main levée sur le mur, comme je l'ai fait, ou utiliser le pochoir (voir pp. 312-17). Pour ne pas surcharger le décor, j'ai peint une frise et une « plinthe » de motifs simples répétés et en laissant la plus grande partie du mur blanche, non décorée.

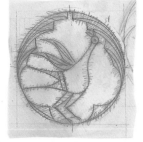

Imagerie Pueblo J'ai dessiné l'oiseau sur du papier calque et l'ai transféré sur le mur en le retraçant sur l'envers.

(voir pp. 312-17)

ANALYSE

DÉCORATION MURALE
Les couleurs et les formes des motifs, rayures, triangles et dents de peigne, sont empruntées aux tapis Navajo ; l'oiseau est copié d'une poterie Pueblo. Tous les motifs sont peints à l'émulsion. La peau accrochée rappelle les couleurs terre du sol.

FINITION PEINTURE
Le mur est peint en imitation de badigeon à la chaux : émulsion blanche passée avec une brosse sèche sur une laque satinée marron.

MOBILIER DE STYLE ESPAGNOL
Même si l'influence espagnole est flagrante dans le mobilier, celui-ci est anglais. Peaux sur les chaises.

DÉTAIL ETHNIQUE
L'imagerie Aztèque et Maya a inspiré le dessin du pot en carton-pâte en forme de taureau posé sur le sol.

CARRELAGE
Les ardoises du sol offrent toutes les couleurs de terre que l'on rencontre dans les maisons Santa Fe. Elles remplacent avantageusement la terre cuite.

Technique
Imitation badigeon à la chaux pp. 254-55

OPTIONS STYLISTIQUES

L'ÉLÉMENT essentiel du décor Santa Fe est l'artisanat ethnique qui constitue la base même du style. Vous pouvez rassembler et exposer divers objets : cuir décoré, étains ou même toute une panoplie rituelle. Si vous ne trouvez pas de vrai tapis Navajo, peignez-en les motifs sur un rectangle de toile de peintre, avec de l'émulsion (protégez le dessin avec du vernis). L'artisanat mexicain et espagnol est aussi tout à fait à sa place dans ce décor.

Murs et sols

Adaptez l'imagerie de l'art Pueblo et Navajo et même de l'architecture Aztèque en peignant leurs motifs sur les murs. Vous pouvez aussi réaliser une décoration murale en carreaux de faïence. On trouve aujourd'hui des faïences Pueblo dans le monde entier, dont les dessins indiens et mexicains sont inspirés des motifs compliqués du XVIe siècle espagnol et mauresque.

Gamme de couleurs

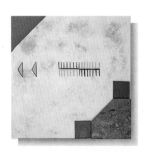

Dans une pièce Santa Fe, les murs blancs sont presque de rigueur, bien que vous puissiez vous en écarter légèrement en teintant le blanc avec une couleur de terre, Sienne brûlée ou ocre jaune, comme ci-contre à droite. Le thème de couleurs sera ensuite déterminé jusqu'à un certain point par l'importance, la texture, la provenance et les coloris des objets que vous voulez exposer. Pour les motifs muraux, inspirez-vous des chaudes couleurs de terre du désert – brun, jaune et pierre – et mariez-les avec les riches couleurs utilisées par les Indiens dans leurs textiles – rouille, rouge sombre, jaune éclatant et noir. Si vous exposez des étains, peignez les détails autour de la pièce en bleu turquoise. Ou bien mettez en valeur d'autres couleurs vives de vos collections. Les carreaux de faïence Pueblo offrent une large gamme de couleurs et de motifs à copier.

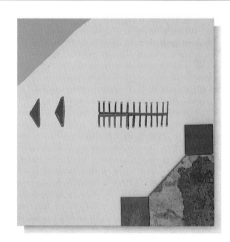

Association vigoureuse Jaune canari et gris bleu rappellent le ciel et le sable et conviendraient dans un petit espace peu encombré, une entrée ou un bureau.

Décoration en cuir, *page ci-contre en haut. Un assortiment d'œuvres artisanales Navajo en cuir fait un décor attrayant dans le décor Santa Fe. Recherchez les articles en perles.*

Images rituelles, *ci-contre. Crâne, main d'étain, bougies et homme de paille décoré de piments rouges, offrent une décoration inhabituelle évoquant des images rituelles.*

Style Colonial espagnol, *ci-dessus. Le bel encadrement en étain incrusté de turquoise du miroir est mis en valeur par la simplicité de la table en bois. Tous deux sont typiques du style d'ameublement Colonial espagnol des XVIᵉ et XVIIᵉ siècles que l'on trouve encore aujourd'hui.*

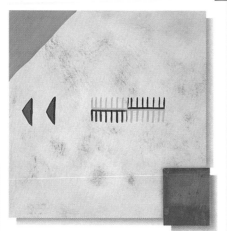

Couleurs de terre reposantes *Le brun rose du triangle réchauffe la froideur du fond couleur pierre et fait écho à la douceur du carreau de terre cuite.*

Tons neutres *Les murs peints de couleurs pâles, gris brun (triangle) et blanc par exemple, feront contraste avec une frise aux teintes vives, par exemple, ou des tapis à motifs.*

Carreaux de faïence hispaniques *Des carreaux peints à la main ajouteront une décoration colorée ou vous fourniront l'inspiration pour créer vos propres dessins pour les murs ou le sol.*

CUISINE DE FERME

Plus que pour toute autre pièce, le décor de la cuisine rustique doit être pratique et sans façon, car non seulement elle est au coeur des activités domestiques mais aussi le plus souvent l'endroit où l'on range les vêtements d'extérieur et les divers objets de la vie quotidienne à la campagne. Dans ce décor on a donné aux soubassement, plancher et meubles un aspect défraîchi. Des ustensiles de cuisine utiles et des vêtements d'extérieur jouent le rôle de décoration de premier plan et des photocopies ornent le mur ici et là, assez haut pour être hors de portée.

L ES COULEURS de la boue et de la poussière sont les plus pratiques si votre porte ouvre sur un champ. J'ai choisi des bruns et des gris doux, ainsi que des blancs cassés neutres, contre lesquels contrastent des taches de couleur ponctuelles : fleurs séchées aux teintes vives et commode bleue. La peinture de cette dernière est vieillie pour qu'elle semble avoir le même âge que le plancher et le badigeon du mur.

Séparation du soubassement

Un soubassement en bois est un bon choix parce qu'il protège la partie basse du mur. Les panneaux sont cérusés pour leur donner un blanc satiné.

Comme le plancher passé au badigeon, les lambris reflètent la lumière en donnant une saine atmosphère de campagne. Une autre possibilité

pour un soubassement en bois est une finition vieillie (voir aussi l'Escalier Suédois p.87).

Réservez les ornements décoratifs à la partie supérieure du mur où ils résisteront aux enfants, aux chiens et aux souliers boueux.

Motifs et objets quotidiens

Une photocopie en couleur d'un énorme cochon (tirée d'un livre de peintures naïves agricoles) ajoute une note d'humour et contraste avec les vignettes campagnardes. La bordure est obtenue avec des photocopies d'imagerie de chasse se chevauchant.

Considérez l'attirail culinaire et campagnard comme une forme de décoration sommaire. Les vieux accessoires de cuisine : huche à pain, baratte et porte-ustensiles en fer forgé, ajoutent du caractère tout comme le pot de cheminée qui sert de porte-parapluie.

Motifs campagnards *Le mur est décoré de photocopies de vignettes campagnardes, que j'ai découpées et peintes à l'aquarelle.*

A N A L Y S E

DÉCORATION EN PAPIER

Laissez tout l'espace libre pour l'attirail de cuisine et de campagne, en réservant les ornements aux murs. La photocopie en couleur d'un cochon ajoute un clin d'œil humoristique à la décoration en papier, vignettes campagnardes et frise de faucons, pigeons, arcs et flèches.

MUR AU BADIGEON

Le soubassement protège la partie basse du mur. La partie haute est peinte en blanc, puis passée au badigeon avec une émulsion terre d'ombre naturelle (suivez l'étape 3 du Badigeon en trois couleurs).

ATTIRAIL MÉNAGER

Les vieux accessoires de cuisine, comme le porte-ustensiles en fer forgé, donnent énormément de caractère.

POCHOIR ET CÉRUSE

Les panneaux de bois sont décorés au pochoir avec feuille de chêne et gland. Ils sont d'abord frottés à la céruse, qui remplit les pores du bois et donne une patine satinée.

Techniques

Badigeon en trois couleurs pp.250-51
Badigeon pour bois pp.252-53
Bois cérusé pp.260-61
Vieillir la peinture sur le bois pp.266-67.
Pochoir pp.312-17
Photocopies pp.318-19

OPTIONS
STYLISTIQUES

L E BRIC-À-BRAC et les bottes boueuses conviennent au caractère rudimentaire d'une cuisine rustique, mais vous préférerez sans doute un décor plus raffiné pour les autres pièces. Pour un living-room ou une chambre, par exemple, suivez la grande tradition du style rustique du XIXᵉ siècle et cherchez l'inspiration dans les fleurs, avec des photocopies de motifs décoratifs floraux. Peignez-les à la main ou prenez frises et papiers peints du commerce en choisissant les motifs convenant à l'âge et à l'emplacement de votre maison.

Thèmes plus vigoureux

Si vous désirez un thème plus vigoureux, allez faire un tour au verger. Fruits et légumes ont un aspect riche et généreux qui convient bien aux salles à manger rustiques.

Si vous n'aimez pas les photocopies ou si vous voulez un décor plus recherché, investissez dans des gravures et tableaux d'époque. Les reproductions de planches botaniques ou de plans de jardin, seront parfaites dans une véranda pour renforcer le lien avec le monde extérieur.

Motifs d'animaux *Des peintures naïves d'animaux sous forme de plaque de faïence ou de bois, comme celle-ci, ou en décor de pare-feu ou de porte-manteau, possèdent un certain charme rustique.*

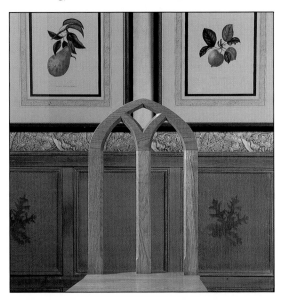

Lien avec le jardin, *à gauche. Pour articuler une véranda ou une cuisine à la nature, choisissez du mobilier de jardin élégant en métal et des gravures d'architecture paysagiste.*

Note délicate, *ci-contre en bas. Pour une authenticité rustique sans prétention, les papiers peints, tissus et bordures à fleurs contrastent avec le grain rude du bois cérusé et passé au badigeon.*

Raffinement *Donnez un aspect raffiné à votre salle à manger rustique avec des reproductions de planches botaniques et opposez chêne ciré et chêne cérusé.*

Gamme de couleurs

Les couleurs neutres et fraîches, comme le blanc cassé et le marron pâle du décor de base, s'harmonisent avec les teintes primaires douces, bleu cendré, rose et vert. Pour un thème de couleurs tendres et tout aussi neutres, dans une chambre par exemple, choisissez des nuances crème pour les murs et les boiseries. Pour un décor plus affirmé, prenez des teintes plus soutenues comme celles ci-dessous à droite. A la campagne donnez un aspect authentiquement rural à une pièce en la peignant aux couleurs locales traditionnelles pour l'extérieur des maisons.

Clair et foncé *Pour une atmosphère d'époque sobre dans une salle à manger, choisissez des teintes chêne foncé.*

Crème pâle *Une émulsion de couleur crème pour les boiseries et les murs donnera une atmosphère rustique et chaleureuse.*

Couleurs intenses *Pour un aspect ancien, choisissez de l'ocre rouge pour les murs et du noir pour les boiseries ou les sols.*

SALON SHAKER

Décoration et ameublement d'une pièce sont d'autant mieux mis en valeur que l'ensemble est plus sobre. Les lignes simples et élégantes et la perfection des réalisations artisanales des intérieurs et du mobilier Shaker donnent une impression de sincérité et de transparence qui ne peut que satisfaire le regard le plus critique. Les Shakers formaient une communauté religieuse, et la décoration de leurs maisons et la forme des objets reflétaient la pureté et la simplicité de leur foi. Cette interprétation d'une pièce Shaker, aux murs et plancher nus et aux meubles d'une facture parfaite, offre une simplicité rafraîchissante qui convient aux pièces simples.

UN INTÉRIEUR Shaker ne peut être que minimal, car la simplicité du mobilier s'étend à la décoration. Les murs étaient généralement peints en couleurs pâles et subtiles. Le mur ci-contre est passé au badigeon pour ressembler au plâtre nu, finition qui obéit au code Shaker, lequel écartait tout ornement (vous pouvez aussi utiliser la finition plâtre pp. 284-85).

La teinte douce du mur contribue à créer une atmosphère paisible et s'harmonise avec les couleurs chaudes des meubles en hêtre et le brun feutré des simples moulures en bois.

Ameublement simple

Les Shaker possédaient peu d'objets quotidiens, mais qui étaient faits pour durer. Aucun ornement ne détourne le regard de la beauté de leurs formes fonctionnelles. Les meubles, la pendule et les boîtes sont tous de design Shaker, mais n'importe quel meuble aux lignes pures peut très bien convenir.

Pour éviter le désordre les Shaker accrochaient les objets tels que lampes, pendules et petits meubles haut sur le mur. Au lieu de leurs portemanteaux traditionnels j'ai choisi d'anciennes patères d'école vissées sur une planche de bois peint.

Textiles fonctionnels

Choisissez des tissus simples et fonctionnels. Tapissez les meubles avec du coutil, du guingan ou de la toile. Prenez de la mousseline écrue pour vos rideaux et du lin blanc fin pour la table. Si vous préférez les imprimés, choisissez les carreaux et les rayures. Un tissu blanc uni conviendra pour les stores qui remplaceront éventuellement les rideaux.

Objets industriels En accord avec l'esprit Shaker, l'idée des patères m'est venue d'un ancien catalogue commercial.

ANALYSE

ESPACE DE RANGEMENT
Pour éviter le désordre les Shakers avaient des placards et accrochaient haut sur les murs les objets ainsi que les meubles qui n'étaient pas en service.

FINITIONS DES MURS
Le mur donne l'impression d'être en plâtre nu grâce à trois couches d'émulsion, une de teinte biscuit, une rose et enfin une blanche.

CIMAISE
La cimaise est une moulure standard (voir p. 22). En mélangeant des émulsions terre d'ombre naturelle et Sienne naturelle, j'ai obtenu une couleur authentique du début XIXᵉ.

MOBILIER SHAKER
Il était remarquablement fabriqué. Peu de pièces authentiques ont été préservées, mais des meubles soignés et de même style font autant d'effet.

LE PLANCHER
J'ai passé le plancher au badigeon terre d'ombre naturelle (étape 1 pp. 252-53). Après séchage, je le ponce légèrement et passe du bouche-pores liquide avant de le vernir.

Techniques
Badigeon en trois couleurs pp. 250-51
Badigeon pour bois pp. 252-53

CUISINE CARAÏBE

Le chaud climat et la vie colorée des Antilles ont inspiré ce style Caraïbe dont le charme vient des teintes fortes et de la simplicité du décor. Toute pièce ensoleillée peut recevoir ce traitement ; la luminosité vous permet de jouer avec des associations de couleurs qui seraient impensables ailleurs. Ceci est particulièrement vrai au bord de la mer, pour une pièce baignée de la lumière vive venant des flots. L'ameublement n'a pas besoin d'être extravagant. Rassemblez tout simplement des objets peints ayant un point commun, comme les objets usés par le temps ci-contre, que vous disposerez de façon informelle.

L E CHOIX des matériaux est important pour ce style. Dans ce décor j'ai utilisé une grande quantité de bois, aussi bien pour sa qualité décorative qu'architecturale. Le pin étant chaleureux, facile à employer et solide, contrairement au bois dur de l'acajou verni, il crée une atmosphère paisible et conviviale. On retrouve cette utilisation du bois dans les décors des pages 95 et 87.

Importance de la couleur

C'est par les couleurs que ce décor se distingue des autres. Celles-ci sont prises parmi les tons intenses de l'arc-en-ciel, tels qu'on les voit aux Caraïbes. Le contraste est net et audacieux ; le jaune étant complémentaire du violet, utiliser ces deux couleurs ensemble sur de telles surfaces pouvait paraître risqué. Mais les finitions vieillies aident à diviser le tout et forment un lien entre les textures des différentes parties. Un détail d'importance est la corniche jaune qui encadre la pièce et limite la couleur du mur en faisant reculer le violet, qui joue ainsi un rôle secondaire.

Vieux meubles

Le décor sera finalement unifié par le mobilier. Couleurs et dessins de la chaise et de la table sont légèrement différents, mais grâce à leur finition pareillement vieillie qui révèle les qualités naturelles du bois sous la peinture, ils ne jurent en aucune façon.

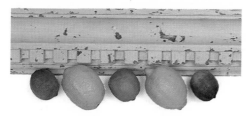

Idées naturelles *Vous pouvez vous inspirer des teintes de la nature pour votre intérieur. Certains fruits séchés feront même une excellente décoration !*

ANALYSE

CORNICHE

Même si la corniche est une copie moderne, son dessin reprend ceux du début du style Colonial américain antillais. La finition de la peinture est vieillie pour révéler par endroits le bois teinté.

MUR VIEILLI

Pour obtenir la finition vieillie, j'ai passé de la laque satinée rose brun et, après séchage, une émulsion indigo et violet, à la brosse sèche. Enfin, avec un chiffon trempé dans l'alcool à brûler, j'ai frotté toute la surface du mur pour révéler la sous-couche rose.

DÉCORATION

Imagerie maritime, teintes vives et simple mobilier peint établissent géographiquement le décor. Étoiles de mer et coquillages se détachent contre les couleurs fortes. Ustensiles de cuisine en métal et tissus colorés sont également typiques de beaucoup de maisons caraïbes.

SOUBASSEMENT

Le soubassement est fait de vieux lambris peint en jaune vif pour reprendre sur une partie du mur la couleur de la plinthe. La finition très vieillie ne paraît peut-être pas aussi authentique qu'une autre plus subtile, mais elle a son charme.

MOTIFS DU SOL

Le motif en carrelage est repris d'un intérieur jamaïcain. En m'aidant de ruban à masquer pour obtenir des bords bien nets, j'ai peint le motif avec de l'émulsion et appliqué ensuite plusieurs couches de vernis protecteur.

Techniques

Imitation badigeon à la chaux pp. 254-55
Vieillir la peinture sur le bois pp. 266-67.

OPTIONS STYLISTIQUES

L'ATMOSPHERE chaleureuse évoquée par le style Caraïbe le rend parfait pour toute pièce ensoleillée. Même si la finition de la décoration peut paraître un peu rudimentaire, le mobilier doit être choisi et disposé avec soin. L'espace est également important ; trop encombré, il gâcherait l'effet général.

Lumineux et naturel

La simplicité est le maître mot de ce style. Prenez des tissus naturels – mousseline, étamine, guingan et toile à matelas – pour vos nappes et housses de coussins. Choisissez des stores et des volets en bois brut ou peint, et des meubles de n'importe quelle époque, en particulier les meubles peints tout simples et de style Colonial Victorien. Enfin, ajoutez quelques touches de couleur, telles que coupes de fruits, fleurs et coquillages, rappelant la vitalité de la nature.

Détente, *ci-dessous. Fauteuil en osier et chapeaux de paille créent une atmosphère accueillante.*

Gamme de couleurs

Les couleurs naturelles sont toujours un bon point de départ, particulièrement dans la lumière vive d'un décor Caraïbe. La pastèque, ci-contre en bas, en est un bon exemple. Le vert foncé et le rouge teinté de rose fourniront les deux couleurs complémentaires, auxquelles vous ajouterez des touches de noir, en adoucissant le tout avec une imitation de badigeon à la chaux. Pour un effet plus nuancé, ajoutez du blanc à l'une des couleurs pour donner un pastel intense. Les murs blancs unis sont courants.

Un air de nostalgie *Le blanc nuageux sur du bleu donne un sentiment de calme.*

Bleu intense *Le bleu intense des boiseries donne un aspect plus conventionnel.*

Sobriété *Le vert émeraude de la corniche contraste sans agressivité avec le bleu foncé de la boiserie.*

Exquise simplicité, *ci-contre en haut. Le drapé de la moustiquaire et la courtepointe à l'ancienne apaisent l'exubérance colorée du décor.*

Assortiment coloré, *ci-contre en bas. Fruits et légumes tropicaux appétissants offrent une excellente inspiration pour un thème de couleurs ainsi qu'une décoration gaie. Disposez-les simplement en compagnie d'ustensiles sans prétention, de torchons et d'anciens mesures en fer-blanc.*

Atmosphère coloniale *Pour donner à la pièce une ambiance de style plus Colonial, disposez quelques vieux livres, des coffrets d'ébénisterie et du matériel de bureau sur une table d'appoint en bois sombre bien ciré.*

STYLES MÉDIÉVAUX

Les styles médiévaux ont été repris à différents moments de l'histoire : intérieurs du Moyen Age avec leurs tapisseries richement colorées ; arcs gothiques des églises médiévales ; néo-gothique anglais du XVIIIᵉ siècle, caractérisé par ses ornements fantaisistes ; et enfin style néo-gothique victorien.

La décoration des intérieurs des maisons médiévales variaient selon leur importance. Les maisons modestes étaient généralement assez sobres, mais les grandes demeures dispo-saient d'espace aussi bien que d'argent. Les deux décors page 115 et page 123 donnent une version que l'on aurait pu trouver dans les maisons les plus imposantes de l'époque. Ces pièces étaient peu meublées et les murs simplement peints. Leur caractère venait des somptueuses étoffes. Tapisseries, tentures murales, coussins et riches damas, comme le tissu bleu et jaune ci-dessous à droite, se mê-laient pour produire une

harmonie colorée de motifs, rappelant les tournois. Pour équilibrer cette profusion de couleur, les boiseries du mur n'étaient ni décorées ni cirées. Aujourd'hui vous trouverez des boiseries de récupération ou des reproductions.

Néo-gothique anglais

Au XVIIIᵉ siècle, l'Angle-terre retrouve un sursaut d'intérêt pour les constructions go-thiques médiévales,

qui influence la décora-tion d'intérieur. Le style se caractérise par la mer-veilleuse légèreté des ornements de surface, fantaisistes et audacieux. Seul le motif importe, et il est donc facile et peu

onéreux de réaliser ce genre de décor, puisqu'il s'attache surtout aux dé-tails tels que baguettes et moulures décoratives que l'on peut appliquer au mobilier (ci-dessus à

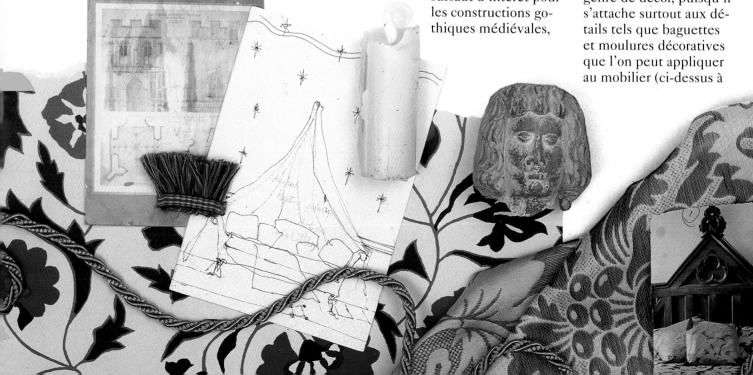

gauche), ou photo-
copies de dessins
médiévaux comme
ce griffon. Les cou-
leurs favorites du
style sont le blanc
sur du rose, bleu an-
glais, jaune soufre
ou vert pâle.

Style néo-gothique
Les Victoriens reprirent
le style précédent en al-
lant encore plus loin, en
hommage à l'architectu-
re massive des cathé-
drales médiévales. Ce
style néo-gothique de-
vint un mélange du
goût victorien en vogue
et de décoration médié-
vale reproduite en cou-
leurs triomphantes.
Fleurs, oiseaux et ani-
maux figurent dans
les copies des motifs
de tissus et papiers
peints. Le papier à
couronnes, à droite,
en est un exemple.

STYLE PRIMITIF ANGLAIS

Un environnement rustique, au décor rudimentaire inusable, convient à la préparation des aliments. Cette cuisine toute simple possède un charme familier apparenté à celui de l'art traditionnel du Moyen Age et s'offre à vous humblement dans sa vérité quotidienne. Les composants de base de ce décor – murs peints et plancher teinté – sont sans prétention. Poutres apparentes, blasons et boiseries du soubassement donnent à l'ensemble son aspect médiéval, ainsi que les dessins rustiques de légumes et d'ustensiles de cuisine.

LES VIEILLES poutres qui donnent au décor sa structure médiévale sont en fait des imitations en résine synthétique. Je les ai vernies et peintes pour qu'elles paraissent aussi vieilles que le mur qui, lui aussi, est peint puis frotté, imitant ainsi la technique du lait de chaux à l'ancienne.

Les chevaliers portant des écussons, également en résine, ajoutent une touche décorative aux encorbellements et assument le rôle des grotesques du Moyen Age. Leur finition de peinture vieillie est dorée et patinée à la cire. Le mur est décoré avec des motifs rustiques, des ustensiles de cuisson et un blason médiéval simplifié. La répétition rythmique met en valeur les images peintes en ocre rouge. Si votre cuisine comporte des placards, vous pouvez peindre ce genre de décoration dans les espaces libres.

Équilibre des couleurs

Il était important que le thème de couleurs ne nuise pas aux différentes finitions et aux détails déjà colorés comme les chevaliers et le coffre. C'est pour cela que j'ai choisi une ton neutre pour les boiseries et le plancher, simplement teints en marron.

ANALYSE

VIEILLIR LES POUTRES

Une couche de vernis au tampon, puis d'émulsion blanche. Frottez la peinture sèche avec de l'alcool à brûler, qui dissout le vernis, lequel remonte dans la peinture.

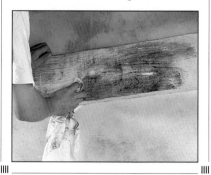

MUR MARBRÉ

J'ai imité les murs blanchis à la chaux en passant une émulsion blanche à la brosse sèche sur une sous-couche de laque satinée rose. Après séchage, j'utilise un chiffon trempé dans l'alcool à brûler pour adoucir l'effet et user la peinture, en révélant des parties de la sous-couche.

SOUBASSEMENT ET PLANCHER

Le soubassement est teinté en sombre et donne un fond neutre pour le mobilier. Le plancher est teinté de la même couleur puis verni.

COFFRE DE CUISINE

Ce robuste coffre est un meuble utile. Je lui ai donné une finition vieillie en couleurs médiévales et j'ai doré le motif central du panneau à la feuille d'or.

Techniques

Imitation badigeon à la chaux pp. 254-55

Vieillir la peinture sur le bois pp. 266-67.

Patine pp. 270-71

Dorure, feuille d'or pp. 302-303

PEINTURES « MÉDIÉVALES »

Pour retrouver le style des peintures primitives, faites un badigeon au liant vinylique et ocre rouge (voir p. 333).

Après séchage, effacez une partie du dessin avec une éponge mouillée, puis passez du vernis mat.

OPTIONS STYLISTIQUES

SI DANS le décor précédent l'imagerie médiévale abonde, il n'offre cependant que peu de caractéristiques gothiques. On peut peindre arcs trilobés et autres détails architecturaux ou héraldiques, comme les chevrons, pour réveiller les panneaux d'un meuble trop ordinaire et lui donner un aspect gothique. Une autre possibilité est l'approche religieuse. Choisissez des objets tels qu'une boiserie sculptée de récupération ou une plinthe en pierre, rappelant les ornements d'église.

Médiéval et moderne

Les meubles en bois contemporains, comme les placards de cuisine, s'harmoniseront avec un décor médiéval si le dessin est approprié et les couleurs assorties au thème général. Choisissez des bois sombres et durs, comme le chêne et l'orme, ou teintez du pin en brun foncé. Recherchez les vieux meubles bon marché que vous pourrez décorer d'écussons.

Thème héraldique *La chevalerie est le sujet de ce motif victorien ; recherchez papiers peints et tissus portant ce thème.*

Petits objets en vieil ivoire, cuivre ouvragé et fer forgé conviennent tous pour des détails médiévaux. Vous pouvez demander à un forgeron de reproduire un lustre ou un candélabre du Moyen Age.

Pour donner une note médiévale à votre salle à manger ou votre cuisine, rassemblez assiettes, gobelets et bougeoirs en bois.

Gamme de couleurs

Nous avons la chance de connaître les couleurs médiévales grâce aux églises, cathédrales et monastères d'Europe. Inspirez-vous des vitraux, peintures murales, ornements d'autels et tissus qui pour beaucoup portent encore les teintes chaudes de terre, très courantes au Moyen Age : ocres, terres de Sienne et verts. Les livres d'héraldique valent aussi la peine d'être consultés, parce qu'ils donnent de nombreux renseignements sur la façon dont les couleurs faisaient partie de la décoration. Vous pouvez remplacer les dessins ocre du décor de base par des motifs héraldiques peints, vivement colorés. Le style Gothique Victorien est une référence valable pour la gamme de couleurs médiévales, celles-ci ayant été reproduites à l'époque et adaptées aux tissus et papiers peints (voir les reproductions modernes pp. 119-21).

Imagerie religieuse, *page ci-contre.*
Les objets gothiques d'église : bougeoir,
encensoir et ivoire, donnent une
atmosphère religieuse au décor.

Venise médiévale, *à droite. Cette*
maquette en carton reprend l'imagerie
de l'époque. La décoration peinte du
mur pourrait s'inspirer de la
marqueterie de la table.

Chanvre et damas, *ci-dessous.*
Soubassement tapissé de toile de
chanvre, au lieu de boiseries sombres.
Le damassé met en valeur l'ocre rouge
du décor mural.

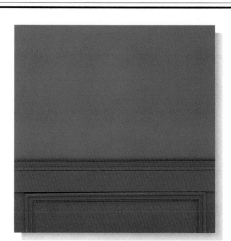

Changement de décor *L'ocre rouge*
mat se marie au vert sombre, belle
harmonie pour une salle à manger
ou une entrée. Pour égayer, ajoutez
des détails peints en teintes
médiévales bleu ciel, écarlate,
émeraude et or.

Rose velouté *La teinte sombre du*
bois est contenue par le rose velouté,
ce qui est nécessaire lorsque portes,
poutres et ornements se doivent d'être
en bois foncé ou de présenter une
finition du même style.

Couleurs pierre *Cette gamme de*
couleurs est une référence ironique à
la Tour de Londres à cause de son
dessin médiéval en pierre d'angle,
qui ferait un bon soubassement. Pour
un thème monochrome peignez les
boiseries en blanc.

BUREAU NÉO-GOTHIQUE

Ce décor est une interprétation du vigoureux style néo-gothique XIXe siècle, créé à partir du néo-gothique fantaisiste et décoratif du début du XVIIIe siècle en Angleterre (voir p. 127). Ce style européen, qui s'étendit également aux États-Unis, donna les grands bâtiments publics victoriens du milieu du XIXe siècle, comme les chambres du Parlement à Londres, à la décoration d'une sombre authenticité et à la pompe féodale. Le style fut également adopté sur une échelle moins grandiose pour la décoration d'intérieur et sévit en Angleterre dans de nombreuses maisons victoriennes. Voici un décor néo-gothique simple, présentant de façon plus légère l'authenticité du Moyen Age.

L A STRUCTURE du décor n'attire pas particulièrement l'attention, l'accent étant plutôt mis sur les dessins et les textures des différentes surfaces : mur en damier et soubassement à créneaux rappellant les châteaux du Moyen Age, et arrangement des rideaux. Le mur est d'abord peint à l'émulsion diluée et les carreaux imprimés avec une éponge carrée. La boiserie (copie) est veinée en imitation de bois clair et patinée à la cire.

Décoration de la fenêtre

La décoration de la fenêtre forme un pôle d'attraction vers lequel convergent différentes surfaces de formes variées et enrichies de motifs. Le tissu du store porte un dessin gothique stylisé et celui des doubles-rideaux et de la cantonnière, un motif d'étoffe du XIXe siècle.

Cet arrangement, fait de tissus contrastants superposés (chintz épais, coton empesé et souple mousseline), donne une note théâtrale à la fenêtre.

IMPRESSION EN DAMIER

Imprimez le damier avec de la peinture émulsion et une éponge synthétique collée sur du contreplaqué.

Après séchage, peignez le mur avec de l'émulsion (diluée à moitié avec de l'eau) pour adoucir le contraste des couleurs.

ANALYSE

CANTONNIÈRE

La cantonnière est faite d'un métrage de chintz lourd, tordu en un nœud au milieu et fixé de chaque côté à une tringle. Les moulures en plâtre doré donnent une note riche.

STORE DE STYLE GOTHIQUE

Le store à enrouleur porte un décor gothique. Du tissu est collé sur du papier épais et découpé ensuite autour du motif. Deux fines tringles de métal sont cousues dans la largeur de la doublure.

BOISERIES CRÉNELÉES

Une moulure est fixée sur le panneau à plis de serviette, de façon à imiter le motif crénelé médiéval. Le fond est peint en rouge et les « dents » dorées à la feuille d'or.

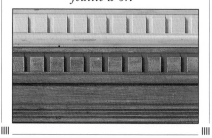

DÉTAIL AUTHENTIQUE

Le moulage en plâtre sur la table, qui ajoute une note érudite, est une maquette d'une tour gothique victorienne.

ÉTOFFES À MOTIFS

Les fabricants du XIXe siècle reproduisirent les motifs des tapisseries et damas médiévaux et on continue aujourd'hui à proposer des dessins « d'archives », tissés comme le tapis de laine, ou imprimés sur coton, que l'on peut utiliser pour les rideaux et les stores.

Techniques

Patine	pp. 270-71
Bois clair	pp. 296-97
Dorure, feuille d'or	pp. 302-303

OPTIONS STYLISTIQUES

L'ARCHITECTURE gothique victorienne oppressante, caractérisée par le bois sombre et la pierre noire, n'a guère été appréciée depuis la venue du Modernisme. Mais, aujourd'hui, de nombreux monuments gothiques sont nettoyés et révèlent une fraîcheur de couleur et une richesse de formes qui plaisent davantage au goût contemporain.

Textiles et papiers peints

Le thème dominant des textiles, papiers peints et tissus d'ameublement gothiques du XIXe siècle ne reflétait pas vraiment le goût du Moyen Age, mais une forme de décoration gothique au goût victorien. On continue aujourd'hui à produire de nombreux motifs qui donneront un aspect gothique à une pièce.

Mobilier

Le mobilier victorien sculpté, peu à la mode jusqu'à récemment, est facile à trouver d'occasion.

Certains fabricants de meubles adoptent actuellement une imagerie gothique sous une forme simplifiée, aux lignes nettes et modernes. Certains de ces meubles peuvent être incorporés, avec modération, dans un décor néogothique.

Applique-bougeoir Les accessoires à la patine ancienne comme ce bougeoir, conviennent à un décor néo-gothique.

Gamme de couleurs

Murs, retables et sculptures des églises médiévales étaient décorés de couleurs somptueuses. On utilisait généreusement rouges et marron profonds, terre verte et ocre jaune. L'outremer et les diverses nuances de vert-de-gris étaient également appréciés. Le style néo-gothique du XIXe siècle reprit cette palette pour en décorer églises et bâtiments publics. Ses sources étaient documentées et ses coloris un reflet exact des couleurs médiévales. Mais le goût de l'époque influença inévitablement les tons de cette palette et s'il manquait une nuance dans les couleurs authentiques, on ajoutait les teintes désirées. Il en résulta une vaste gamme de coloris que l'on trouve encore aujourd'hui dans des copies de papiers peints et textiles divers, que l'on peut assortir aux peintures modernes.

Décor somptueux, *à gauche*. Mêlez couleurs et motifs pour ce somptueux effet néo-gothique XIXᵉ, convenant particulièrement à une entrée. Tous les tissus sont modernes ; les dossiers des fauteuils anciens sont marbrés.

Couleurs d'époque, *ci-dessus*. Les motifs des papiers peints et textiles victoriens offrent des couleurs médiévales authentiques, comme l'ocre rouge et ce vert.

Moulures à coller, *à droite*. Pour décorer les étagères et les éléments fixes.

Interprétation moderne, *ci-dessus*. Le fauteuil gothique moderne n'est pas déplacé devant la copie d'un placard à porte ajourée et du panneau à plis de serviette.

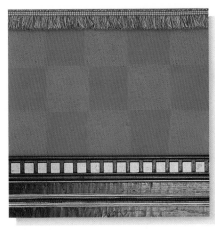

Autre choix *Une autre possibilité, sobre et accessible, vous est offerte avec cette gamme de couleurs proposant la même teinte de fond que les rideaux du décor de base de la page 119 et un vert héraldique semblable.*

Mélange médiéval *Cette association puissante d'ocre rouge imprimé à l'éponge avec de la terre d'ombre naturelle, de noir brillant et de boiseries dorées conviendrait parfaitement à une salle à manger illuminée, le soir, par des bougies.*

Intense et neutre *Quelques couleurs des tournois médiévaux très appréciées du style néo-gothique. Utilisées en petite quantité mais ensemble, elles vont bien contre un fond neutre comme ce rose pâle, rehaussé d'une seule touche d'or.*

Chambre Médiévale

Les traditions romantique et chevaleresque de la période médiévale sont visuellement représentées dans ce décor changeant, presque magique, utilisant peinture, feuille d'or et étoffes somptueuses. La décoration murale est inspirée d'une photographie de magazine représentant un plafond voûté dans un monastère, décoré d'une fresque à fond bleu pointillé d'étoiles dorées. Même sans le soutien du lustre en forme de couronne, du tissu imprimé de soleils et d'étoiles et du lit opulent, la décoration des murs et du sol évoque à elle seule un intérieur médiéval, chambre d'un château par exemple.

TEXTURES et couleurs du plâtre, des métaux, de la pierre et du bois formaient les caractéristiques principales des pièces médiévales, même les plus grandioses. Ces matériaux naturels sont représentés ici, dans la dorure des étoiles, le vieux lustre de métal, le soubassement en plâtre vieilli (passé au badigeon à l'émulsion diluée terre de Sienne naturelle, ocre rouge et crème) et le sol d'ardoise traversée de coulées d'oxyde de fer. Même le pigment bleu de la peinture du mur suggère l'outremer utilisé par les artisans du Moyen Age. Ces matériaux naturels associés aux éléments romantiques rappelant l'époque, établissent l'impact de ce décor.

Lit à baldaquin
Certaines pièces n'offrent aucun élément remarquable par eux-mêmes et leur charme repose sur le rythme de la décoration et l'équilibre des couleurs et de la lumière (voir p. 67, par exemple). D'autres s'organisent autour d'un point central : cheminée ou meuble particulier. Ici le pôle d'attraction est formé par un mélange sculptural de textiles, qui harmonise en un seul élément le lustre et le lit somptueusement garni. N'importe quel lit moderne peut être transformé avec des coussins et des jetés de tapisserie.

Équilibre des couleurs
L'étoffe accrochée au-dessus du lit est constellée d'étoiles sur un fond bleu profond. En étendant ce thème au mur, je suggère une voûte étoilée dans un ciel nocturne.

Il aurait été certainement trop écrasant de prolonger cette riche teinte bleue jusqu'au sol. J'ai donc inclus un « mur » sous la forme d'un soubassement de teinte pâle, surmonté d'une moulure à effet de rouille. Le soubassement est assez haut pour ne pas être écrasé par le poids du bleu foncé. Comparez avec d'autres effets de soubassements pages 20-21.

Lampe bougie *Ligne moderne en acier noirci et poli. Une lentille spéciale concentre la lumière en un faisceau brillant.*

ANALYSE

LUSTRE EN ACIER
La forme et la taille théâtrale de ce lustre rappellent la « couronne de lumière » suspendue sous la voûte des églises médiévales.

MURS BLEU NUIT
Le bleu intense du mur à la finition de plâtre vieilli est obtenu avec deux couches de laque satinée bleu foncé et une couche de vernis gras transparent teinté avec de la gouache outremer et patiné.

TEXTILES
Le chintz imprimé et la mousseline écrue qui encadrent le lit sont neufs mais le tissu des coussins et le jeté de tapisserie sont anciens.

FEUILLE D'OR ET ROUILLE
Le métal affiné sous forme d'une étoile dorée et le métal corrodé sous forme d'une cimaise à effet de rouille et d'un bougeoir réellement rouillé donnent un effet magique.

Techniques
Badigeon en trois couleurs pp. 250-51
Vernis patiné pp. 256-57
Plâtre vieilli pp. 274-75
Rouille pp. 288-89
Dorure, feuille d'or pp. 302-303

OPTIONS STYLISTIQUES

LES ÉLÉMENTS architecturaux intéressants, comme les embrasures de fenêtres, arcs et cheminées, sont courants dans les pièces médiévales. Mais à moins de posséder une très vieille maison, il vous faudra apporter des matériaux « médiévaux », tels que dalles de pierre pour le sol et murs de plâtre brut, de la même façon que je l'ai fait pour le décor de base de la page précédente.

Simplicité monastique

On peut créer une atmosphère de calme et de contemplation en laissant nus tous les matériaux naturels. Choisissez un mobilier simple et minimum : coffres, tables à tréteaux et bancs sont dans le goût de l'époque. Bois non teintés et meubles modernes de facture simple, en bois ou en métal, s'harmonisent bien au décor médiéval.

Opulence de la décoration

Pour donner un aspect plus riche et plus chaleureux, le fond que l'on peut voir dans le décor de base sera décoré avec de la peinture et des textiles. Inspirez-vous des châteaux du Moyen Age aux murs ornés de motifs héraldiques somptueusement colorés, ou tendus de tapisseries raffinées.

Chaleur du textile Le mur en plâtre plutôt austère et le sol de pierre sont réchauffés par la riche texture, l'or somptueux et le violet profond du coussin.

Meubles en métal patiné, *ci-contre. Parfaits dans un décor médiéval. Ici, on ajoute le plateau en marbre de la table, pour continuer le thème des minéraux.*

Icônes, *ci-contre en bas. Dans le monastère qui a inspiré le décor de base se trouvaient des icônes au-dessus de bancs en dalles de pierre ; bougies et copies d'icônes semblables donneront une atmosphère religieuse à un environnement familial.*

Papier peint, *ci-contre. Pour remplacer ou accompagner les murs peints et dorés, vous pouvez utiliser du papier mural. Les papiers inspirés par les thèmes héraldiques ou romantiques font encore plus d'effet quand ils sont associés avec des tissus riches et dorés, comme le damas.*

Gamme de couleurs

Les enluminures témoignent du goût du Moyen Age pour les teintes vives. Pour un décor magique de conte de fées, murs et soubassements seront peints de couleurs vibrantes s'harmonisant avec le chaud reflet de l'or, et équilibrées par des teintes plus pâles. Si vous ne trouvez pas les coloris désirés, fabriquez-les en mélangeant colorants universels avec émulsion, ou couleurs à l'huile avec laque satinée (voir p. 333). Pour une finition satinée, comme celle du mur du décor de base, passez une couche de vernis gras transparent teinté de couleurs à l'huile, sur une couche de base de laque satinée.

Rouge royal *Pour un aspect franchement aristocratique prenez l'ocre rouge, à la mode. Une étoile dorée semble allumer le décor.*

Bleus vibrants *Ce bleu évoque la mer et le ciel ; c'est un choix léger et coloré pour une petite pièce.*

Rose tendre et bleu vert *L'association du rose pâle et du vert bleu (teinte très ancienne) est authentique.*

SALLE DE BAINS GOTHIQUE

Ce décor de salle de bains, vite fait et peu onéreux, offre un exemple d'ornements médiévaux en vogue au début du XVIIIᵉ siècle. Ce gothique anglais XVIIIᵉ se manifeste généralement dans une décoration fantaisiste et en filigrane, habituellement sous forme de moulures blanches, sur les bâtiments conventionnels. Les « pâtisseries » du mur de la page ci-contre, et les décorations de la baignoire, se détachent gracieusement en clair contre le mur couleur de plomb.

LES MOTIFS gothiques XVIIIᵉ en filigrane léger et arachnéen ne pourraient guère être utilisés sur une grande échelle dans toute la maison, car il est difficile de les supporter en trop grande quantité. Mais utilisés avec parcimonie, en décoration murale délicate dans une petite pièce, ils donnent un aspect plaisant et aérien.

Arcs décorés

Un motif répété d'arcs, qui ressemble assez à une tonnelle de jardin, court le long du mur, et sa forme est reprise dans la décoration de la baignoire. Ce « claustra » n'est pas seulement décoratif par lui-même, mais donne également un sentiment d'intimité.

Ce décor est simple à exécuter : émulsion blanche pour les arcs et photocopies agrandies, prises dans un livre de motifs pour les détails et les fleurons. Je découpe les photocopies, les encolle des deux côtés

avec du liant vinylique dilué et les colle sur le mur. Après séchage, je les peins avec une émulsion très diluée et les protège avec du vernis acrylique.

Contraste de couleurs

Pour obtenir un contraste maximum j'ai posé arcs et détails en papier contre du gris foncé. Cette couleur n'est pas spécialement gothique, mais elle donne un fond spectaculaire et l'ensemble est tout à fait dans le style futile de l'ornementation gothique XVIIIᵉ siècle.

La surface du mur offre une patine satinée comme celle du plomb, matériau des anciennes canalisations. Les motifs sont peints de la couleur de la porcelaine blanche, autre matériau fréquemment trouvé dans les salles de bain.

Pour mettre en valeur la baignoire et la relier au reste de la décoration, je l'ai peinte à la peinture glycéro grise et décorée avec des pochoirs gothiques.

Détail gothique *Ce motif enroulé est la représentation médiévale d'une feuille. Collez des photocopies bout à bout pour faire une bordure gothique.*

ANALYSE

ARCS PEINTS
L'arc gothique est l'ogive. Je l'utilise comme encadrement sur lequel je dispose les photocopies de fleurons et autres détails décoratifs gothiques.

EFFET DE PLOMB
Pour obtenir une finition de peinture semblable à la patine veloutée du plomb, peignez à l'éponge avec une émulsion gris clair que l'on fait couler sur le mur, sur un fond d'émulsion gris foncé.

POCHOIR DÉCORATIF
Il est difficile de faire une décoration au pochoir bien égale sur une surface courbe sans tracé préalable. Avant de commencer, mesurez et marquez à la craie la position désirée pour le pochoir. Utilisez un mètre souple et non une règle. Ce motif est peint à la laque satinée blanche et les détails à main levée avec des couleurs acryliques. J'ai verni la décoration de la baignoire pour la protéger.

PLANTES VERTES
Une vasque et un cache-pot contenant des plantes vertes ajoutent une note élégante et rappellent la « tonnelle » déjà évoqué par les arcs. Le feuillage s'harmonise avec le mur sombre.

PLANCHER CÉRUSÉ
Le plancher neuf est passé au badigeon à l'émulsion gris brun, puis à la brosse métallique pour ouvrir les pores, et enfin cérusé (avec un mélange d'eau et de pigment). Un vernis mat le protège de l'eau.

Techniques
Badigeon pour bois pp. 252-53

Bois cérusé pp. 260-61

Plomb pp. 284-85

Pochoir pp. 312-17

Utilisation des photocopies pp. 318-19

OPTIONS STYLISTIQUES

LES STYLISTES et architectes anglais du début du XVIIIᵉ siècle explorèrent et interprétèrent de nombreux styles de décoration différents. Les ornementations médiévales n'en étaient qu'un parmi les autres et l'on peut ajouter au délicat décor de la salle de bains, textiles et papiers peints typiques d'autres styles XVIIIᵉ en vogue à l'époque.

Variantes XVIIIᵉ siècle

Textiles, papiers peints et objets rococo ainsi que les chinoiseries ont tous un charme XVIIIᵉ siècle prononcé (voir pages 74-5 et pages 82-3). Cherchez aussi les reproductions d'étoffes et papiers peints de l'époque qui ne soient pas spécifiquement de style médiéval, rococo ou chinoiseries.

Quels que soient les éléments choisis, il est important de ne pas les mêler avec le style gothique plus « musclé » qui sévissait au XIXᵉ (voir pp. 118-21). Celui-ci détruirait l'atmosphère légère et fantaisiste du XVIIIᵉ siècle en imposant un style victorien massif.

Matériaux et papiers *La bordure en papier se marie bien avec la reproduction d'un papier peint et de tissus XVIIIᵉ siècle.*

Gamme de couleurs

La caractéristique essentielle du décor d'intérieur en vogue au XVIIIᵉ siècle était le goût des objets décoratifs en plâtre, disposés contre un fond aux couleurs stridentes. Bien que le gris foncé du décor de base ne soit pas une teinte typique de l'époque, c'est une illustration extrême de son penchant pour le contraste. Cependant des associations aussi fortes ne conviennent pas à tout le monde ou à toutes les pièces et il existe quantités d'autres couleurs XVIIIᵉ siècle, pour les murs et les détails. Parmi les nuances en vogue on trouvait les bleus et roses anglais et les verts tendres, tous soigneusement équilibrés avec des boiseries et des moulures blanches. La gamme de couleurs de la page ci-contre offre des versions plus sages de l'association de couleurs du décor de la salle de bains.

Façon XVIIIᵉ siècle, *ci-dessus.
Papiers peints et tissus imprimés,
inspirés ou non de l'imagerie
médiévale, trouvent ici leur place.*

Gravures d'époque, *à gauche. J'ai
choisi cette reproduction encadrée
d'ébène de Batty Langley, pour la
façon dont elle s'intègre au décor
monochrome et la note exotique qu'elle
donne à la baignoire. Les planches de
botanique sont une autre possibilité.*

Verrerie, *à droite. Le verre évoque
l'eau et la transparence. La console
sculptée est en pin cérusé.*

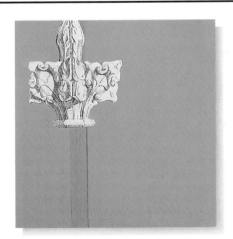

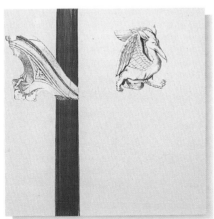

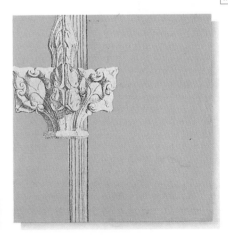

Rose velouté *Gamme de couleurs
XVIIIᵉ siècle authentique. Le rose
soutenu était également en vogue
dans les intérieurs rococo. L'arc est
d'un mauve délicat qui ressort
joliment sur le rose.*

Option moderne *Un fond blanc
cassé met en valeur le bleu et donne
une gamme de couleurs moderne,
mais cependant protocolaire.*

Vert tendre *Ce vert paisible
s'harmonise avec la verticale jaune
d'or du papier peint. Cette
association de couleurs donne un
décor moins spectaculaire que celles
du décor de base.*

STYLES
RENAISSANCE

*Marbre, chêne ciré et soie sont les matériaux somptueux
d'une pièce Renaissance, aux objets soigneusement fabriqués
et aux sols richements parquetés. Les décors de cette époque
reflètent toutes sortes d'influences, de l'Antiquité classique
au Moyen Age, avec une décoration très variée, aux dessins
fantastiques et insolites côtoyant les formes géométriques.*

Au cœur de la Renaissance se trouve une ville italienne, Florence. C'est là, entre 1300 et 1500, qu'un jaillissement audacieux d'idées nouvelles apparut, qui transforma la façon de regarder le monde. Les formes classiques d'architecture rivalisèrent avec celles du Moyen Age ; et en art, l'observation scientifique de la nature se mêla avec les influences traditionnelles. De ce creuset d'idées sortit un style visuel aux nombreuses facettes.

Variantes
A mesure que la Renaissance s'étendait à travers l'Europe, l'art et les idées se transformèrent,

affaiblis ou renforcés par les cultures qu'ils rencontraient. Les formes plus lourdes d'Europe du Nord devinrent en Angleterre fantaisistes et fantastiques en se mêlant avec le style national d'architecture : pierre, plâtre et chêne ciré. Vous en trouverez mon interprétation page 133. Aux Pays-Bas, les intérieurs se distinguaient par des sols monochromes à motifs, une décoration murale aux couleurs denses, des brise-vue.

Utilisation des motifs
Une des caractéristiques de la décoration Renaissance est un goût pour la géométrie, non seulement dans les plans des constructions, mais aussi dans l'utilisation fantaisiste des motifs : obélisques, sphères et motifs astrologiques. On rencontre aussi des motifs de nœuds, et des formes divisés et sous-divisés, comme dans la décoration murale de la

page 133. Même si, hors d'Angleterre, les murs étaient peu décorés, les dessins du sol étaient souvent complexes et allaient des étonnants décors monochromes des intérieurs hollandais aux incrustations de marbre des églises et palais italiens.

Pour un décor Renaissance, il vous faudra tenir compte des éléments essentiels : tout d'abord,

un mélange d'imagerie visuelle insolite se référant au monde antique, géométrique et presque mythologique. La gravure représentant le soleil, un ex-libris anglais, est parfaite pour un pochoir ou un dessin à main levée. Recherchez ensuite

textiles et matériaux, anciens ou en copies, reflétant le merveilleux artisanat de cette époque : sompteux damas, cuir repoussé, soieries, lourdes tapisseries, chêne ciré et marbre, authentique ou faux. Choisissez meubles sculptés, ornements et urnes de pierre, étains et verres anciens, livres reliés en peau et cartes géographiques. Enfin, retrouvez les couleurs d'époque : teintes profondes du marbre italien et nuances terre, cuir et vieux bois.

PIÈCE DE STYLE TUDOR

Une pièce de réception est l'endroit rêvé où créer un décor un peu théâtral, surtout si l'on obtient, comme ici, un effet à la fois somptueux et chaleureusement accueillant. Une pièce d'une imposante demeure anglaise du XVIᵉ siècle m'a donné l'inspiration de ce décor, interprété ensuite à l'échelle d'un intérieur contemporain. Le décor offre des boiseries Renaissance anglaise et des couleurs et textures audacieusement spectaculaires, et convient aussi bien pour recevoir quelques amis que pour une nombreuse assemblée.

L ES DEMEURES des classes aisées de l'Angleterre du XVIᵉ siècle étaient sculptées, peintes et décorées de motifs en plâtre, en un style original et spirituel qui mêlait les formes de décoration médiévales à des exemples de l'ornementation Renaissance.

Boiseries des murs
Les murs étaient traditionnellement recouverts de boiseries. Celles de ce décor sont découpées dans de l'isorel, puis assemblées pour donner un dessin géométrique, semblable à ceux en vogue dans l'Italie de la Renaissance. Des teintes cendrées de peinture émulsion donnent une texture aux différentes formes. Toutes furent ensuite peintes avec de la couleur à l'huile terre d'ombre naturelle, pour imiter le vieux cuir craquelé ; les petits carrés sont peints en trompe-l'œil comme s'ils étaient en relief. Les formes et les couleurs des panneaux me furent inspirées par une photographie de panneaux de marbre d'une

Entrelacs *Le motif de ces entrelacs d'Europe du Nord, typiquement Renaissance, peut servir de pochoir.*

vaste demeure Tudor. Ces panneaux et les moulures en bois formant les rectangles en relief, contrastent avec les formes incurvées de style flamboyant et les obélisques. Ces derniers sont faits au pochoir en tapotant la peinture autour de caches en carte de Lyon, maintenus sur le mur crème.

Corniche
La corniche est fixée à une hauteur de deux mètres seulement, de façon à réduire les proportions du mur. Elle forme une bande autour de la pièce, « pâtisserie » décorative qui sépare le brun sombre du haut du mur des panneaux colorés en dessous et qui, avec le reste des parties peintes en blanc cassé, allège l'ensemble.

Le côté massif et solide d'un socle et d'une vasque en pierre (en copies), donne à la pièce un côté un peu solennel, qui fait ressortir la décoration fantaisiste et théâtrale du mur. Cette sorte de décor crée une atmosphère grandiose, mais chaleureuse, qui convient aux pièces de réception.

OPTIONS STYLISTIQUES

POUR GARDER le caractère d'authenticité choisissez mobilier et textiles de style XVIe siècle. Les meubles de cette époque étaient sculptés, massifs et souvent en chêne ciré. Les objets décoratifs en pierre conviennent également, ainsi que les tapisseries et les draperies épaisses et lourdes. On trouve facilement des copies et des interprétations modernes de dessins du XVIe siècle.

Pichets et bougeoirs en étain, coupes et assiettes en bois sont aussi en accord avec le style, et pour évoquer l'exploration du monde par les Européens et la passion de la découverte, ajoutez livres reliés et vieilles cartes géographiques.

Atmosphère contemporaine

Le caractère fantaisiste de la décoration Renaissance anglaise permet de l'interpréter de façon moderne. Pour une atmosphère légère, contemporaine, choisissez des meubles simples et des tissus frais et naturels, comme le calicot et la mousseline.

Caches Pour décorer le mur, tapotez la peinture, brosse debout, autour des formes découpées dans du rhodoïd ou de la carte de Lyon qui serviront de cache.

Ambiance moderne, *à gauche. Les tissus clairs et naturels et les frises en papier donnent une ambiance moderne et douce. Ici, le revêtement en calicot rajeunit un fauteuil style Renaissance en bois sombre.*

La nature dans la maison, *ci-contre, en bas. L'art topiaire était à la mode au XVIe siècle et est typique de l'intérêt de la Renaissance pour les formes géométriques. La verdure fait grand effet contre les panneaux clairs du fond.*

L'esprit d'aventure *Pour l'Europe du XVIe siècle les grandes découvertes et conquêtes au-delà des mers furent des forces stimulantes. Cette collection de cartes non encadrées et d'anciens globes terrestres évoque l'esprit d'entreprise et d'aventure.*

Gamme de couleurs

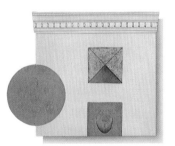

Blancs, crème et pastels du décor de base sont authentiques, ils me furent inspirés par des panneaux en marbre d'une maison du XVIe siècle. Mais l'intérêt d'un style décoratif inhabituel comme celui-ci réside dans la possibilité d'utiliser des effets de peinture et des thèmes de couleurs originaux. Pour créer un ambiance claire et tonique prenez un jaune vibrant en couleur dominante ; pour un effet XVIe siècle plus authentique, choisissez les nuances de terre plus sombres. Pour imiter le cuir sur les panneaux, prenez des teintes qui se mêleront avec la couche supérieure de couleur à l'huile brune.

Thème délicat *La terre de Sienne et d'ombre naturelle sur du blanc donne une teinte parchemin qui s'harmonise avec le rose cendré.*

Nuances plus foncées *Créez une ambiance de mystère avec des teintes plus sombres : gris ardoise, bleu foncé et terre de Sienne brûlée.*

Jaune vibrant *Blanc et jaune canari font une association vibrante et ensoleillée ; le blanc cassé est apaisant.*

ENTRÉE FLORENTINE

Cartes postales, photographies de vacances et guides touristiques sont une riche source d'inspiration et rien ne vous empêche de reproduire chez vous les styles que vous préférez. Ici, des éléments de l'architecture florentine – fenêtre en encorbellement de pierre, sol de marbre et marqueterie – sont reproduits simplement avec de la peinture et autres matériaux bon marché. Pour résoudre le problème du manque d'espace, ne mettez en valeur qu'un ou deux éléments de décoration.

A FLORENCE, sous la Renaissance, l'art et l'architecture du XVIᵉ siècle étaient éclectiques. Les idées venues de la Rome antique se mêlaient avec les styles médiéval et byzantin. Rien ne vous empêche donc de choisir parmi les éléments de décoration que vous admirez le plus.

Éléments clés

Commencez par analyser les éléments clés qui donnent à un lieu son identité, tels qu'architecture et couleurs locales, motifs et matériaux.

Si vous décorez un petit espace, essayez de n'accentuer qu'un ou tout au plus deux des éléments principaux, comme le sol ou une porte. Vous obtiendrez de cette façon un décor simple rappelant les vieilles demeures italiennes. Ajoutez ensuite quelques détails, comme une applique ou un tableau. Si vous réduisez aussi le nombre des coloris et utilisez ou imitez les matériaux naturels, vous donnerez à votre pièce, si petite soit-

Chapiteau classique Les décorateurs de la Renaissance étaient influencés par l'architecture classique ; d'où ce chapiteau.

elle, un aspect élégant et sobre. Les moulures simples en bois et l'encorbellement en résine que j'ai utilisés pour construire la fenêtre « aveugle » sont peints en imitation de *pietra serena*, une pierre employée dans l'architecture Renaissance florentine. Des détails architecturaux importants comme celui-ci, confèrent à une pièce une puissante atmosphère de lieu et d'époque.

Un autre matériau très courant en Italie est le marbre. J'ai peint le plancher en imitation de différents marbres ; une couche de vernis polyuréthane le protège.

Détails en imitation

On peut aussi imiter des détails délicats. Les panneaux sur le mur sont des photocopies agrandies de gravures de marqueterie Renaissance de l'église Santa Croce de Florence. Ils sont très décoratifs et historiquement exacts. La forme de l'applique reprend les motifs de ces « incrustations ». Le mur passé au badigeon met remarquablement en valeur tous les détails.

ANALYSE

DÉTAILS D'ARCHITECTURE
Les moulures et encorbellement de la fenêtre « aveugle » sont peints en imitation de pietra serena *(un type de pierre).*

DÉLICATS ORNEMENTS
Des photocopies de marqueterie sont coloriées avec de la couleur à l'huile terre d'ombre diluée, collées sur le mur et protégées par du vernis.

MUR BADIGEONNÉ
Un badigeon en trois couches d'émulsion (terre de Sienne naturelle, ocre jaune et crème) donne un effet voilé et un aspect ocre décoloré par le soleil. J'ai choisi une couleur douce pour contraster avec l'ornementation de « pierre ».

SOL DE MARBRE
Le sol est peint en imitation de quatre sortes de marbres italiens : marbre blanc de Carrare, marbre brèche verte antique, marbre de Sienne jaune et marbre de Brescia rose.

PLINTHE
Pour continuer le thème de la pierre, la plinthe est également en imitation de pietra serena.

Techniques
Badigeon en trois couleurs pp. 250-51
Pietra serena pp. 278-79
Imitations marbre p. 290-93
Utilisation des photocopies pp. 318-19

OPTIONS STYLISTIQUES

SI UNE petite entrée ou un couloir se doit d'être extrêmement sobre dans son ameublement, vous pouvez être un peu plus prodigue dans les pièces plus spacieuses. Un salon, par exemple, acceptera volontiers un décor Renaissance plus lourd et plus théâtral : meubles décorés, ornements massifs en pierre, riches draperies et rideaux.

Pour un décor plus allégé, légèrement Rococo (voir pp. 74-75), ajoutez des détails peints, comme guirlandes, urnes et fleurs, et adoucissez l'aspect du marbre vrai ou faux avec des étoffes généreuses.

Vous pouvez aussi, au contraire, accentuer le côté classique et choisir tissus et papiers contemporains, bordures de papiers et tissus à motifs classiques et urne en verre noir.

Mieux vaut moins que plus

La clé d'un décor de ce genre est l'harmonie, qui exclut ce qui est commun ou sans rapport avec le style. Si vous suivez cette règle, chaque élément de la pièce, que ce soit une plinthe imitation marbre ou une urne en pierre, attirera davantage le regard, et le contraste entre couleurs, textures et masse de chaque élément sera accentué. En respectant la maxime « mieux vaut moins que plus », vous conserverez les qualités de légèreté et d'espace caractéristiques de tant d'intérieurs italiens.

Motif florentin Le dessin délicat et capricieux de cette marqueterie du XVIᵉ siècle est typique de la Renaissance italienne.

Gamme de couleurs

Pendant des siècles, les décorateurs italiens utilisèrent les couleur de terre pour colorer badigeon et détrempe. Les noms des pigments indiquent leur origine : la terre de Sienne brûlée, par exemple, venait de Sienne et les terres d'ombre de la région d'Ombrie. Ajoutées à de la peinture blanche ou passées par-dessus, ces couleurs rayonnent d'une force chaleureuse. Mélangez-les entre elles pour un effet adouci et utilisez les teintes neutres, comme le crème, ou secondaires vives, comme le vert des volets italiens, pour contrebalancer les teintes fortes. Si vous savez utiliser les terres, vous pourrez être plus audacieux avec les couleurs vibrantes. L'ocre jaune vif des murs de l'entrée, page 137, est mis en valeur par la teinte de la *pietra serena*, obtenue avec deux couleurs de terre : un gris brun foncé et un gris pâle.

Classicisme contemporain, à gauche. Associez classicisme et tissus, papiers peints modernes monochromes.

Ambiance théâtrale, ci-contre. Reproductions d'art, textiles anciens et marbre (vrai ou faux) créent une ambiance un peu théâtrale.

Papier marbré, ci-dessous. L'incrustation du mur est faite de papier d'emballage marbré (méthode plus rapide que l'imitation peinture).

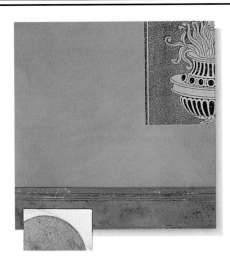

Terre de Sienne naturelle *Un badigeon accentué de terre de Sienne naturelle réchauffera une pièce. Équilibrez en intégrant d'autres riches couleurs et textures.*

Ocre rouge *Cette couleur ancienne est particulièrement spectaculaire avec du blanc et noir, gris acier et rouille.*

Brun léger *Mélangez de la terre d'ombre naturelle, brûlée et du blanc pour obtenir un brun doux, qui sera éventuellement réveillé avec un motif florentin et de l'or.*

SALLE À MANGER DELFT

Pour créer un décor frais et léger, les intérieurs hollandais du XVIIe siècle, si merveilleusement illustrés dans les tableaux de l'époque, sont une remarquable source d'inspiration. Leur simplicité graphique et les mouvements d'ombre et de lumière viennent de l'utilisation de formes larges, de textures contrastantes et de couleurs profondes et changeantes. Suivez cette tradition, à l'aide de techniques simples comme le pochoir et le badigeon, et retrouvez l'atmosphère de l'époque avec quelques objets décoratifs.

ON ÉVITE souvent les teintes sombres en décoration, de peur d'obtenir une atmosphère triste et étouffante. Elles peuvent cependant être utilisées pour créer toutes sortes d'ambiances différentes (voir pp. 58-61 et pp. 126-29) et pour donner une atmosphère étonnamment spacieuse et légère, à condition de ne conserver que le minimum de meubles et d'ornements.

Motifs et texture

Les éléments les plus riches et audacieux de ce décor (motifs au pochoir, copie de panneau sculpté et lourde draperie) sont groupés sur le mur. Ainsi rassemblés, plutôt qu'éparpillés au hasard, ils forment un solide panneau de couleur et de motifs qui encadre et unifie le tout.

Le marbre noir et blanc du sol (dalles en plastique) est typique des intérieurs des tableaux hollandais. Le rythme calme de la géométrie du carrelage permet d'équilibrer les courbes et les motifs compliqués de la décoration murale. Les carreaux blancs ont l'avantage de refléter la lumière naturelle. Ne mettez aucun tapis pour un décor de ce genre, afin de créer un espace vide qui contraste avec la décoration murale chargée. Mettez-les plutôt sur les murs ou drapez-en un meuble un peu défraîchi.

Ameublement minimal

Avec tant de couleurs et de motifs, la pièce risque de paraître encombrée. Le secret est de s'en tenir uniquement à l'essentiel. Chaque fois que cela est possible, mettez les meubles contre les murs et reléguez les ornements sur des étagères hautes pour qu'ils se fondent dans la décoration murale, en laissant la surface au sol libre.

Ce genre de décoration réclame une certaine audace, mais offre des possibilités immenses lorsqu'il s'agit d'évoquer une atmosphère et de modeler la qualité de la lumière dans une pièce.

Faïence de Delft *Les vraies assiettes peuvent être remplacées par des photocopies, coloriées et collées sur le mur (voir pp. 318-19).*

ANALYSE

PARTIE HAUTE DU MUR
La partie haute du mur, au badigeon brun gris, donne un fond frais et lumineux pour la rangée d'assiettes contemporaines aux motifs et couleurs de Delft. La frise impressionnante en « chêne sculpté » et le support des assiettes sont des copies de moulures.

TAPISSERIE
Recherchez parmi les reproductions abordables celles qui présentent couleurs et textures des anciennes tapisseries. Ou bien, copiez un dessin de tapisserie sur toile avec des peintures acryliques, brosse « debout » pour imiter le tissage.

POCHOIR FLAMBOYANT
Les murs des intérieurs hollandais étaient souvent décorés de panneaux en cuir dorés, ornés de grands motifs intriqués, ou d'imitation en papier peint. J'ai imité le papier peint à grands motifs, au pochoir avec de la peinture gris bleu. L'effet adouci s'obtient avec de l'émulsion bleu foncé puis blanche, en moucheté, puis avec une fine couche d'émulsion blanche diluée au 1/6 avec de l'eau.

TAPIS PERSANS ET TURCS
Accessoires essentiels de la décoration, mais utilisés sur les meubles plutôt que sur le sol, laissé nu pour donner une impression d'espace. Utilisez les tapis pour recouvrir une table ordinaire et associez-les à des sièges cannés ou en cuir.

SOLS CARRELÉS
Les sols étaient traditionnellement carrelés de dalles de marbre noir et blanc. Celles-ci sont en plastique.

Techniques	
Badigeon	pp. 248-49
Moucheté	pp. 262-63
Pochoir	pp. 312-17

OPTIONS
STYLISTIQUES

OBJETS d'autres époques, reproductions et même modèles modernes seront tout à fait à leur place dans un décor hollandais XVIIᵉ siècle, pourvu qu'ils s'harmonisent au reste de la pièce. Les tableaux ci-contre sont des reproductions d'œuvres du XIXᵉ siècle, mais furent choisis parce qu'ils rappellent les natures mortes du XVIIᵉ et que les couleurs des cadres se marient bien avec la tapisserie ancienne.

Choix des matériaux

Prenez des meubles en bois clair, en fer forgé ou tout autre matériau qui aurait pu se trouver dans un intérieur hollandais du XVIIᵉ siècle, comme l'osier et le cuir. Choisissez un sol dur, dalles ou plancher, en contraste avec les textiles.

L'imitation marbre (voir pp. 290-95) et le veinage bois (voir pp. 296-300) étaient en vogue au début du XVIIᵉ siècle et peuvent remplacer les motifs au pochoir.

Papier Delft *A la place du pochoir, utilisez du papier peint contemporain aux motifs intriqués, comme ceux qui étaient en vogue dans la Hollande du XVIIᵉ siècle. Ce papier peint est aux couleurs de Delft.*

La juste atmosphère Il est possible de recréer une ambiance, même sans objet d'époque. Ces tableaux sont des grandes cartes postales encadrées de gravures du XIXᵉ siècle, mais elles rappellent les natures mortes hollandaises et les couleurs des cadres et passe-partout se marient bien avec la tapisserie ancienne.

Objets typiques *Le miroir doré et la copie de lustre en cuivre sont typiques de l'époque. Mettez en valeur l'or et le cuivre avec du damas vert, substitut moins onéreux que la tapisserie.*

Les carreaux de faïence, source d'inspiration *Les copies de carreaux de faïence (comme ceux-ci) offrent une vaste gamme de motifs et on peut les utiliser aussi bien pour le sol que pour une cheminée, un mur ou le dessus d'une table ou d'un plan de travail. Inspirez-vous de leurs coloris pour votre thème de couleurs – bleu de cobalt et gris par exemple, ou plus inhabituel, vert mousse et aubergine.*

Gamme de couleurs

Pour le décor de base j'ai utilisé une association de couleurs authentiques de l'époque – bleu nuancé comme fond pour le mur, ponctué de gris bleu clair, et de tons de blanc et de brun. Un autre thème de couleurs authentique, mais plus riche, consiste en badigeons de couleurs de terre sur le mur, de boiseries marbrées (avec des détails dorés), en partie gris vert foncé, en partie orange écarlate. Si vous préférez un effet plus nuancé, prenez des teintes monochromes : bois teinté en noir, pochoir noir et blanc et sol noir et blanc ; pour une ambiance apaisée choisissez des teintes naturelles.

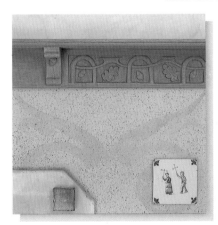

Teintes naturelles *Pour une ambiance paisible, cuir clair (en texture granitée), terre cuite et bois clair.*

Terre cuite *La couleur terre cuite, évoquant la Méditerranée, donne un fond chaleureux pour les objets décoratifs hollandais.*

Bleu et gris *Pour un impact plus nu et plus graphique disposez faïence de Delft et étains contre un fond pâle au badigeon.*

STUDIO VÉNITIEN

Si vous aimez les décors simples, mais cependant évocateurs d'atmosphère, et si vous possédez l'instinct du collectionneur, suivez l'exemple donné par les marchands de Venise qui, mieux que quiconque, connaissaient l'art de mettre en valeur les objets, par le contraste d'ornements compliqués contre un fond simple et inversement. Le plâtre vieilli crée un fond parfait, que ce soit dans une mansarde atelier ou une pièce de réception, pour exposer meubles et objets.

L A VENISE du XVIᵉ siècle importait des marchandises variées de toute la Méditerranée et au-delà, et bien sûr, les marchands conservaient certains des plus beaux éléments, tels que tapis, soieries et sculptures, qu'ils exposaient fièrement dans leurs intérieurs simplement décorés.

Aujourd'hui, les collections et les objets décoratifs, comme le matériel de peintre ci-contre, sont d'autant mieux mis en valeur qu'ils sont présentés dans un décor simple, où au lieu d'avoir à disputer l'attention à un arrière-plan lourdement ornementé, ils forment un groupe à part entière.

Thèmes naturels

Abandonnez les finitions fantaisie ou compliquées comme le papier peint ou les effets de peinture, et revenez aux matériaux de base pour des surfaces simples à l'aspect naturel. Les couleurs qui conviennent pour murs et textiles sont celles de la terre, ocres et terres d'ombre entre autres (voir la *Gamme de couleurs* p. 147).

Le plâtre vieilli possède une élégance simple et élargit l'espace en réfléchissant la lumière. Il est coloré avec une émulsion diluée, dans les couleurs des matériaux naturels : marbre brut gris pour la partie haute du mur et terre cuite pour le soubassement. Pour imiter le plâtre ancien suivez la technique indiquée pages 274-75.

Vous pouvez aussi laisser les murs en plâtre lisse et nu ou si vous refaites le plâtre à neuf, teintez-le avant, avec de la couleur en poudre (voir p. 333).

Le thème des couleurs et des matériaux naturels se continue dans la plinthe en bois, peinte en imitation terre cuite, et le sol (plastique) de terre cuite. La seule concession aux détails ornementaux est le papier en trompe-l'oeil collé sur le mur.

Pour quelle pièce ?

Bien que la sobre élégance des murs en plâtre et la nudité de la décoration murale donnent une impression d'espace, cette approche convient mieux aux pièces de moyenne ou de grande taille.

Motif de corde Ce motif est le seul ornement du mur. Plus épaisse, près du plafond, elle facilite la reprise du même motif, mais en plus léger et plus complexe, un peu plus bas.

ANALYSE

CORDE DE PAPIER

Collez, avec du liant vinylique ou de la colle, les motifs imprimés sur papier. Fondez-les dans la décoration en les passant au badigeon dilué de la couleur du mur.

MURS « ANCIENS »

Le mur de plâtre vient d'être refait, en utilisant un procédé spécial, puis passé au badigeon avec de l'émulsion diluée, pour lui donner l'apparence du marbre brut.

MOBILIER ET COLLECTIONS

Un mur simple et texturé donne une toile de fond parfaite pour l'attirail d'artiste et la collection de masques, bouteilles et pinceaux. Pour un aspect « brut », choisissez des meubles robustes, comme ce siège en bois et cuir.

SOUBASSEMENT OCRE ROUGE

Réservez pour le soubassement les couleurs naturelles fortes, en suivant ainsi une ancienne tradition méditerranéenne. Pour une simplicité totale je n'ai pas ajouté de bordure ni de cimaise et j'ai prolongé le badigeon ocre rouge sur la plinthe jusqu'au sol de terre cuite.

Techniques

Badigeon pp. 248-49
Plâtre vieilli pp. 274-75
Terre cuite pp. 284-85
Utilisation des photocopies pp. 318-19
Trompe-l'œil p. 322

OPTIONS STYLISTIQUES

POUR les sols choisissez les carrelages de terre cuite ou les revêtements de cette couleur qui s'harmonisent avec l'aspect naturel des murs en plâtre et les mettent en valeur. Une moquette, en revanche, nuirait au décor. Peignez les plinthes d'une couleur de terre ou teintez-les en brun.

Naturel et chaleureux

Pour continuer le thème, choisissez des tissus et matériaux naturels, comme le calicot et la mousseline, le bois et le cuir. Tout objet de ce genre, comme les coupes en terre cuite, ou les pots en faïence, sera à sa place dans une pièce qui elle-même semble faite avec des matériaux venant du sol.

Riches compléments

Les étoffes généreuses et les objets décorés ressortent bien contre un fond nu. L'aspect solide des murs et des sols fera ainsi entendre sa basse puissante contre la mélodie légère des couleurs raffinées des dorures, de l'argent, des sculptures et des riches étoffes. Recherchez les textiles d'ameublement aux couleurs intenses et parfois émaillées de touches d'or.

Incrustations de marbre
Les motifs comme celui de cette incrustation de marbre italienne offre un point de départ pour des pochoirs.

Spectacle à Venise, *ci-dessus. Pour accentuer le côté théâtral de la Venise de la Renaissance, choisissez des objets ayant un rapport avec le théâtre et l'opéra, comme le masque, la draperie de soie imprimée et l'échantillon de papier peint, ainsi que du marbre ou de la pierre.*

Transparence et collection *Le verre de Venise est renommé et pour donner une touche délicate, magique et transparente, exposez-le sous toutes ses formes, associé au contraste de tissus délicats et robustes.*

Riches associations *Choisissez des tissus somptueux pour vos fenêtres et vos meubles.*

Décor plus minimal, à gauche. Pour un décor plus austère, refusez le confort des sièges rembourrés et des riches draperies pour choisir des meubles comme ce fauteuil en bois et cuir, matériaux plus rustiques. Appliquez la technique du cuir peint pages 282-83, pour donner cette finition à d'autres surfaces, comme les plinthes.

Gamme de couleurs

Pour un décor vénitien choisissez les chaudes couleurs de terre d'Italie, ombre, ocre et terre de Sienne. Pour rafraîchir l'ensemble du thème de couleurs, ajoutez du gris marbre et du crème ; pour le réchauffer, des rouges profonds et de l'or. Pour des murs spectaculaires utilisez partout les couleurs de terre ou suivez l'ancienne tradition méditerranéenne en les réservant au soubassement, ou encore, pour un effet moins vigoureux, aux tissus et accessoires. Une émulsion diluée passée sur les murs laissera apparaître l'aspect velouté du plâtre.

Rouges vigoureux *Pour un aspect spectaculaire dans une petite pièce, un badigeon rouge tomate avec des détails rouge foncé.*

Terre cuite et crème *Adoucissez un soubassement terre cuite avec un mur crème ; frise des deux couleurs.*

Ocre jaune et crème *L'ocre jaune intense est apaisé par du crème et un trompe-l'oeil en papier blanc crème et gris marbre.*

STYLES VICTORIENS

Le règne de la reine Victoria fut témoin d'une large variété de styles architecturaux et décoratifs, depuis les intérieurs 1830, guindés, austères et ornementés, jusqu'à la simplicité des pièces Arts and Crafts au début de ce siècle. Les décors illustrés dans cette partie représentent des exemples de styles victoriens, interprétés au goût du jour.

Les Victoriens appréciaient pastiches et motifs et rassemblaient sans discrimination détails et dessins de quantité d'époques et de pays différents. Cette tendance peut sembler aujourd'hui par trop chargée, mais il est possible d'adapter avec succès ce style à divers décors. Les papiers peints et tissus victoriens, comme ceux illustrés page ci-contre, sont largement décorés et richement colorés. Dessins médiévaux et motifs floraux étaient en vogue. On utilisait souvent des imprimés différents pour les papiers peints d'une même pièce. Ainsi, le soubassement peut être tapissé d'un papier richement gaufré et le reste du mur d'une impression florale. Tapis et draperies à grands motifs ajoutaient encore une note colorée.

Utilisation des tissus

Les draperies étaient abondantes, parfois un peu trop. En plus des lourds rideaux avec leurs glands et leur cantonnières décoratives, des voilages en dentelle ou en filet ornaient les fenêtres. Les tables étaient recouvertes de nappes en dentelle et les manteaux de cheminée de jetés et de bordures. Tout cela rendait les intérieurs victoriens assez

sinistres de jour, mais relativement chaleureux à la lumière du gaz. Si vous n'aimez pas particulièrement les couleurs sombres et les motifs chargés, vous pouvez quand même créer un intérieur de ce genre. Suivez pour cela le style plus léger et plus simple, en faveur vers la fin de l'époque, avec des couleurs plus claires et des tissus plus souples, comme la mousseline et

les étoffes imprimées de motifs simples.

Les Victoriens étaient obsédés par le souci du détail et collectionnaient tout. Même si vous n'aimez pas les décors trop encombrés, vous pouvez créer l'atmosphère authentique en consacrant

une table d'appoint ou un coin de la pièce à une collection d'objets.

Si vous vous intéressez à l'époque, vous êtes peut-être familier avec les objets plutôt kitsch en vogue à ce moment-là, comme les chromos ci-dessus et le tableau et le plateau fleuri ci-contre. On trouve tant de ces objets produits en masse au XIXᵉ siècle que l'on a tendance à attribuer leur mauvais goût à toute la période, même si, utilisés avec discrétion et dans le bon décor, ils sont parfois agréables à regarder.

De nombreuses
pièces d'époque peu-
vent être
collectionnées : mou-
lures sculptées (on en
trouve des copies en
plastique), boîtes en co-
quillages, argenterie et
porcelaine. Les Victo-
riens étaient aussi de
grands voyageurs et ai-
maient exposer leurs
souvenirs de voyages,
comme les boîtes en
laque et ornements in-
diens dorés.

Ameublement

La plupart du mobilier
victorien est en acajou.
Le carton-pâte était un
autre matériau à l'hon-
neur pour les petites
tables, chaises et même
têtes de lit. Il était souvent laqué et décoré
avec de la nacre ou
un motif peint.

Les meubles en
osier et en rotin
étaient aussi en vogue,
surtout dans les véran-
das, et souvent peints
en vert, blanc ou d'un
blanc mat vibrant.

Marbre et carrelages
étaient appréciés, sur-
tout dans les salles de
bains. Le métal tra-
vaillé était utilisé
pour les rampes
et les structures
décoratives.

ENTRÉE DU COLLECTIONNEUR

Une maison victorienne est tout à fait indiquée pour créer un décor de ce style, mais il est possible de retrouver une atmosphère identique dans un intérieur de n'importe quelle époque, en utilisant les riches couleurs sombres et les papiers peints et tissus aux motifs chargés à la mode à la fin du XIXe siècle. Ces derniers sauront évoquer l'ambiance recherchée, surtout si on leur associe des collections d'accessoires inspirés de l'époque, comme l'ensemble de détails architecturaux ci-contre. Il n'est pas de meilleur endroit qu'une entrée ou un escalier pour exposer une collection, les visiteurs ayant tout loisir de l'admirer.

CE DÉCOR victorien me fut inspiré par la collection classique du grand architecte britannique du début du XIXe siècle, Sir John Soane. Il étudia le classicisme en Italie, d'où il rapporta des éléments de constructions antiques, pour les exposer dans son escalier, mettant ainsi à la mode une forme nouvelle et originale de néo-classicisme.

Mélange de styles

En accord avec l'amour de la collection, particulier au style victorien, ce décor rassemble des éléments de différentes époques et pays en un ensemble harmonieux. Des ornements classiques, un tapis d'escalier oriental et un soubassement tapissé d'un papier du styliste victorien William Morris, se marient agréablement.

C'est la collection qui, par elle-même, anime le décor. La partie au-dessus de l'esca-lier est très ornée avec une abondance de détails, mais la collection devient moins importante sous la frise peinte, afin de reposer le regard et éviter que l'entrée étroite ne soit trop chargée.

La disposition simple des objets de formes et de tailles différentes contraste avec la structure rigide de l'entrée, divisée en bandes horizontales distinctes par la plinthe sombre, la cimaise et la frise marron-rouge, qui toutes font un contraste saisissant avec le papier mural et la peinture jaune.

Entrée et style

La simplicité formelle illustrée ici et le décor néo-classique de la page 55, conviennent bien pour une entrée, endroit où l'on s'habille et se prépare à la fois pour les rigueurs et les réalités du monde extérieur, mais aussi inversement pour la chaleur plus raffinée de la maison.

Motif classique *L'éminent architecte Sir John Soane mit à la mode ce motif de palmette, au début du XIXe siècle.*

ANALYSE

ENCORBELLEMENT ET FRISE
Tous deux sont des reproductions de modèles victoriens originaux. J'ai passé du vernis au tampon sur l'encorbellement en plâtre pour lui donner l'apparence du bois sombre. Les couleurs fortes de la frise sont reprises du Royal Albert Hall.

COLLECTION CLASSIQUE
Aucun des objets exposés ici n'est une œuvre d'art de prix, comme dans les collections des Victoriens. Toutes sont des copies, certaines peintes, dorées ou vieillies. J'ai associé tous ces objets avec un panneau victorien d'époque, sculpté et doré, en haut à gauche.

PAPIER PEINT VERNI
Les Victoriens appréciaient le papier peint verni. Après une couche de bouche-pores (liant vinylique et gomme laque), j'ai mis du vernis gras transparent teinté avec de la gouache.

FINITIONS BOIS
Les finitions bois foncé et ébène étaient à l'honneur. J'utilise de la peinture glycéro sur la cimaise et la plinthe et je passe de la teinture à bois foncée sur le plancher et l'escalier.

Techniques

Vernis patiné pp. 256-57
Plâtre patiné pp. 272-73
Dorure, feuille d'or pp. 302-303

OPTIONS STYLISTIQUES

LE GOUT éclectique des Victoriens implique un grand choix dans les accessoires de décoration. Un mélange de styles d'époque convient tout à fait, bien qu'un penchant pour le classicisme se manifestât dans beaucoup d'intérieurs.

Les teintes tabac et noir du décor de base sont tellement ancrées dans le style de l'époque qu'elles suffisent presque à donner le ton victorien, quelle que soit la collection qui les accompagne. Si le décor est richement ornementé, vous pouvez être certain d'avoir recréé une atmosphère authentique.

Tableaux et tissus

Pour décorer votre entrée vous pouvez choisir une collection de peintures et de gravures sombres de l'époque, paysages ou animaux familiers, par exemple, ou des ouvrages de dames se mêlant à des morceaux de tapisserie, de tapis, de cordons de sonnette et de pompons.

Gamme de couleurs

Les teintes sombres du décor victorien sont moins utilisées aujourd'hui que les tons pastel, qui étaient aussi en vogue au XVIIIe siècle. Si vous n'êtes pas attiré par un thème de couleurs foncées, choisissez parmi la gamme de coloris qui devint à la mode à la fin du XIXe siècle, alors que textiles et papiers muraux aux teintes vives étaient produits en masse, grâce à la nouvelle technologie et aux teintures bon marché. Les papiers peints imprimés en doré et les délicates associations de couleurs, comme le vert jade et le bleu pétrole, étaient souvent utilisées pour éclairer les pièces aux boiseries sombres. Vous pouvez aussi préférer les jaunes qui, reflétant la lumière, sont un bon choix pour réveiller une pièce sombre ou agrandir une petite pièce. Associez surfaces peintes avec motifs sous forme de papiers muraux, frises ou objets en plâtre.

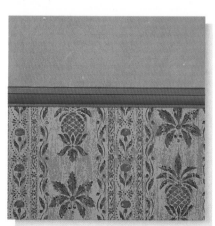

Couleurs de campagne *Un papier mural décoré au pochoir d'un motif complexe, sera utilisé avec des teintes fortes, pour un décor ayant du caractère mais aux angles adoucis, parfait pour une maison de campagne.*

Effets généreux, à gauche. Un collection d'objets dorés associée à de riches textiles orientaux, donne un style de décoration exubérant, qui convient pour une pièce où l'on désire trouver une atmosphère riche et opulente.

Kitsch victorien, à droite. On trouve dans les brocantes ce genre de petits objets qui donneront à une pièce un caractère victorien, à moins que vous n'en trouviez dans votre grenier : cette gravure romantique appartenait à ma grand-mère. Recherchez jouets, argenterie et pendules de cette époque, ainsi que tissus et dentelles.

Association chaleureuse En changeant la couleur de la cimaise noire en brun rouille, le thème de couleurs est réchauffé et adouci. Le papier peint est verni.

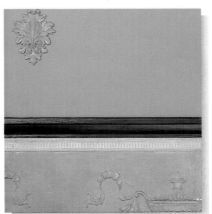

Fraîcheur de la pierre Beige rosé doux et couleurs de pierre donnent un effet à la fois élaboré et frais. Un soubassement en résine en relief ajoute un intérêt textural.

Motifs et textiles Les Victoriens appréciaient les tissus à motifs et la dentelle. Les motifs étaient souvent adaptés de sources historiques et les interprétations modernes comme celles-ci seront à leur place dans un décor victorien.

SALON ÉCOSSAIS

Depuis des siècles, la décoration d'intérieur fait usage des imitations. En copiant toute une gamme de matériaux, elles rendent possible l'illusion d'un environnement entièrement différent de celui dans lequel vous vivez. Ici, par exemple, j'ai utilisé la peinture pour imiter un mur de pierre, comme ceux que l'on trouve dans de nombreux châteaux et demeures écossaises. Ajoutez tartans, blasons ancestraux et mobilier victorien et vous aurez l'impression de vivre dans l'ambiance d'une riche seigneurie d'Écosse, qui n'est en fait qu'une couche de peinture et quelques moulures en plastique.

QUAND la reine Victoria et le Prince Albert eurent acheté le château de Balmoral, tout ce qui était écossais devint incroyablement à la mode en Angleterre, pour aboutir à la naissance du style Seigneurial Écossais.

Dans la tradition bien ancrée des décorateurs des XVIIIᵉ et XIXᵉ siècles, j'ai utilisé une gamme d'imitations pour recréer l'image d'un décor victorien écossais.

Grès et bois

J'ai délibérément choisi pour le mur les chaudes couleurs du grès, de façon à éviter un contraste trop fort avec le bois sombre.

La porte neuve est veinée pour la vieillir et lui donner l'apparence de panneaux en différentes essences de bois. J'ai préféré une association de bruns, plus pâles que les panneaux du soubassement, afin d'éclairer la partie basse de la pièce. Les teintes de la porte, dont le noir des encadre-ments, sont reliées visuellement avec celles du soubassement et du parquet. Le bois sombre était très utilisé dans les intérieurs victoriens. J'ai teinté boiseries du soubassement, ornements héraldiques en plastique et rouleaux du dessus de la porte avec du vernis au tampon, pour harmoniser le tout avec le buffet bas en chêne foncé et qui vient d'Afghanistan.

Les frises très ornementées sont nombreuses dans les imposantes demeures écossaises. La frise en polyuréthane de ce décor est un dessin original. Le blanc frais fait un contraste plaisant avec les teintes marron du décor.

Motifs écossais

Les détails héraldiques fixés à la corniche et les chardons imprimés au pochoir sur la porte, ainsi qu'un portrait ancestral, ancrent ferme-ment le décor dans les High-lands. Les carrés de tartan at-tachés par des nœuds de dentelle ajoutent une note d'humour frivole à l'ensemble.

Emblème écossais Le chardon est l'emblème national d'Écosse. Il était très utilisé en motif dans la décoration d'intérieur.

ANALYSE

FRISE ORNEMENTÉE
Une frise en résine portant une décoration victorienne en volutes est bordée d'une moulure moulée ; c'est un décor typique écossais.

ÉCUSSONS ET MOULURES
Les écussons sont en plastique, peints avec du vernis au tampon et décorés avec des détails héraldiques. J'ai ajouté nœuds de dentelles et carrés de tartan en touche finale. L'encadrement de la porte est fait d'une moulure en bois, que j'ai aussi passée au vernis puis cirée. Le « chêne sculpté » des rouleaux au-dessus de la porte est fait en polyuréthane, teint à la couleur du soubassement.

DÉCORATION DE LA PORTE
La porte est veinée avec un vernis gras de la même couleur sur les fonds clairs et foncés. Les chardons au pochoir et les épaisses lignes noires d'encadrement sont ensuite ajoutées.

MUR EN « GRÈS »
Pour imiter le mur d'une vieille demeure écossaise, je l'ai peint en imitation grès. Une couche épaisse d'émulsion est passée, brosse debout, pour donner un effet texturé. Les joints sont peints avec une émulsion grise.

BUFFET BAS SCULPTÉ
Ce buffet bas n'est pas écossais mais afghan, en accord avec la tradition des Victoriens qui collectionnaient des meubles du monde entier.

SOL
Des dalles de plastique de très bonne qualité, imitant un parquet, éclaircissent le sol. Le tapis tartan reprend le thème écossais.

Techniques

Grès	pp. 280-81
Veinage du bois	pp. 298-99
Pochoir	pp. 312-17

OPTIONS STYLISTIQUES

LA TEINTE et la texture des bois sombres peuvent faire beaucoup pour transformer le caractère d'une pièce, surtout en contraste avec des finitions naturelles comme la pierre (vraie ou imitée) et le plâtre. L'effet en est riche et chaleureux, avec une note théâtrale sur laquelle on peut encore insister par l'emploi de meubles en bois massifs, approche qui convient bien aux salons et aux salles à manger.

Notes claires

Un décor aussi sombre n'est pas toujours souhaitable et vous pouvez éclaircir l'ensemble en incorporant d'autres thèmes victoriens : meubles en rotin, par exemple, revêtements de sol en sisal, osier ou textiles de style Colonial Anglais, à l'honneur dans les petits salons et les vérandas de l'époque victorienne jusqu'aux environs de 1920. Les meubles étaient peints en vert, blanc et en couleurs vibrantes et veloutées.

Chasse et pêche L'attirail de la vie au grand air devient décoration, même si vous n'appréciez guère les animaux empaillés. Les mouches à pêche, par exemple, sont des œuvres d'art en miniature. Tableaux ou gravures de scènes de chasse ou de chevaux complètent le thème des activités sportives des Highlands.

Avant et après Les meubles Lloyd Loom du XXᵉ siècle en ficelle tressée, sont apparus après les modèles victoriens en osier et le tableau est antérieur à l'ère victorienne, mais tout est en accord parfait avec les goûts éclectiques de l'époque.

Gamme de couleurs

Tartans et emblèmes héraldiques sont importants pour donner une note colorée au bois et à la pierre (réels ou imités). Le charme romantique et sportif de l'Écosse plaisait à la plupart des Anglais, y compris la reine Victoria, et ils se servirent des tartans de clans et des motifs héraldiques dans la décoration. Les livres sur ces deux sujets offrent une quantité d'idées pour ajouter de la couleur dans un décor traditionnellement sombre. Les tableaux sont un autre moyen d'introduire une note de couleur. Les vastes compositions victoriennes de glens et de lochs, par des artistes tels que Landseer par exemple, font beaucoup d'effet. Tout paysage ou portrait original du XIXᵉ conviendra, comme les gravures ou les reproductions encadrées de cadres sculptés et dorés qui renvoient la lumière et réchauffent une pièce.

Pochoir au chardon
Faites des pochoirs avec de la carte de Lyon (voir pp. 312-13). Cette forme stylisée décore les panneaux de la porte illustrée page 155.

Touches finales, *à droite. Recherchez les objets qui renforceront le thème décoratif. Exposez ces bibelots et accessoires, encore fabriqués pour les touristes, ou des pièces victoriennes originales.*

Douceur du pêche *Les tons chauds et moelleux du mur permettent d'adoucir le contraste entre clair et sombre, même si la bande de couleur est assez étroite.*

Tons de terre cuite *Décor plus riche, plus audacieux, avec de l'émulsion terre cuite au lieu de crème, ce qui fait ressortir la chaleur du bois.*

Les tartans *On peut peindre sur les murs, de simples plaids aux chaudes couleurs, pour ajouter une note gaie. Limitez à une petite surface pour ne pas écraser l'ensemble.*

SALLE DE BAINS CARRELÉE

Les Victoriens furent les premiers à faire de vraies salles de bains. Ils inventèrent des appareils sanitaires esthétiques et décorèrent ces pièces nouvelles avec des carrelages en céramique polychrome. Pour évoquer ce renouveau des ablutions, j'ai placé un lavabo victorien au milieu de la scène et carrelé le soubassement et verni les boiseries à la manière de l'époque. Deux pilastres en métal ouvragé évoquent l'aspect noble de l'ère industrielle victorienne et leur finition vert-de-gris suggère un siècle de corrosion due à la vapeur et à l'eau, allusion adéquate puisque l'eau est l'élément essentiel d'une salle de bains.

I L EST presque impossible de résister à la tentation de décorer une salle de bains avec une imagerie aquatique. Essayez cependant d'éviter les clichés – Neptune, dauphins et nymphes. Les couleurs et finitions associées à l'eau vous donneront beaucoup plus de possibilités de décoration et des résultats réellement originaux.

Effets spéciaux

Dans le décor de salle de bains de la page 41, j'ai utilisé mon imitation de vert-de-gris pour suggérer l'effet de l'eau et des sels sur une baignoire antique en bronze. La même finition semble parfaite pour ce décor XIXe, mais cette fois pour évoquer l'effet de l'eau et de la vapeur sur du métal ouvragé victorien.

L'autre élément décoratif est le carrelage. La production en masse des carreaux de céramique à la fin du XIXe siècle fit entrer les motifs dans des millions d'intérieurs vic-toriens et le carrelage est toujours un bon choix.

Les cimaises, plinthes et architrave étaient souvent lourdement vernies en couleurs riches et translucides en harmonie avec le ton et l'aspect des carreaux de faïence. J'ai passé du vernis gras transparent sur la plinthe et la cimaise et, ce vernis n'étant pas très dur une fois sec, j'ai ajouté une couche de vernis à l'huile par-dessus. Un effet similaire est obtenu en une seule couche, en utilisant du vernis à l'huile teinté avec de la couleur à l'huile, mais le vernis gras est beaucoup plus facile à utiliser pour donner un beau satiné.

Vert et crème

Le vert du vert-de-gris est le point de départ du thème de couleur. J'ai choisi des nuances de vert pour les carreaux de faïence et du crème comme teinte neutre pour le mur (vert et crème étaient très appréciés dans le style victorien).

Frise de salle de bains *Des photocopies colorées de motifs victoriens collées en chaîne feront une frise ; protégez-les avec une couche de vernis.*

ANALYSE

FRISE AU POCHOIR

J'ajoute quelques détails à main levée aux feuilles faites au pochoir, puis dessine un encadrement en trompe-l'œil, adouci en frottant le crayon avec le doigt.

MURS ET PILASTRES

Le mur, peint à l'émulsion, offre un fond flatteur aux entrelacs verts du métal ouvragé et à la frise de feuilles de lierre. Les pilastres vert-de-gris sont en aluminium léger.

BOISERIES VERNIES

Cimaise et plinthe sont peintes avec de la laque satinée verte, puis vernies avec du vernis gras transparent vert foncé, en imitant sur le soubassement la finition très brillante des carreaux de faïence typiquement victoriens.

LAVABO VICTORIEN

Les meubles victoriens bon marché se trouvent facilement. Ce dressoir au dessus de marbre brisé a été converti en meuble lavabo.

CARRELAGE DU SOL

Le marbre était un matériau populaire dans les salles de bains victoriennes. Ces dalles sont en plastique.

Techniques

Vernis patiné pp. 256-57
Vert-de-gris pp. 286-87
Pochoir pp. 312-17
Trompe-l'œil p. 322

OPTIONS STYLISTIQUES

POUR PLUS d'authenticité choisissez les finitions nettes : carrelage, acajou et marbre. Vous pouvez les imiter avec de la peinture : vernis pour une finition carrelage (voir pp. 256-57), veinage pour bois (voir pp. 296-301), marbre (voir pp. 290-95).

Lorsque vous avez établi le caractère de la pièce, complétez l'effet général, léger avec des drapés, ou riche avec des accessoires de cuivre et de nickel, et des détails suggérant les rites des ablutions, tels que flacon de parfum et pot-pourri.

Mobilier

Une baignoire à pieds ou un meuble lavabo à dessus de marbre seront parfaits comme meuble central. On trouve facilement des copies de sanitaires et d'accessoires.

Les familles victoriennes habitant des maisons construites avant cette époque, convertissaient fréquemment une chambre en salle de bains, laquelle gardait souvent sa décoration d'origine. En suivant ce thème, peignez des motifs sur la baignoire, en les empruntant aux papiers peints à fleurs ou utilisez des découpages vernis).

Métal vert-de-grisé *Une finition peinture vert-de-gris fait autant d'effet sur des canalisations que sur du métal ouvragé.*

Note théâtrale, *à gauche. Ajoutez une bordure victorienne (aussi dans la chambre attenante). Accrochez des pompons à intervalles réguliers pour donner un effet ryhmique accentué.*

Finitions brillantes, *page ci-contre en bas. Ajoutez une note de couleur avec des céramiques, comme cette coupe jaune vif du même ton que le flacon de parfum et que les bougeoirs de cuivre.*

Note délicate, *ci-contre. Des nuances d'un rose qui paraît trop souvent fade dans d'autres pièces, font un merveilleux contraste avec les surfaces dures des carrelages et des accessoires. Ajoutez une note chaleureuse avec une teinte terre cuite, ici sous forme de serviettes et de la finition de l'encadrement. (voir pp.284-85).*

Gamme de couleurs

Les thèmes de couleur habituels des salles de bains victoriennes sont repris des teintes des carreaux de faïence. Avec le vert et le crème, association de la fin de l'époque toujours appréciée au XXᵉ siècle, la faïence offrait d'autres nuances : riche rouge rubis, bleu de Prusse foncé ou bronze et marron, également utilisés avec le crème et parfois associés entre eux. Si vous possédez d'authentiques carrelages victoriens, coordonnez la peinture des murs à leurs couleurs. Les tissus et bordures en papier peint font un excellent point de départ pour une palette plus variée et on fait toujours des copies de dessins du XIXᵉ siècle.

Brillant *Le vernis gras rouge foncé sur de la laque verte donne du brillant aux boiseries.*

Thème de l'eau *Pour évoquer l'eau, peignez certaines surfaces en vert et vert bleu.*

Rose et vert *Badigeon rose (voir pp. 248-49), cuivre et vert-de-gris se complètent harmonieusement.*

BUREAU DU GLOBE-TROTTER

Les Victoriens avaient une passion pour les objets du monde entier et mélangeaient l'exotisme de l'Inde et autres pays de l'Empire britannique avec le lourd mobilier et les fanfreluches de l'époque. Ce décor évoquant l'intimité du globe-trotter restitue l'atmosphère de l'Orient et de l'esprit d'aventure victorien. Le pochoir de motifs indiens dorés et les rouges intenses du Maroc évoquent la chaleur des tropiques, les couleurs des épices et du porphyre et la richesse des tapis orientaux ; les cabochons du mur et la frise cloutée rappellent les rivets des constructions.

LES OBJETS partageant un thème commun, comme le kelim aux riches motifs, la table en marqueterie et les boîtes, font plus d'effet quand ils sont présentés dans une pièce les mettant en valeur. Plutôt que d'exposer ces objets contre des murs blancs comme ceux d'un musée, j'ai créé un décor qui leur convient en retrouvant l'atmosphère de la partie du monde dont ils sont originaires, l'Orient.

L'industrie, source d'inspiration

L'industrie de l'ère victorienne m'a également inspiré certains détails de la décoration. J'ai disposé des « clous » de plastique en dessin géométrique au-dessus de la cimaise pour imiter les rivets d'une immense ceinture. Les cabochons dorés en dessous, suggèrent les têtes de boulons décoratifs également

dorés des poutres et piliers métalliques. Ce mélange de l'esprit d'aventure du XIXᵉ siècle et des textures et des couleurs de l'Orient compose un fond solide et original pour les objets de collection. Même si l'atmosphère générale est tangible, elle est également assez simple pour mettre en valeur tous les éléments.

La répétition de petits détails, comme pochoirs et cabochons, permet de construire le décor peu à peu, en jugeant au fur et à mesure de l'effet produit.

Pour que les meubles orientaux ne détonnent pas dans un environnement occidental, j'ai utilisé une profusion de motifs, élément essentiel de la décoration victorienne aussi bien qu'orientale. Les couleurs sont apparentées aux tons intenses de terre d'Afrique du Nord, qui furent adoptées par les Victoriens, éclectiques et orientalistes.

Tampon indien *Recherchez ce genre de motif pour décorer vos murs au pochoir.*

OPTIONS STYLISTIQUES

LES VICTORIENS montraient un appétit insatiable de culture, et il en résulta un mariage d'objets provenant de toutes les parties du monde avec la décoration et l'ameublement de leur temps. En adoptant cette approche, vous resterez éclectique tout en conservant l'atmosphère de l'époque.

Collections

Les couleurs fortes et l'ambiance générale orientale du décor de base conviennent à tous les objets venant d'Afrique, des Indes ou d'Extrême-Orient, et si vous les associez avec des meubles en bois sombre, votre décor reflètera une atmosphère XIXe siècle. Si vous possédez une collection d'un pays, Mexique ou Égypte par exemple, soulignez le style de ce pays, en choisissant un motif national traditionnel comme pochoir et en coordonnant les couleurs du moucheté du mur avec celles d'un tapis, peut-être, ou d'une coupe en céramique.

La tente du nomade *Textiles d'Afghanistan, du Mexique et d'Amérique du Sud, coussins européens et métrages de franges modernes s'intègrent au fond de mur rouge et de plancher sombre.*

Mélange éclectique *Association typiquement victorienne : deux portraits de chiens assez kitsch sont placés à côté d'un cache-pot Art Nouveau en faux bronze garni de feuillage.*

Gamme de couleurs

Les couleurs d'Orient et d'Afrique peuvent insuffler leur vitalité aux teintes quelque peu feutrées des textiles victoriens, tout en s'harmonisant à la richesse de leurs textures et motifs. Les couleurs des pierres précieuses (rouge rubis, émeraude et saphir) donneront un effet spectaculaire, surtout si vous les associez avec l'or et l'argent des tissus, d'ouvrages en cuivre ou en marqueterie. Lorsqu'on cherche à harmoniser un thème de couleurs avec une collection spécifique, les livres de références reproduisant gouaches et aquarelles d'intérieurs victoriens sont particulièrement utiles. On trouve aussi des reproductions de livres du XIXe siècle sur les ornements, dont certains offrent également ornements et motifs orientaux.

Collection indienne, *ci-contre à droite. Les objets qui viennent d'un même pays en évoquent indubitablement l'atmosphère. Pour un effet plus riche, associez surfaces et textures différentes.*

Toile de fond coloniale, *ci-dessus. Meubles en bambou ou en osier, stores vénitiens et portes à claire-voie évoquent l'atmosphère tropicale d'un intérieur colonial à l'époque de l'Empire britannique.*

Bleus foncés *Ces bleus, plus représentatifs du goût XVIIIᵉ siècle que du goût victorien, sont cependant une excellente toile de fond pour laques et céramiques chinois. Ajoutez des touches d'argent pour attirer le regard et animer le décor.*

Gris argentés *Gamme de couleurs moins puissante, plutôt pour une petite pièce. Meubles sombres, céramiques chinoises et gravures en noir et blanc ressortent contre le gris pâle. Le badigeon est beau.*

Vert menthe *Inspiré du salon de thé indien de Blenheim Palace, Oxfordshire, cette gamme de couleurs rafraîchissantes s'harmonise avec les tons orientaux du jade, de l'onyx et certains bleus et verts des céramiques.*

BALCON AUSTRALIEN

L'architecture victorienne de la première période faisait grand usage du métal ouvragé et de nombreux intérieurs australiens (surtout dans le quartier de Paddington de Sydney) exhibent fièrement encore aujourd'hui, rampes, piliers, porches et balcons compliqués. Volutes et entrelacs du métal ouvragé se mêlent dans une harmonie reposante avec les pâles couleurs de terre, typiques des murs extérieurs. J'ai interprété ce style pour créer un décor de balcon chaleureux et élégant qui évoque les colonies, mais on peut l'adapter sans difficulté à une véranda ou une pièce d'intérieur.

COMME POUR la plupart des décors, ce sont les détails qui servent à lier les différents éléments de l'ensemble. Ce balcon en métal ouvragé devient partie intégrante du tout par l'intermédiaire du panneau mural moderne en belle ferronnerie.

Reprise du thème

Pour continuer le thème d'ornements compliqués et donner de l'importance à la porte simple, j'ai construit un portique avec des moulures en bois et ajouté un frise en lincrusta et un encorbellement moulé.

Les encorbellements à lourdes volutes, ornées de figures féminines ou masculines, sont typiquement victoriens. On les trouve en plâtre moulé (qui peut être utilisé à l'extérieur sous abri), en résine ou en pierre reconstituée (toutes deux convenant pour l'intérieur et l'extérieur). Pour un meilleur résultat, toute pièce neuve doit recevoir une finition peintu-

Volutes Motif de volutes et de feuilles en métal ouvragé, typique de la décoration victorienne.

re qui la rattache aux surfaces existantes et donne l'impression qu'elle fait partie des structures. Pour cela j'ai vieilli ce qui était neuf avec des finitions en accord avec le matériau. J'ai donné à la décoration entourant la porte une patine antique veloutée et au panneau en métal ouvragé, aussi neuf que brillant, une finition vert-de-gris.

Même si ces finitions sont essentiellement destinées à l'intérieur, on peut les utiliser à l'extérieur si elles sont protégées par un abri quelconque.

Thèmes de couleurs

Les couleurs sont très importantes pour donner l'impression d'un décor reposant et patiné par les années. Les teintes douces de crème, pierre et du rose obtenu avec de l'ocre rouge et du blanc sont caractéristiques de l'extérieur de bien des demeures australiennes du XIXe siècle. Le balcon en fer forgé est peint en blanc craie, qui s'harmonise avec le ton crème du mur situé derrière.

ANALYSE

DÉCORATION DE LA PORTE
Pour souligner la porte, j'ai ajouté un portique, un encorbellement et une frise en lincrusta.

COULEUR DU MUR
La teinte crème du mur est typique des maisons victoriennes australiennes. Pour obtenir la même texture, voir pp. 274-75.

PANNEAU EN FER FORGÉ
Ce panneau en fer forgé a reçu une finition vert-de-gris, que l'on peut donner à n'importe quel métal ouvragé, copie ou récupération.

PORTES PEINTES
L'émulsion vert sombre utilisée sur les portes rappelle le vert du panneau de fer forgé sur le mur.

TEXTILES
Habillez le décor avec des textiles de l'époque. Ici une nappe en dentelle victorienne et le chintz du coussin adoucissent l'effet rendu par le métal ouvragé.

MÉTAL OUVRAGÉ PEINT
Le balcon en dentelle de fer forgé et le pilier sont peints simplement en blanc crayeux, avec une peinture à l'huile mate pour extérieur.

Techniques
Patine antique p. 257

Vert-de-gris pp. 286-87

OPTIONS STYLISTIQUES

LE STYLE décoratif de l'Europe du XIXᵉ siècle, une fois transplanté dans le décor rustique des grands espaces australiens, se transforma en une tradition de décoration d'intérieur généreuse, dans laquelle se mêlèrent éléments étrangers et indigènes.

Pour refléter ce style australien, donnez aux murs une finition plâtre texturée (voir pp. 274-75) ou traitez-les en imitation de badigeon à la chaux (voir la gamme de

Influence ethnique *L'art aborigène peut s'adapter facilement dans de grandes fresques à la peinture émulsion. Restez sobre dans l'emploi des motifs abstraits.*

couleurs du milieu, page ci-contre et pp. 254-55) ; ajoutez ensuite des meubles victoriens.

Si vous préférez la sobriété, choisissez des meubles sombres simples et décorez les murs avec des reproductions monochromes. Pour un effet moins austère, entourez-vous d'étoffes victoriennes, nappes et rideaux en dentelles et coussins en chintz et décorez la pièce avec des collections d'ornements victoriens.

Pour une atmosphère vraiment australienne, recherchez images et arts traditionnels indigènes.

Érudition, *ci-contre en haut. Pour donner à une pièce un air studieux et même un peu austère, meublez-la modérément avec du mobilier en ébène et dorure et accrochez au mur des reproductions classiques en noir et blanc. Le thème de couleur sépia est éternel et discret. Détails architecturaux et vieux livres complètent le décor.*

Textiles fleuris *page ci-contre en bas. Chintz fleuris, beau linge et dentelle fragile ont leur place dans le décor d'intérieur victorien. Cette ancienne malle de voyage fait admirer ses tiroirs joliment décorés.*

Ornements inhabituels
De la même façon que vous utilisez le métal décoratif dans un intérieur, cette sphère armillaire , devenue inutile au jardin, devient un ornement d'intérieur original.

Gamme de couleurs

De même que vous prenez des éléments de décoration extérieure comme ornements d'intérieur, adoptez les teintes de plein air dans votre thème de couleurs : les tons des finitions fanées ou corrodées, rouille, vert-de-gris ou plâtre effrité, ou encore les teintes de l'architecture de jardin, comme le vert pomme et le bleu lavande des treillages. L'art aborigène vous permettra de connaître la palette naturelle de l'Australie. Vous pouvez également suivre les exemples ci-dessous, authentiques couleurs victoriennes de fer forgé.

Couleurs authentiques *Le métal ouvragé vert sombre et les boiseries marron sont en accord avec le décor victorien.*

Fraîcheur *Le bleu lavande contre le bois naturel et le blanc des murs peints à l'éponge donne un aspect frais et moderne.*

Élégance du noir *Pour une ambiance moderne, peignez les murs en pêche et les boiseries et le métal en noir satiné.*

STYLES 1900

Lignes fluides des ornements Art Nouveau, papiers peints et tissus à motifs plats de William Morris et dessins stylisés de C.R.Mackintosh, tous font partie des styles de décoration d'intérieur qui s'établirent vers la fin du XIXe et le début du XXe siècle.

Le charme du mouvements *Arts and Crafts* et son retour à la simplicité et à la pureté des lignes ont autant d'attrait aujourd'hui qu'il y a cent ans. Il redonna ses lettres de noblesse à l'artisanat et établit l'importance de la créativité individuelle opposée aux forces aliénantes de l'industrialisation.

Racines d'un style
Ces idées, exprimées dans les arts décoratifs et la décoration d'intérieur, virent le jour en Angleterre

dans les années 1850. Elles influencèrent les stylistes américains, se répandirent dans toute l'Europe et furent à l'origine de l'Art Nouveau.

La nature
La croyance en la beauté intrinsèque des matériaux

naturels justifie l'aspect sobre du mobilier et des naturels justifie l'aspect objets domestiques *Arts and Crafts* (voir le décor p. 177). L'ornementation était inspirée par les oiseaux, animaux, fleurs et feuilles. Le bois d'élection était le chêne, mais la finition satinée du panneau cérusé, ci-dessus à droite, convient également. Les murs portaient une décoration simple, peints en couleurs pâles et feutrées ou recouverts de boiseries hautes.

William Morris, fonda-

teur de la firme Morris, Marshall, Faulkner and Co., fut le styliste *Arts and Crafts* le plus influent et l'on continue encore aujourd'hui à produire ses réalisations. Les dessins de ses papiers peints et tissus s'appuyaient sur l'imagerie pastorale médiévale de plantes et d'oiseaux et sur les motifs abstraits.

En Amérique, le jeune architecte Frank Lloyd Wright adopta des idées similaires, et en Angleterre Charles Voysey établit son propre code de "simplicité et de calme". Il créa des motifs pour les textiles (ci-dessous à gauche) et le mobilier ; la rallonge de table (page ci-contre en

haut), avec son incrustation de cuivre, est typique de son œuvre.

Influence écossaise
Charles Rennie Mackintosh (architecte et styliste écossais, innovateur remarquable) utilisa des motifs fluides, comme la forme de plante abstraite sur le papier-calque, page ci-contre en bas, pour

décorer ses constructions
et ses intérieurs géomé-
triques. Il réalisa aussi des
motifs vifs et délicats pour
des vitraux, des tissus et
des meubles, caractérisés
par des lignes géomé-
triques vigoureuses.

Styles
intermédiaires

Mackintosh tira également
son inspiration du style
sinueux de l'Art Nouveau.
Les graphiques et acces-
soires de l'art Nouveau
révèlent une fluidité organique exceptionnelle dans
leur formes étirées et cour-
bées (voir les deux vases
en argent, ci-dessous), mais
la décoration des intérieurs
était relativement guindée.

Pour le décor de la page
173, j'ai utilisé la peinture
et la poudre d'or pour produire la frise Art Nouveau
(page ci-contre à gauche),
finition que l'on ne trouvait jamais sur les murs,
mais qui rappelle les couleurs et textures des
accessoires d'époque.

Interprétation libre

En plus de trois décors
inspirés par des styles
spécifiques, j'ai présenté
un décor italien libre-
ment interprété
(pp. 182-85) pour une
véranda. Couleurs,
formes, meubles
évoquent des
après-midi pares-
seux.

SALLE À MANGER ART NOUVEAU

Réunions de famille et anniversaires se tiennent dans la salle à manger et l'on peut donc se permettre de la décorer de façon un peu plus spectaculaire que les autres pièces, en riches couleurs sombres qui conviennent à une lumière naturelle voilée et, le soir, à la lueur des bougies. Pour ce décor j'ai utilisé un soubassement de lincrusta, avec une série de peintures, poudres et vernis, pour créer une variété d'effets extravagants coordonnés au vert-de-gris et au bronze des accessoires.

DANS LES années 1880-90, les lignes sinueuses de l'Art Nouveau se retrouvèrent dans toutes sortes d'accessoires décoratifs utilisés dans la maison. Le style s'étend de l'Angleterre à l'Europe et à l'Amérique, mais ce fut en France qu'il se développa en sa forme la plus exubérante et la plus ornée. J'ai adapté un soubassement en lincrusta anglais, en le découpant pour changer la disposition des motifs, afin de créer un dessin qui rappelle l'Art Nouveau français.

Les finitions de peinture

En dépit de la fluidité et de la qualité abstraite de la finition vert-de-gris sur le mur, ni l'une ni l'autre ne sont typiques du style Art Nouveau, qui restait curieusement sobre comparé aux extravagances graphiques de cette époque géniale.

J'ai commencé par appliquer de la peinture métallique bronze puis, après séchage, de l'émulsion vert foncé diluée à 1/7 avec de l'eau. Après séchage, j'ai fait couler sur le mur des badigeons à l'eau (voir p. 333) dans une gamme de couleurs allant du blanc au vert menthe foncé. Pour créer des stries et des taches de couleur, j'ai fait couler de l'eau claire sur la peinture fraîche. Après séchage, le mur est essuyé avec une éponge mouillée pour mêler les couleurs.

L'effet sur le soubassement, non passé à l'éponge, est beaucoup plus prononcé. Murs et soubassement sont protégés avec du vernis. (Voir pp. 286-87 pour une finition vert-de-gris pour le métal et une semblable pour les murs obtenue avec de l'émulsion.)

Art Nouveau authentique

L'ameublement, authentiquement Art Nouveau, reflète un goût pour le bois sombre ciré et les objets en métal. Le fauteuil en hêtre teinté est typique de la vogue du bois courbé en Angleterre et des formes stylisées introduites par Liberty and Co. L'Art Nouveau étant redevenu à la mode vers les années 1970, on peut se procurer des copies de lustres chez tous les fabricants.

Fleur celtique Les formes fluides et organiques proviennent de nombreuses sources, dont l'art celtique.

ANALYSE

ÉCLAIRAGE
Les motifs linéaires courbes inspirés de formes naturelles furent adaptés aux accessoires comme ce lustre Art Nouveau. On trouve toujours des abat-jour fleur et des luminaires copies d'Art Nouveau.

PARTIE HAUTE DU MUR
Sur une base de peinture métallique bronze, on laisse couler plusieurs badigeons, épongés ensuite pour une finition vert-de-gris.

SOUBASSEMENT ET PLINTHE
Même technique sur le soubassement et la plinthe, mais j'ai fait couler sur la partie entre les bordures dorées, des badigeons aux couleurs en poudre plus intenses et en plus grande quantité.

DÉTAILS OR ET BRONZE
Volutes et rubans sont dorés à la poudre métallique. Le vernis au tampon passé sur la peinture dorée donne une finition bronze aux bandes verticales effilées et sur une partie du motif en volutes.

FAUTEUIL ET TABLE
Ce fauteuil Art Nouveau illustre le goût pour les bois sombres cirés aux lignes fluides. Une table moderne bon marché est recouverte de velours froissé bronze.

SOL À EFFET NUAGEUX
Le plancher prend un subtil aspect moiré, en imitation de marbre granitique rose, avec des badigeons brun clair et sombre sur une base de laque satinée beige, et vernis.

Techniques
Peinture à l'éponge p. 248
Imitation marbre granitique rose pp. 294-95
Dorure, poudre métallique pp. 304-305

OPTIONS STYLISTIQUES

LES MEUBLES authentiques ajoutent certainement la touche du connaisseur à un décor mais il en existe quantité d'autres qui ne vous ruineront pas. Et la décoration de la pièce correspond si parfaitement au style que vous pouvez être un peu plus libre dans le choix des autres éléments.

Meubles et accessoires

Dans les années 1880, les importations japonaises étaient très à la mode. Utilisez donc laques, céramiques, éventails et gravures de ce pays.

Les copies d'époque sont difficiles à trouver, mais certains meubles de jardin en fer forgé (comme celui illustré ci-contre en haut) offrent des lignes fluides et complexes en accord avec le style. Les meubles édouardiens, qui ne sont pour la plupart ni à la mode ni onéreux, conviendront également.

Les matériaux

Vous pouvez aussi vous libérer des contraintes historiques et jouer le thème des matériaux prisés par l'Art Nouveau, en choisissant des objets avec une finition (réelle ou imitée) bronze, vert-de-gris, nacre ou cuir.

Motifs originaux, ci-dessus. On trouve encore aujourd'hui des tissus aux opulents motifs Art Nouveau.

Métal ouvragé, à gauche. Le dessin de ce mobilier de jardin en fer forgé est une adaptation atténuée de l'imagerie Art Nouveau, mais l'ensemble reflète cependant le style de l'époque.

Objets d'époque, page ci-contre en bas. Un ou deux objets, comme ces moulages en bronze, suffisent à donner un air d'époque à un décor. Ceux-ci sont décorés de formes fluides et de profils humains stylisés.

Influence orientale Dans les années 1880 apparut en Europe un goût prononcé pour les japonaiseries, qui décorèrent bientôt les intérieurs Art Nouveau. Des objets orientaux, parasols et éventails par exemple, forment un moyen peu onéreux d'ajouter du caractère à un intérieur de ce style.

Gamme de couleurs

La teinte de base des intérieurs européens des années 1880 et 1890 était le vert moyen sombre, couleur plutôt décevante si on la compare aux riches coloris des affiches, ex-libris et graphismes Art Nouveau. Ces derniers offrent une moisson d'idées de couleurs et de pochoirs. Recherchez aussi les associations de nuances dans les tissus d'époque, comme les mauves, verts sombres et bruns du tissu de la page ci-contre. Vert-de-gris et bronze du décor de base étaient deux finitions en vogue. L'or et l'argent étaient également à la mode et vous pouvez décorer les murs avec la technique de la feuille d'or ou d'argent, pages 302-303.

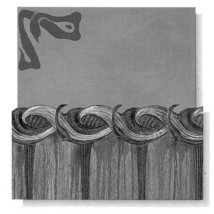

Association sobre L'ocre crème est courant dans les affiches et tissus Art Nouveau, comme ce Liberty aux riches couleurs.

Exotisme La feuille d'or lustrée utilisée avec le bronze évoque les formes les plus extravagantes de l'Art Nouveau.

Option adoucie Une finition peinture bleu gris doux est une autre possibilité pour la finition complexe du mur.

SALON ARTS & CRAFTS

L'artisanat traversa une période difficile à l'époque où la Révolution industrielle célébrait la production en série. Mais il y eut toujours des voix pour défendre ses mérites et parmi elles, celle du Victorien William Morris, qui désirait par-dessus tout un retour à la façon de vivre pré-industrielle et qui entraîna de nombreux disciples. Ensemble ils formèrent le mouvement Arts and Crafts *et provoquèrent une révolution stylistique dans les années 1860 en préconisant le rejet du décor hétéroclite et encombré pour revenir à un style « plus anglais », simple et traditionnel. Ces idées permettent d'obtenir un décor apaisant et invitant à la contemplation, mieux adapté aux pièces modestes.*

C E MUR *Arts and Crafts* est recouvert de lambris (lames emboîtantes à languette et rainure) et de larges planches ordinaires. Le goût pour ce genre de boiseries s'estompa en Angleterre après le XVIIᵉ siècle, mais le mouvement *Arts and Crafts* les remit en vogue à la fin du XIXᵉ.

On ajoutait souvent une étagère haute pour exposer des objets artisanaux.

Finitions naturelles

Le mouvement *Arts and Crafts* respectait l'apparence des matériaux naturels. Le mobilier était en bois dur, comme le chêne, le plus souvent ni ciré ni verni, mais laissant voir les veines du bois ; chaise et table du décor ci-contre en sont typiques. En ac-

cord avec le code *Arts and Crafts*, j'ai passé les boiseries au badigeon, avec de la peinture diluée, que j'ai ensuite poncée pour révéler le fil du bois. Le plancher est également passé au badigeon, mais en couleurs différentes. Pour mettre en valeur plutôt que dissimuler le plâtre de la corniche je l'ai patiné à la cire, ce qui lui donne une finition subtile.

Papier peint

Un papier aux exubérants motifs William Morris est posé entre le haut des lambris et la corniche. C.F. Voysey, qui forma la seconde génération, plus austère, des stylistes *Arts and Crafts*, préférait le papier brun d'emballage au papier peint à motif, ce qui, à l'époque comme aujourd'hui, revenait moins cher.

Motif Les lignes fluides de ce dessin pré-raphaélite s'apparentent à celles des ornements Arts and Crafts en argent et en métal.

ANALYSE

CORNICHE EN PLÂTRE
La corniche neuve est patinée par une technique simple et se fond ainsi avec la douceur des boiseries et des meubles.

MOTIFS WILLIAM MORRIS
Ces papiers peints sont typiques des motifs de William Morris. Le dessin du bas est utilisé en frise au-dessus des boiseries et mis en valeur par le rideau ancien.

BOISERIES
Murs lambrissés et étagères hautes étaient en vogue au début du siècle. J'ai passé les boiseries au badigeon terre d'ombre naturelle, puis à l'émulsion rose saumon, et j'ai ensuite poncé la peinture pour révéler les veines du bois.

MEUBLES EN CHÊNE
La couleur cuivre et le bois veiné du mur s'harmonisent parfaitement avec la table à jeu et la chaise Voysey. Remarquez leur lignes simples, les incrustations et les découpures.

PLANCHER
Pour continuer le thème de couleurs apaisantes, le plancher est passé au badigeon terre d'ombre naturelle, puis peint à l'émulsion bleu gris.

Techniques
Badigeon pour bois pp. 252-53
Plâtre patiné pp.272-73

OPTIONS STYLISTIQUES

VOUS PRÉFÉREREZ peut-être le papier peint aux boiseries pour le salon. On fabrique encore aujourd'hui du papier mural et des tissus inspirés des dessins de William Morris, Walter Crane, Voysey et William de Morgan. Le mobilier victorien et édouardien conviendra si ses lignes sont sobres et non massives et si la pièce n'est pas surchargée.

Thème rural

Le mouvement *Arts and Crafts* prônait la qualité de la vie à la campagne, ce qui vous permet d'adopter un thème rural et des objets en matériaux naturels : argile, osier et terre cuite par exemple. Voysey préférait la chaise paillée à tout autre revêtement, matériau qui a toujours été populaire en Angleterre.

Le « nouvel » artisanat

La réaction contre la production de masse et le renouveau de l'intérêt pour l'artisanat de la fin du XIXᵉ siècle, se retrouvent aujourd'hui dans un mouvement similaire. C'est pourquoi un décor *Arts and Crafts* peut parfaitement incorporer des objets en bois tourné ou des meubles en chêne clair.

Nuances médiévales La nature et les merveilleuses tapisseries du Moyen Age ont inspiré les tissages Arts and Crafts.

Gamme de couleurs

Les textiles de Morris and Co. (fondé en 1861) furent les premiers dessins *Arts and Crafts* sur le marché et se caractérisaient par leurs motifs soigneusement équilibrés de feuillages et de fleurs, dans des couleurs feutrées : différentes nuances de vert, terre sombre, bois naturels et gris bleus. Les couleurs primaires vives se réduisaient à des tons pastel ou teintés de brun, et l'effet général était sombre et plutôt médiéval. Plus tard, Voysey reprend les mêmes couleurs, mais sur fonds pêche et abricot intenses, ou bien il préfère une palette limitée à plusieurs nuances du même ton. Les teintes pâles étaient aussi appréciées et les murs souvent peints en blanc ou bleu pâle. Pour une finition mate et douce, peignez murs et boiseries avec de l'émulsion ; pour la finition veinée, passez un badigeon sur le bois (voir pp. 252-53).

Desserte rustique, *page ci-contre.*
Cette association de poteries rustiques
illustre le respect du mouvement Arts
and Crafts *pour la vie et les valeurs*
rurales.

Motifs d'époque, *à droite. Plusieurs*
fabricants produisent encore
aujourd'hui papiers peints et tissus à
motifs Arts and Crafts ; *ils sont*
imprimés soit à la main soit à la
machine.

Mobilier contemporain, *ci-dessous.*
Les meubles de fabrication soignée en
matériaux naturels et les tissus
imprimés modernes conviennent
parfaitement à ce style.

Bleu pâle *Les couleurs claires*
agrandiront même les plus petites
pièces. Pour obtenir cet effet sur des
boiseries ou un plancher, passez-les
au badigeon blanc, suivi d'une
émulsion bleu foncé.

Couleur naturelle *Le pin neuf ne*
présente pas l'aspect chaleureux du
bois vieilli, passez-le à l'émulsion
brune pour l'adoucir.

Vert feutré *Couleur très courante*
dans les textiles et papiers peints de
l'époque, apaisante. Vous obtiendrez
une finition mate, comme celle-ci,
avec de l'émulsion.

Entrée Mackintosh

Ce décor est établi à partir des idées de Charles Rennie Mackintosh, qui connut une renommée internationale de 1896 (fin du mouvement Arts and Crafts) à 1906. Ses créations de l'époque concernèrent tous les domaines, des théières aux cathédrales. Ses intérieurs élégants offrent des couleurs douces et un mélange de lignes droites et de formes naturelles fluides destinés à créer une atmosphère de repos et d'équilibre. Ce style ne demande qu'un minimum de meubles et d'ornements. Il convient donc aux entrées et paliers, qui doivent être dégagés, mais animés par quelques éléments bien choisis.

MACKINTOSH préférait généralement les couleurs pâles. Le lavande qui prédomine dans ce décor, est une teinte magique : bleue sans être froide, riche sans être agressive et fraîche tout en étant subtile. Elle convient aussi bien aux pièces sombres qu'aux claires, parce qu'elle réfléchit la lumière tout en gardant sa densité.

Séparations et motifs

Mackintosh divisait les murs par des meubles, panneaux de boiserie ou moulures, en créant des séparations linéaires de couleur, afin de contrôler l'espace mural et établir des pôles d'attraction. Dans ce but j'ai choisi une chaise, une plinthe blanche ainsi qu'une corniche et un encadrement de fenêtre peints.

Des formes élégantes et enroulées de plantes, images à la fois abstraites et graphiques, sont entrelacées dans tous les motifs géométriques de Mackintosh. J'ai suivi cette option en décorant au pochoir la partie basse du mur avec une fleur de lys stylisée, la partie haute avec un double pétale de tulipe et la fenêtre avec la rose abstraite en vitrail

Formes typiques

La chaise à la rigidité géométrique est une création célèbre de Mackintosh (copiée aujourd'hui par les fabricants de meuble). Elle reprend le thème de l'échelle et de la grille, toutes deux typiques de son œuvre, que l'on retrouve fréquemment dans les incrustations, sculptures, motifs en bas-relief, décorations au pochoir et minces moulures en bois, souvent peintes en noir ou en blanc. J'ai adopté ce thème pour l'encadrement peint autour de la fenêtre. Vous trouverez d'autres idées dans les livres sur l'œuvre de Mackintosh et vous pouvez adapter certains de ses motifs pour des pochoirs muraux.

Design contemporain *Ce simple vase bleu, bien que moderne, est conforme à la sobre élégance et au naturel des créations de Mackintosh.*

ANALYSE

CORNICHE PEINTE
Pour Mackintosh la plupart des ornements devaient faire partie intégrante du mur, sous forme d'appliques encastrées ou de motifs peints, par exemple, plutôt que de tableaux et autres objets accrochés. Le mur, y compris la corniche bordée de blanc, est peint à l'émulsion mate, non diluée ou très légèrement pour faciliter la peinture des détails.

FENÊTRE VITRAIL
La fenêtre, point de mire du décor, est accentuée avec une bordure en grille, blanche, qui rappelle le dessin de la chaise. Mackintosh créa de nombreux vitraux ; le détail d'un meuble m'a fourni l'inspiration de ce dessin.

MEUBLES ET TISSUS
Recherchez tissus et meubles, copies d'époque ou modernes, aux lignes verticales fortes et aux formes de fleurs stylisées qui caractérisent les créations de Mackintosh.

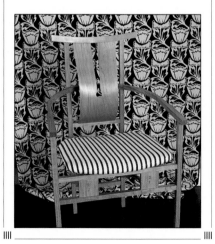

Techniques
Vitrail pp. 308-309
Pochoir pp. 312-17

JARDIN D'HIVER ITALIEN

Ce décor de véranda associe les copies de meubles en acier patiné avec les effets de peinture pour créer l'atmosphère d'un jardin d'hiver à l'italienne du début du siècle, du genre de ceux que l'on trouvait dans les stations balnéaires à la mode. La finition du mur, imitation plâtre, forme la base du décor. Elle suggère aussitôt la Méditerranée avec sa chaleur, ses matériaux naturels et sa poussière. Le plâtre nu n'est nulle part mieux à sa place que dans les pièces inondées de soleil. Le sol en mosaïque évoquant un intérieur romain classique termine le décor.

LES SURFACES dures du marbre, du plâtre et de la mosaïque faisaient partie des intérieurs romains classiques et la mosaïque, en particulier, est l'un de nos liens archéologiques essentiels avec les grands thermes romains. L'affinité de ces matériaux avec l'eau est renforcée par la verdure luxuriante qui retombe de la vasque de terre cuite et des pots à l'aspect rouillé accrochés au mur. Si vous ne possédez pas de jardin d'hiver, vous pouvez adapter les réminiscences italiennes de ce décor à toute pièce ensoleillée.

Utilisation du plâtre

Le plâtre nu, vrai ou imité, offre une surface visuellement dense et dure et il faut lui donner un espace suffisant pour qu'il puisse « respirer ». Pour cette raison il convient mieux aux grandes surfaces, vaste salle à manger ou salon aéré. Dans la plupart des cas, il rapetissera encore une petite pièce, sauf si elle possède un

toit en verre, qui permet au regard de s'échapper vers le haut.

Notez que ce principe ne s'applique pas toujours aux pièces pourvues de grandes fenêtres et non de plafond en verre, surtout si le panorama extérieur est limité ou confus et risque de ne pas donner une impression d'infini.

Meubles en métal

L'atmosphère italienne de cette pièce ne provient pas uniquement du choix des matériaux et des motifs des murs et du sol. Elle se retrouve aussi dans le support de table en métal ouvragé, qui a reçu une patine antique dorée et rouillée. L'exubérance des formes et les lignes délicates de ce type de meubles sont encore aujourd'hui appréciées en Italie, que ce soit dans des copies authentiques comme la table illustrée ci-contre, ou reproduites dans les formes enroulées des meubles contemporains dessinés par les bons créateurs.

Mosaïques Les mosaïques de toutes époques et cultures vous fourniront l'inspiration de celles de votre véranda, réelles ou imitées.

ANALYSE

DÉTAIL FLORAL
Des moulages en plastique (du type vendu pour décorer les placards) sont collés en haut du mur et peints de même couleur. Ils donnent un rythme délicat autour de la pièce, en se conjuguant avec les pots du bas.

MUR EN PLÂTRE
L'effet de plâtre (également sur la plinthe) est une technique de faux assez simple. Vous pouvez réaliser des couleurs plus rose ou plus crème en harmonie avec votre pièce, à partir de couleurs de terre mélangées à du blanc.

TABLE ET POTS SUSPENDUS
Meubles et pots en métal ouvragé sont des copies de modèles originaux italiens des XVIIIe et XIXe siècles, dorés et rouillés pour leur donner une patine antique qui rappelle l'humidité de toute serre.

MOSAÏQUES
Les mosaïques sont imprimées avec des éponges ordinaires, détaillées en carrés de 2 cm et collées sur une planche. Pour les motifs en feuille, je découpe des formes trilobées. Le tampon imprimeur est ensuite préparé soit en le pressant sur un camion de peinture émulsion ou, pour les feuilles, en peignant rapidement chaque morceau d'éponge d'une couleur différente avec un petit pinceau. Pour terminer je souligne les feuilles à la main et ponce légèrement tous les motifs imprimés pour leur donner la même finition veloutée que le mur.

SOL IMPRIMÉ
Même procédé que pour le mur, mais on pose du ruban à masquer pour délimiter les carrés et permettre d'avoir des bords bien droits. La mosaïque peinte est vernie.

Technique
Plâtre pp.284-85

OPTIONS STYLISTIQUES

PLUS VOUS mettez de plantes dans un jardin d'hiver-véranda, moins il vous faudra de meubles.

Si vous préférez du mobilier moins fantaisiste que les meubles à volutes patinés, choisissez le bois sombre de début du siècle. Vous pouvez aussi rechercher tables et sièges en osier, surtout ceux qui sont peints. Pour une ambiance de bord de mer, prenez des transats rayés et, pour un aspect plus austère, un mobilier moderne en acier noir.

Décor des murs et céramiques

Recherchez les matériaux de récupération : morceaux d'anciennes constructions, comme chapiteaux de pierre, carreaux de faïence décoratifs ou sculptures brisées, que vous pourrez sceller au mur avec du plâtre. Ou encore accrochez des assiettes de majolique de couleur et des reproductions des céramiques de Della Robbia.

Gamme de couleurs

De nombreux vestiges archéologiques, en Europe et au Moyen Orient, et plusieurs livres sur le sujet vous fourniront l'inspiration des thèmes de couleurs de vos mosaïques. Les teintes en sont souvent fanées par le temps. Si vous préférez l'aspect neuf des mosaïques, choisissez des coloris un peu plus vifs. Les tons naturels du plâtre sont aussi un point de départ pour votre palette. Vous pouvez colorer le plâtre au préalable avec des couleurs en poudre ou bien passer ensuite les murs à la peinture à l'eau diluée ; ou encore utiliser une finition de peinture imitation plâtre. Les couleurs de terre accentueront la qualité de minéral du matériau. Pour retrouver l'atmosphère de bord de mer, choisissez des rayures vives sur blanc pour le soubassement.

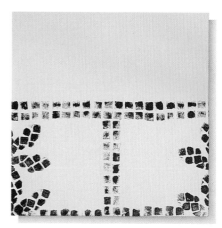

Style contemporain *Dans un décor minimal à base d'un petit nombre de plantes, choisissez pour la mosaïque un motif abstrait en noir et blanc.*

Espace de détente, *page ci-contre en haut. Choisissez des meubles informels, osier peint, fauteuils Lloyd Loom et tables à thé et de jeu pour donner une ambiance reposante de véranda-jardin d'hiver.*

Pour donner du caractère, *ci-contre. Des reproductions d'objets d'art en granit, terre cuite, marbre et résine accentue le caractère antique de la décoration murale*

Céramiques colorées, *ci-dessous. Ces assiettes en majolique vives et gaies, aux fleurs, oiseaux, papillons et feuillages peints, conviennent parfaitement au décor tout en verdure d'un jardin d'hiver italien.*

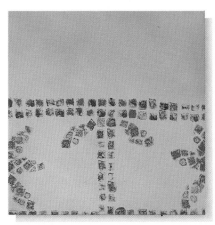

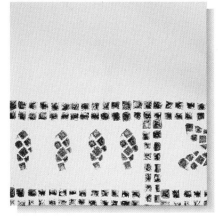

Un air antique *Pour une ambiance plus Rome antique, j'ai choisi les couleurs de terre : ombre brûlée et rouge oxyde sur fond d'ocre jaune (mélangées à de la terre de Sienne naturelle pour adoucir le tout).*

Bord de mer *Cette association bleu foncé et blanc est une version plus douce de la première gamme de couleurs. Par son rapport avec l'eau, elle réalise un motif sobre et tranquille, toile de fond parfaite pour une ambiance détendue.*

Éclairage de véranda *Lampe typique des années 1900. À la place d'un globe comme celui-ci, on peut choisir pour le soir lustres et bougeoirs italiens en métal.*

ANNÉES 1920 ET SUIVANTES

Peinture abstraite, Bauhaus et Art Déco Hollywood furent les forces nouvelles du XXᵉ siècle qui permirent de balayer les idées du siècle précédent et de définir à partir des années 1920, un nouveau style de décoration d'intérieur. Toutes ayant exercé leur influence au même moment, on peut constater entre elles des ressemblances stylistiques.

Le Bauhaus, école d'architecture et d'arts appliqués allemande fondée en 1919, influença profondément le goût moderne. Lié tout d'abord au mouvement *Arts and Crafts*, par son enseignement de l'artisanat, comme la reliure et l'art du vitrail, il met à la mode les objets simples et fonctionnels (voir p.177). Mais le Bauhaus se distingue, à partir des années 20, par son orientation nettement plus industrielle, en associant l'art à la technologie.

Il en résulta des designs fonctionnels et éternels, comme la théière ci-contre à droite et la cafetière page ci-contre. Les fabricants appréciaient ce genre de designs et continuent à les produire aujourd'hui.

Dans un décor de cette époque, murs et sols se doivent d'être relativement nus (voir le Bureau Bauhaus p.201). Les métaux comme le chrome et l'acier sont appropriés et les meubles auront des formes aérodynamiques. Recherchez les objets fonctionnels aux lignes pures, du début du siècle ou non. Le ventilateur de la page ci-contre est un exemple typique du genre d'objets que l'on peut trouver dans les brocantes et les marchés.

Hollywood
Même si le Bauhaus donna au cours des années 20 et 30 (l'époque de l'Art Déco), une direction nouvelle et originale au design, son enthousiasme pour l'industrialisation ne fut pas très populaire. A cette époque, l'approche minimaliste du Bauhaus contredisait l'image du XXᵉ siècle offerte par les débuts de Hollywood, monde de celluloïd fastueux qu'illustrent les intérieurs opulents des cinémas 1930.

Ce style (que je recrée dans le décor du Savoy p.189) était luxueux, avec une prédominance de bois clairs, de verre, de cuir, d'ivoire et de laque.

Art Déco ménager
Le style crée aussi des designs abstraits géométriques, produits en série sous forme de textiles, comme le tissu ci-dessous, se mêlant aux motifs aztèques et mayas, aux éléments classiques et à l'imagerie égyptienne comme la fleur du tissu rayé jaune, page ci-contre.

Les meubles avaient des lignes arrondies et portaient souvent des décors exotiques. Le meuble-bar, ses accessoires et la table à thé devinrent courants dans les intérieurs de cette époque.

Ce style de décoration s'étendit rapidement et devint très vite à la portée de toutes les bourses, ce qui explique qu'on en

trouve si facilement aujourd'hui. Ainsi, même si elles sont un peu kitsch, la théière et les assiettes de la page ci-contre témoi-

gnent de ce goût pour une décoration mi-abstraite et sont aujourd'hui considérées comme des interprétations remarquables et précises du style populaire 1930. De nombreux tissus et papiers peints Art Déco sont encore fabriqués aujourd'hui. Leurs motifs comprennent arbres stylisés, coquillages, éventails et levers de soleil (voir le tissu ci-dessous). Les couleurs vives étaient appréciées, comme le montrent les échantillons de papier peint ci-dessus.

Liens avec les autres cultures

Les arts décoratifs de l'Orient ont influencé plus ou moins les intérieurs occidentaux, à différentes époques, depuis le XVIIᵉ siècle. Le décor oriental, page 193, reflète cette tradition. Il tire également sa force d'une approche abstraite et minimaliste que l'on retrouve dans la plupart du design moderne : les textiles et les meubles du Bauhaus ont une forte ressemblance avec certains tissus et laques noirs japonais.

Le décor reflète également la façon dont le style Art Déco s'inspira de tant de cultures variées, en incorporant des éléments de différents pays orientaux (Thaïlande, Japon et Chine). On trouve facilement aujourd'hui tissus et objets typiquement orientaux dont le bambou, la canne de rotin et la faïence chinoise.

Chambre du Savoy

La pièce la plus intime, la chambre à coucher, offre une occasion unique de laisser parler son imagination et de s'offrir un décor luxueux. Les grands hôtels, comme le Savoy à Londres, ont toujours été synonymes d'opulence, mais les films du Hollywood de 1930, comme Plaza Suite, *ont su exploiter à fond ce thème. En associant les matériaux brillants comme le chrome, l'ébène et l'albâtre et en adaptant l'imagerie fluide et géométrique des années 1930, vous pouvez convertir la plus simple des pièces en une interprétation authentique d'une suite d'hôtel Art Déco.*

C E DÉCOR de chambre est plus fidèle au style Art Déco que celui du living room, pages 196-99, également Art Déco mais interprété de façon plus libre. Il conjugue surfaces polies, finitions lisses et motifs géométriques typiques des intérieurs de ce style, que j'ai ici mélangés pour créer un décor luxueux. Les volumes simples, sans corniche ou moulures ornées, se prêtent mieux à cette tranformation.

Jeu des surfaces

Le mur offre plusieurs éléments contrastants ; derrière les panneaux noirs et brillants du soubassement, le mur est passé au badigeon rose saumon, d'où leur texture mate et moirée. Le terre cuite et l'ocre rouge chaleureux de la fresque murale s'harmonisent avec la frise et la plinthe patinées, à reflet métallique

Éclairage d'ambiance

Pour interrompre la surface murale plate et mettre en valeur les reflets métalliques de la frise, il fallait un éclairage bien pensé et quelques objets en trois dimensions. La réponse se trouvait dans les lampes Art déco, qui remplissent ces deux fonctions. Les appliques jettent un lumière douce vers le plafond, accentuant ainsi les motifs et reflets de la frise. La chaude texture de l'albâtre du lustre (vous pouvez utilisez une version en verre imitation marbre) donne une luminosité diffuse et complète l'orchestration savante de l'éclairage.

Pochoir transformé *On masque la tête de cette fleur égyptienne pour n'imprimer que les feuilles.*

ANALYSE

FRISE COLORÉE
Le motif complexe est peint à la bombe autour d'un gabarit triangulaire, et en faisant chevaucher les formes, sur de l'isorel fixé ensuite au mur.

MUR AU BADIGEON
La finition douce et moirée est obtenue en passant sur une couche de base blanche et lisse un badigeon en trois couleurs de peinture émulsion : pêche intense, jaune abricot et crème pâle.

SOUBASSEMENT PEINT
Les rectangles peints sont vernis pour rappeler le cabinet d'ébène. Du ruban à masquer vous aidera à obtenir des bords bien nets. Les panneaux sont décorés au pochoir avec une fleur égyptienne, à la peinture aérosol cuivre et or.

PLINTHE À MOULURES
La plinthe est en fait une longueur d'architrave de porte sur laquelle sont fixées quelques moulures plus minces.

SOL EN MOSAIQUE
Pour imiter la mosaïque j'imprime de l'émulsion avec de petites éponges collées sur une planchette carrée.

Techniques
Badigeon en trois couleurs pp. 250-51
Or patiné pp. 306-307
Pochoir pp. 312-17

OPTIONS STYLISTIQUES

LE STYLE des années 30 se caractérise par un mélange de finitions dont le moucheté, le brillant métallique, la peinture mate et l'effet nuageux. Les objets en volume seront utilisés en petite quantité pour ne pas nuire à ces différentes finitions. On trouve parmi les œuvres de cette époque d'exquises incrustations de marqueterie, des sculptures de Bourraine et le verre moulé de Lalique, ainsi que le « verre de la Crise », géométrique, produit en masse au début des années 30 aux U.S.A.

Les influences

Les motifs géométriques de l'art roman ou aztèque, grec, romain ou égyptien conviennent tous. L'Art Nouveau également, et le choix des finitions métalliques reflète l'obsession croissante de l'âge de la machine pour tout ce qui est industriel. Pour les meubles, l'esthétique prédominante est celle de l'Amérique de 1930.

Reproductions de tissus Ces couleurs Arts Déco rose bonbon font de superbes tissus d'ameublement pour les sofas style 1930, qui ont besoin d'être recouverts.

Gamme de couleurs

Le choix des couleurs est grand comme le montrent les illustrations. Les tons crème ou beige étaient à la mode pour les fonds, murs et sols, et le noir se trouvait dans presque toutes les pièces; à cette palette de base vous ajouterez de nombreuses couleurs. Les teintes vives de la faïence de Clarice Cliff, page ci-contre, offrent un point de départ ; les moutarde et bruns foncés de l'affiche ci-dessus en sont un autre et une troisième version est donnée par les pastels vifs, vert menthe, bleu et rose bonbon en vogue à l'époque. Les tons intenses, comme le jaune citron du tissu égyptien, page ci-contre à gauche, peuvent être utilisés en petite quantité mais sans écraser les tons pastel plus caractéristiques. Le satiné des métaux patinés, le verre, la peinture vernie et le bois ciré rehausseront toutes les gammes de couleurs.

Affiches et lampes, *page ci-contre. Les gravures reflètent l'optimisme naïf de l'époque. Leurs couleurs mates et évocatrices donnent un excellent point de départ pour une palette. Les lampes coquilles, un peu plus anciennes, font une splendide rampe d'éclairage pour le tableau et, si l'on incline leur pied flexible, éclairent aussi murs ou plafond.*

Version égyptienne, *ci-dessus. En 1922, l'ouverture du tombeau de Toutankhamon eut beaucoup d'influence sur le style Art Déco. Ici, sphinx et étoffe rappellent le thème.*

Céramique d'époque *Cet ensemble aux teintes vives est une réalisation de la styliste britannique Clarice Cliff, dont les œuvres s'arrachaient dans les grands magasins, dans les années 30.*

Une autre céramiste influente de l'époque, Susie Cooper, produisit également de la vaisselle et des vases, devenus aujourd'hui pièces de collection.

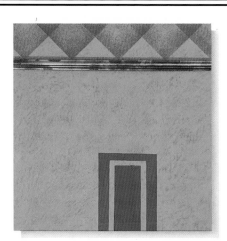

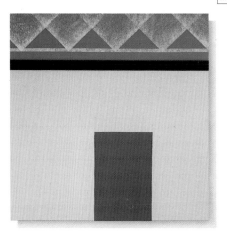

Rouge et vert *Un vernis gras transparent en moucheté délicat imite les bois clairs cirés en vogue dans les années 30. Le rouge et le vert peints par-dessus le vernis sont mis en valeur par le bronze du détail.*

Argent et rose *De la peinture aérosol argent est passée sur la peinture rose encore fraîche pour donner le fond métallique de la frise. Le rose magenta est très frais, le vert et le noir unis renforcent le côté cérémonieux du décor.*

Citron et turquoise *Jaune citron soufre et bleu-vert pétrole, une base intéressante pour une pièce Art Déco aux teintes égyptiennes. Les meubles vernis se détachent bien contre le jaune. Vous pouvez remplacer le bleu par de l'ocre rouge.*

LIVING-ROOM ORIENTAL

La culture orientale a toujours fourni à l'Occident une riche moisson d'images et parfois radicalement transformé le cheminement du design. Plutôt que d'interpréter un seul style de décor, j'ai préféré puiser mes idées dans l'Orient tout entier, en insistant sur les caractéristiques des intérieurs orientaux qui contribuent à la qualité de la vie et que l'on peut adapter aux maisons modernes : simplicité, élégance et importance attachée aux surfaces. Ici, les finitions de peintures évoquent les laques et vernis craquelés orientaux et les lambris, meubles bas et store de papier permettent de moduler espace et lumière, en créant un coin tranquille et minimaliste, soigneusement organisé.

LES MAISONS traditionnelles de Thaïlande ont toujours été construites avec des cadres en bois et des panneaux, ce qui donne des murs intérieurs offrant une alternance de panneaux et de bandes. J'ai retrouvé cet effet avec de l'isorel et peint les murs en rouge safran. Les murs divisés de cette façon vous permettront de moduler l'espace et de le rythmer.

J'ai également modulé la qualité de la lumière naturelle. De la mousseline devant une fenêtre suffirait à diffuser la lumière du jour mais j'ai voulu imiter ici une quali-té de lumière différente commune à beaucoup d'intérieurs orientaux ; j'ai donc fait un écran en papier de soie épais (huilé avec de l'huile de lin) fixé à un cadre en bois.

Finitions de peinture

Laque et vernis craquelé sont d'origine orientale. J'ai donné un effet de vernis craquelé au côté de la banquette basse en bois, avec la technique indiquée ci-dessous, et j'ai verni le mur rouge pour lui donner une profondeur subtile. Le thème est repris dans le coffre laqué rouge safran et les deux petites boîtes sur la table basse.

EFFET DE VERNIS CRAQUELÉ

Appliquez de la gomme arabique liquide (voir p. 332) sur une base d'émulsion sèche. Laissez sécher.

Appliquez une seconde couche d'émulsion de teinte contrastante. Les craquelures apparaissent presque aussitôt.

ANALYSE

SCULPTURE ET MURS
Une sculpture moderne décore le mur à la finition vieillie. Après avoir peint le mur en rouge (laque satinée), je passe un vernis gras transparent teinté avec un peu de couleur à l'huile ombre naturelle et lissé ensuite.

ENCADREMENT DE FENÊTRE
Le tour de la fenêtre reçoit une finition marbrée (technique de badigeon à la chaux) et est décoré au pochoir à la peinture aérosol. Je déplace le pochoir sous des angles différents.

BANQUETTE BASSE
La banquette, typique des intérieurs thaï, fait partie du mur, à hauteur des autres éléments du mobilier. Sa finition vernis craquelé est dans la tradition des laques chinois et du raku.

FAÏENCE CHINOISE
La faïence chinoise, qui se détache vive et gaie contre le satiné du mur rouge, est tout à fait à sa place dans la décoration et parmi les objets des autres cultures orientales.

Techniques
Imitation badigeon à la chaux
pp. 254-55
Vernis patiné pp. 256-57
Pochoir pp. 312-17

OPTIONS
STYLISTIQUES

VOUS AVEZ le choix entre deux possibilités : soit simplement intégrer quelques objets d'art orientaux dans une pièce décorée en style occidental ; soit adopter les principes de la décoration orientale pour l'ensemble.

Si vous préférez la première, vous suivrez une longue tradition européenne. Au XVIIIᵉ siècle, par exemple, les motifs et objets chinois étaient intégrés aux décors rococo européen. Pour évoquer l'amosphère européenne de l'époque, créez votre décor avec des chinoiseries, comme le papier mural

Bois sculpté *La sculpture moderne de la page précédente suit la tradition de ces motifs en bas-relief indonésiens.*

page ci-contre en haut, ou établissez la décoration de la pièce à partir d'une couleur évoquant l'Orient, comme le jade ou le bleu chinois.

Pour une approche plus puriste, essayez d'appliquer quelques principes essentiels de la philosophie japonaise, par exemple celle du design (lumière, espace et ordre, qui sont également minimalistes). Placez les meubles modernes occidentaux inspirés par le design oriental, dans un décor plus traditionnellement oriental, comme celui de la page précédente.

Lien entre l'Orient et l'Occident *Les dessins abstraits de ces tissus modernes occidentaux font écho à ceux du bambou et du rotin tissé orientaux.*

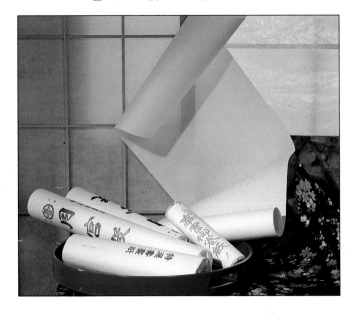

Couleurs orientales,
page ci-contre. Le goût occidental aime l'opulence dans les textiles. Les tons de jade sont le point commun qui unifie étoffes et objets.

Effets de papier, *ci-contre. Le paravent est tendu de papier à calligraphier, que l'on peut utiliser pour voiler les fenêtres. Décorez les murs avec des rouleaux chinois.*

Exactitude historique,
ci-dessus. Ce papier peint Régence montre la vogue du XVIIIe siècle pour les chinoiseries. Le pot est similaire aux œuvres d'art chinoises de l'époque.

Gamme de couleurs

Les cultures européennes des XVIIe et XVIIIe siècles absorbèrent la culture orientale, en adoptant des couleurs de fond comme le jaune acide et le vert jade, pour mettre en valeur les collections d'objets. Pour une atmosphère d'époque, prenez ces couleurs comme toile de fond pour les objets de style oriental. La finition vernis craquelé indiquée ici (et que l'on retrouve dans le décor de base) peut s'appliquer sur du bois, en s'inspirant des fraîches couleurs des céramiques chinoises.

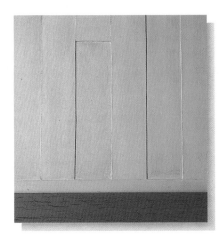

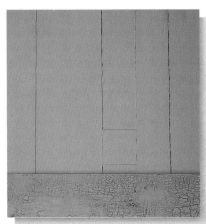

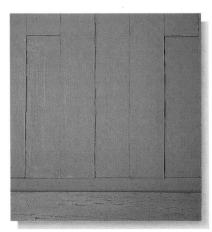

Jaune *Pour un décor chaleureux : safran dilué sur terre d'ombre naturelle ; plinthes : ombre naturelle et écarlate.*

Bleus chinois *Les couleurs des céramiques chinoises sont subtilement mêlées dans la finition vernis craquelé.*

Bruns anciens *Un mélange de terre d'ombre naturelle et d'émulsion blanche (dilué à l'eau) est passé sur du rouge.*

LIVING-ROOM MIAMI DÉCO

Pour évoquer une ambiance 1930, rien ne pourra mieux vous donner des idées que les intérieurs de Miami, ville à la chaleur tropicale où l'architecture Art Déco est reine. Son style se caractérise par des formes géométriques et aérodynamiques, des matériaux lisses, comme le chrome et le marbre, et des motifs stylisés. Le décor de cette pièce est formé de tous ces éléments, mais le côté clinquant Hollywoodien, typique de beaucoup d'intérieurs Art Déco, est atténué pour donner un ensemble moins voyant et plus chaleureux, dans lequel le vieux sofa 1930 ou la radio en bakélite seront tout aussi à leur place que le bar.

L'IMPACT visuel de ce décor vient de la division géométrique du mur par un soubassement et de la qualité naturelle des matériaux bruts : plâtre et marbre (en imitation peinture). En donnant la même couleur au soubassement et au sol et une autre à la partie haute du mur, je divise l'espace horizontalement en deux bandes distinctes : la partie basse abrite les meubles et divers objets, et la partie haute reste un espace vide rafraîchissant. Même le tableau aux flamants roses semble faire partie intégrante du mur par l'intermédiaire de son encadrement en plâtre.

Tropiques et fraîcheur

L'opposition constante entre le chaud climat de Miami et la recherche de la fraîcheur dans les intérieurs se reflète dans mon choix de couleurs, motifs et imagerie. Le tableau

aux flamants roses est éclaboussé de couleurs chaudes, le fauteuil est recouvert d'un tissu au motif tropical et la partie haute du mur en plâtre patiné est peinte de tons crème chaleureux.

Pour équilibrer ces éléments « chauds », la partie basse de la pièce est peinte en imitation d'un matériau structurellement et visuellement froid, le marbre granitique, en vogue dans de nombreux intérieurs de Miami, vers 1930.

Comme il est impossible d'utiliser le procédé d'imitation marbre sur des surfaces verticales, la plinthe et les dalles d'isorel utilisées pour le soubassement ont reçu ce traitement avant d'être posées. Le même traitement imitation marbre est appliqué sur le plancher recouvert ensuite de plusieurs couches de vernis protecteur solide; voir les tableaux techniques pages 328-31.

Art et industrie Ce motif stylisé, typique des années 1920, fut adopté par les fabricants de papier peint.

ANALYSE

MURS EN PLÂTRE
La texture du plâtre patiné du mur module la lumière qui filtre à travers le store vénitien et contraste avec les autres surfaces lisses.

FLAMANTS ROSES
Cette fresque stylisée est peinte avec de l'émulsion. Les cannelures irrégulières du cadre sont faites avec plusieurs couches de plâtre sur un canevas de chanvre et de papier journal roulé.

BAR ART DÉCO
La vogue des cocktails battait son plein dans les années 20 et 30. Le tissu du bar et du tabouret est une reproduction aux fleurs égyptiennes stylisées ; l'Art Déco tirait une grande partie de son imagerie de sources égyptiennes.

MARBRE GRANITIQUE
Soubassement, plinthe et plancher sont peints en imitation de marbre granitique, matériau courant dans de nombreux bâtiments de Miami.

PLINTHE ART DÉCO
Les bords arrondis de la plinthe et sa forme aérodynamique lui donnent un aspect Art Déco. J'ai associé une plinthe moulurée (tore) à des moulures.

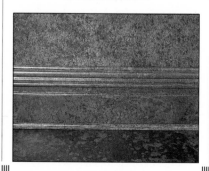

Techniques
Plâtre vieilli pp. 274-75
Imitation marbre granitique pp. 294-95

OPTIONS STYLISTIQUES

LE CHARME du style Art Déco réside dans sa grande souplesse. Son éclectisme, qui va de l'architecture classique grecque et des motifs égyptiens à l'art de l'Amérique du Sud, l'Expressionnisme et l'Art Nouveau, permet d'introduire des objets d'époques et de cultures diverses.

Mais comme c'est un style du XXᵉ siècle, on peut lui ajouter également meubles, ornements et objets-souvenirs de grande série.

Style ouvert

A l'intérieur des paramètres du style Art Déco vous pouvez essayer l'aspect utilitaire, en industrialisant votre décor à l'aide d'objets comme des vieilles lampes d'usine et des ventilateurs. Ou au contraire, revenir aux jours de l'Empire britannique et créer une atmosphère XIXᵉ siècle avec des meubles en osier et des sculptures ethniques.

Les accessoires Art Déco de série, comme la radio en bakélite et l'applique électrique Odéon (en verre et en forme de coquillage) seront naturellement à leur place, ainsi que les objets en chrome 1950, l'art figuratif ou abstrait, le mobilier en frêne foncé ou chromé.

Sculpture De nombreuses sculptures et bas-reliefs du XXᵉ siècle, comme ceux d'Eric Gill et du mouvement moderne, présentent des formes stylisées et des attitudes caractéristiques des dessins Art déco.

Papiers peints Quelques fabricants produisent encore des papiers peints authentiquement Art Déco, comme celui-ci, qui date de 1925.

Ethnique Art Déco, *page ci-contre en haut. Le dessin géométrique et les couleurs vives des accessoires de style Santa Fe les rendent parfaits dans un décor Art Déco. La forme en ziggourat librement interprétée sur le buffet Santa Fe, était également un motif populaire Art Déco.*

Meubles Memphis *Ce meuble moderne aux vastes proportions, aux lignes arrondies et aux vives couleurs évoque le style de certains meubles Art Déco.*

Gamme de couleurs

Si de nombreux intérieurs modestes étaient décorés dans les tons beiges, brun et crème, les bâtiments publics revêtaient souvent des couleurs exubérantes. A Miami, les murs extérieurs étaient recouverts de stuc crème ou blanc, avec des détails abstraits en couleurs bonbon, comme le rose saumon, le bleu menthe et l'orange crème, ou en verts vifs et jaunes citron pâles. Les teintes pastel conviennent bien pour les murs et les sols; utilisez les couleurs plus vives avec parcimomie, pour les portes, les fenêtres, les moulures ou les textiles.

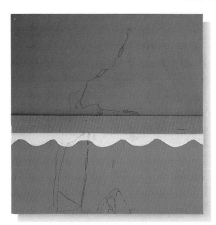

Couleurs de la mer *Deux tons de bleu sont ravivés par la cimaise rose, une gamme gaie, convenant à une salle de bains.*

Vert vif *A Miami les murs extérieurs portaient souvent des rayures de tons vifs ; ce vert convient pour un soubassement.*

Nuances douces *S'harmonisant avec les teintes froides de ce style 1930 Miami, ces nuances caramel donnent un décor aéré et léger.*

BUREAU BAUHAUS

Ameublement et décoration modernes ont été profondément influencés par le Bauhaus de Walter Gropius, école allemande de beaux-arts des années 1920. Fondé sur la fusion de l'art et de la technologie, le style Bauhaus fut à l'origine d'une mode puriste pour le simple et le fonctionnel, toujours en vogue aujourd'hui. Ce style donne quantité d'idées pour créer un décor esthétique, ordonné, propre à la concentration et parfait pour un bureau. Ici, les murs simplement peints, associés aux métaux et à quelques objets aux formes aérodynamiques, établissent un décor fonctionnel mais élégant et moderne.

DANS LE domaine du design, le style Bauhaus est trop souvent rejeté comme monochrome, fonctionnel et laid, dominé par le chrome et le noir, peut-être à cause des innombrables photographies en noir et blanc de l'époque. Mais en fait, couleurs et motifs faisaient largement partie du style et il est important de savoir que fonctionnel peut aussi signifier esthétique.

Origines historiques

Si le Bauhaus veut se couper de toute tradition, il incorpore cependant de nombreux précédents historiques. Le mur à rayures vertes, par exemple, copié sur un décor Bauhaus d'une salle de gymnastique, reflète une tradition de bandes horizontales de couleur qui remonte jusqu'à l'Egypte en passant par la vogue du XVIIIe siècle pour les murs décorés de rayures peintes en imitation marbre. Les racines

Couleurs d'époque Tableaux et gravures des années 20 donnent de nombreuses idées sur les associations de couleurs non primaires.

technologiques du style Bauhaus sont manifestes dans le côté fonctionnel des meubles et du décor. Cette approche convient pour toute pièce dans laquelle vous voulez créer une atmosphère studieuse ou ordonnée, comme un petit salon paisible ou un bureau.

Comme vous pouvez le voir dans la structure élégante de la table page ci-contre, le manque d'ornementation n'implique pas le manque de beauté. Le meuble n'est pas entièrement fonctionnel : la fantaisie du designer lui a donné un socle arrondi inhabituel.

Les objets domestiques de style Bauhaus conviennent aux intérieurs modernes, dont les lignes simples admettent une approche minimaliste. Ce style n'est cependant pas réservé aux intérieurs modernes. Objets et meubles seront à leur place dans n'importe quelle époque du moment que la décoration des murs et des sols reste sobre.

ANALYSE

PLAFONNIER
Ce plafonnier moderne italien est destiné à réfracter la lumière. Il est typique des idées Bauhaus du fonctionnel dans la maison.

SCULPTURE MURALE
Décoration murale abstraite découpée dans une plaque d'isorel et peinte avec une peinture émail finition martelée (voir p. 223). Elle est inspirée par une curieuse machine créée par Moholy-Nagy du Nouveau Bauhaus.

MURS À RAYURES
Le mur est d'abord peint à l'émulsion vert sauge pâle. On peint ensuite en vert plus foncé de larges bandes délimitées par du ruban à masquer.

MEUBLES SIMPLES
Cette chaise aux lignes élégantes et bien construite est dans le style de Jacques-Emile Ruhlmann, artiste décorateur français des années 20.

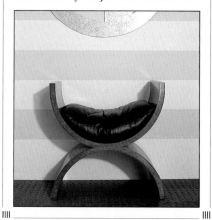

LE SOL
De la tôle d'acier, utilisée pour les escaliers de secours, est dégraissée, puis vernie avec de la laque pour métal. On peut utiliser également de l'aluminium.

OPTIONS
STYLISTIQUES

L'UNE DES façons de créer le style Bauhaus est l'utilisation judicieuse des matériaux bruts. Les métaux comme le chrome et l'acier conviennent, ainsi que le verre ; les bois cirés quant à eux donnent une note chaleureuse. Vous pouvez remplacer la tôle d'acier qui recouvre le sol dans le décor de base par du linoléum uni ou peindre le plancher en noir ou en gris acier. Donnez de l'importance aux objets fonctionnels et reléguez les bibelots dans les tiroirs, l'absence de superflu étant indispensable à un décor minimaliste.

Lignes adoucies

Pour un aspect plus luxueux recherchez le mobilier français des années 20 qui, inspiré par l'Art Nouveau (voir pp. 172-75), possédait des lignes plus fluides. Les accessoires Art Déco (voir pp. 196-99) sont une autre possibilité. Différents styles du XXᵉ siècle peuvent se conjuguer avec bonheur dans un intérieur de style Bauhaus, du moment que le décor reste sobre.

Décor fonctionnel, *en haut à droite. Mettez en valeur ventilateurs, accessoires d'éclairage, pendules et radiateurs, en hommage à leur utilité fonctionnelle.*

Collections, *ci-dessous. Verrerie industrielle, sculpture de Lalique et verre moulé s'harmonisent avec un intérieur moderne.*

Gamme de couleurs

Noir et chrome sont des couleurs tellement dominantes dans les copies de meubles des années 20 que l'on pense, souvent à tort, qu'un thème de décoration en couleur ne convient pas aux intérieurs Bauhaus. De nombreux meubles originaux des années 20 étaient pourtant recouverts de cuir et tissus de couleur. Les tableaux d'époque sont également utiles comme référence pour les thèmes de couleurs, comme l'œuvre de Klee et Kandinsky.

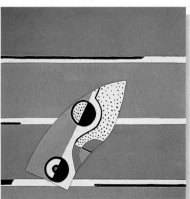

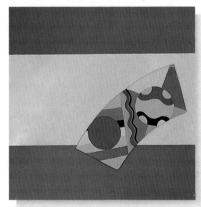

Roses subtils *Violet et rose mats sont retenus par le noir et le blanc. Les tons bruns sous-jacents donnent l'atmosphère.*

Violet et brun *Le jaune citron ajoute un éclair de lumière à cette juxtaposition plus sombre de brun et de violet.*

MATÉRIEL
PRODUITS
&
TECHNIQUES

INTRODUCTION

Pour maîtriser les techniques de cette partie, commencez par les essayer. Vous pouvez expérimenter les finitions des murs sur le mur à décorer et repeindre ensuite par-dessus en blanc ; de même pour les procédés au vernis gras transparent, à condition d'essuyer la surface à décorer avant séchage. Essayez cires et pâtes sur des chutes de bois. Préparez des grandes planches d'échantillons et posez-les debout dans plusieurs endroits de la pièce pour connaître l'effet réel des couleurs. La même couleur sur quatre murs aura toujours plus d'impact ; si vous voulez en juger, peignez l'intérieur d'un vieux pot de peinture. Je n'utilise jamais le rouleau, sa texture dénaturant les couches de peinture passées ensuite. Les quantités pour les mélanges sont données en proportions (ainsi pour diluer de la laque satinée à 1/4 avec du white spirit, utilisez 4 volumes de solvant pour 1 de peinture). Vous trouverez pp. 332-35, des conseils pour fabriquer les peintures, teinter émulsion et laque satinée, estimer les quantités, ainsi que des conseils spéciaux pour les vernis et les finitions.

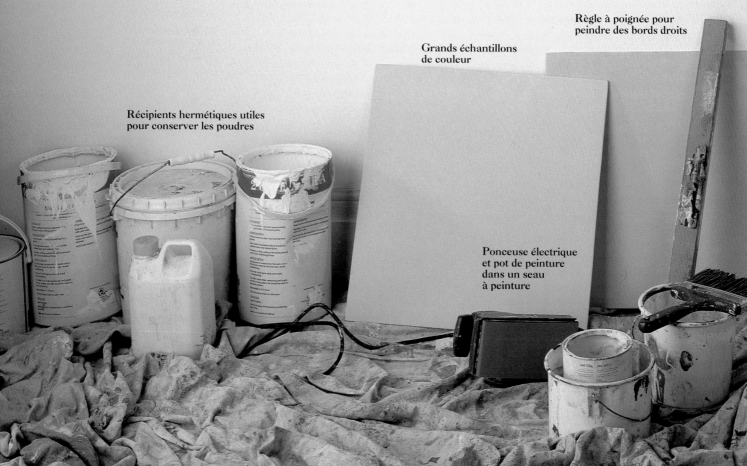

Règle à poignée pour peindre des bords droits

Grands échantillons de couleur

Récipients hermétiques utiles pour conserver les poudres

Ponceuse électrique et pot de peinture dans un seau à peinture

Début et fin des travaux

Posez des vieux draps sur le sol et mettez les pots de peinture dans des seaux à peinture pour leur éviter de goutter par terre (il est ainsi plus facile de transporter des pots sans anse). Suspendez le seau à l'échelle avec un crochet à mousqueton. Travaillez toujours dans une pièce bien aérée ; ne buvez pas, ne fumez pas et ne mangez pas. Pour certains matériaux vous devez porter gants, lunettes ou masque (les masques à poussière empêchent d'inhaler les particules en poudre ; ayez un masque spécial pour éviter d'inhaler les vapeurs toxiques des solvants). Des conseils de sécurité sont donnés avec chaque technique et pages 324-31. Si vous vous arrêtez pour une heure ou deux, couvrez les pinceaux avec un chiffon imbibé d'eau (peintures à base d'eau) ou de térébenthine (peintures à l'huile). Nettoyez vos pinceaux et fermez tous les pots quand vous avez terminé pour la journée.

Sur l'établi : masque à poussière et lunettes protectrices

Gants de caoutchouc épais

Longue règle et niveau à bulle

Seau à peinture en plastique fixé par un crochet à mousqueton

Essai de couleur dans un pot vide

BROSSES DÉCORATEUR

LES BROSSES de décorateur servent à appliquer de différentes manières diverses sortes de peintures, ainsi que les cires, pâtes et poudres.

Types de brosses

Il existe plusieurs formes de brosses de décorateur : ronde, bombée, plate, pointue et biseautée, et les dimensions vont de la largeur d'une soie à 25 cm.

L'importance du travail et le matériau employé dictent généralement la dimension et la composition de la brosse nécessaire et les

différences dans les modèles sont simplement dues à la fantaisie des fabricants ou aux traditions de décoration d'un pays en particulier.

Une chose est cependant certaine : rien ne vaut les soies de porc pour presque tous les travaux. Les brosses en soie beau blanc sont les meilleures et l'investissement en vaut la peine. Les soies sont douces, flexibles et leur fleur multiple (extrémités fendues) répartit la peinture et ne laisse pas de traces de pinceau.

Voyez les conseils de nettoyage des brosses pages 218-19.

Brosse à émulsion,
vieille mais encore utile

Plate, ovale ou ronde ?

Plus la brosse est plate, moins elle retient de peinture ; ces brosses sont cependant très utilisées aux États-Unis et en Grande-Bretagne, les brosses ovales étant plus connues dans le reste de l'Europe. La brosse ronde, qui retient bien la peinture, est un vieux modèle anglais ; celle ci-dessous à droite, est beaucoup plus petite que les modèles classiques.

Brosse ovale

Vieille brosse
plate moyenne

Brosse plate
soie beau blanc

Brosse ronde
à l'ancienne
mode

Une vieille amie

Cette brosse vieille de 10 ans sert toujours même si sa virole est fendue ; elle possède une flexibilité et un caractère bien à elle.

Pour lisser tenez la brosse comme indiqué en haut, et pour les larges passages, comme en bas.

Brosse de pouce
soies courtes

Brosse de
pouce soie
beau blanc

Brosse
de pouce
large

Brosse
à émulsion
moyenne
biseautée
usée (queue-
de-morue)

Brosse à émulsion
large biseautée usée

Brosses de pouce
Ces brosses de 3 à 5 cm sont
traditionnellement utilisées
pour peindre les
encadrements de fenêtres,
mais servent également pour
toutes sortes de travaux
délicats.

Brosse
à émulsion
à soies courtes

Brosse à émulsion
soie beau blanc
(teintée par l'usage)

Brosses à émulsion
La taille des brosses à émulsion, la
longueur et la flexibilité des soies les
rendent parfaites pour tous les types
de peinture. Les soies des deux
grandes brosses ci-dessus sont
biseautées usées, ce qui permet une
meilleure répartition de la peinture.
La brosse à émulsion à soies courtes
et épaisses est un autre modèle
courant. La brosse la plus large sert
à couvrir les grandes surfaces.

BROSSES À TABLEAU & PINCEAUX À REMPLIR

LES BROSSES à tableau et les pinceaux plats à remplir servent pour les petits travaux détaillés. Chaque groupe possède des caractéristiques différentes qui conditionnent leur usage. Certaines de ces brosses sont spécialement étudiées pour la décoration et d'autres servent couramment aux artistes peintres.

Les brosses à tableau sont très utiles pour peindre meubles et moulures. On les trouve en diffé-rentes formes à bout carré ou arrondi. On les appelle souvent "putois", car elles sont généralement faites en poils de cet animal, mais il en est d'excellentes en soies beau blanc.

Les pinceaux plats à remplir se font en soies de porc, poils de bœuf, polyester et martre et servent pour les décorations délicates à main levée : lignes sur les meubles et faux marbre. Brosses à tableau et pinceaux fins s'utilisent avec des peintures à base d'eau ou d'huile.

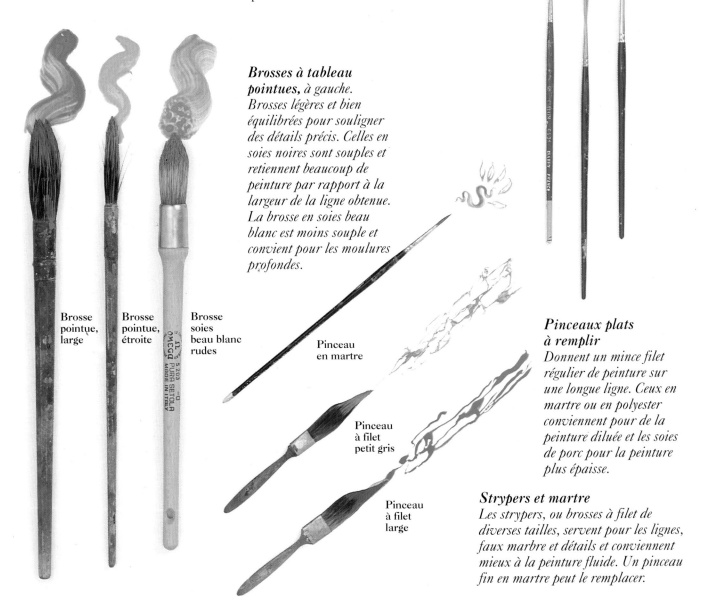

Pinceaux plats à remplir : poils de bœuf, soies de porc, polyester

Brosses à tableau pointues, *à gauche. Brosses légères et bien équilibrées pour souligner des détails précis. Celles en soies noires sont souples et retiennent beaucoup de peinture par rapport à la largeur de la ligne obtenue. La brosse en soies beau blanc est moins souple et convient pour les moulures profondes.*

Brosse pointue, large

Brosse pointue, étroite

Brosse soies beau blanc rudes

Pinceau en martre

Pinceau à filet petit gris

Pinceau à filet large

Pinceaux plats à remplir
Donnent un mince filet régulier de peinture sur une longue ligne. Ceux en martre ou en polyester conviennent pour de la peinture diluée et les soies de porc pour la peinture plus épaisse.

Strypers et martre
Les strypers, ou brosses à filet de diverses tailles, servent pour les lignes, faux marbre et détails et conviennent mieux à la peinture fluide. Un pinceau fin en martre peut le remplacer.

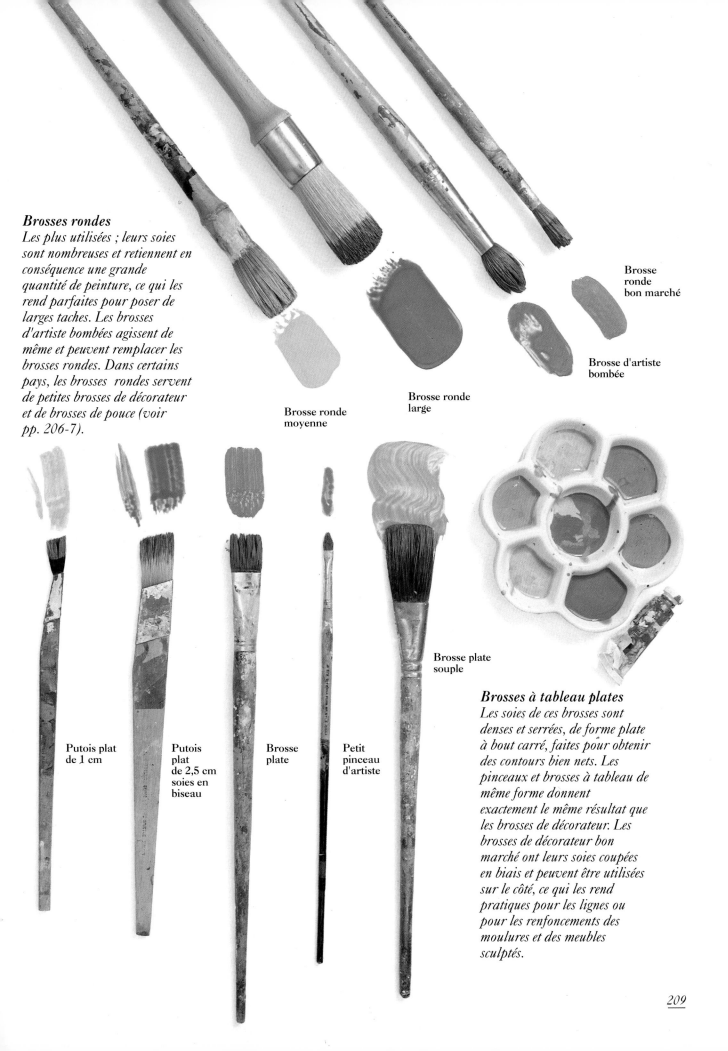

Brosses rondes

Les plus utilisées ; leurs soies sont nombreuses et retiennent en conséquence une grande quantité de peinture, ce qui les rend parfaites pour poser de larges taches. Les brosses d'artiste bombées agissent de même et peuvent remplacer les brosses rondes. Dans certains pays, les brosses rondes servent de petites brosses de décorateur et de brosses de pouce (voir pp. 206-7).

Brosse ronde
moyenne

Brosse ronde
large

Brosse d'artiste
bombée

Brosse
ronde
bon marché

Putois plat
de 1 cm

Putois
plat
de 2,5 cm
soies en
biseau

Brosse
plate

Petit
pinceau
d'artiste

Brosse plate
souple

Brosses à tableau plates

Les soies de ces brosses sont denses et serrées, de forme plate à bout carré, faites pour obtenir des contours bien nets. Les pinceaux et brosses à tableau de même forme donnent exactement le même résultat que les brosses de décorateur. Les brosses de décorateur bon marché ont leurs soies coupées en biais et peuvent être utilisées sur le côté, ce qui les rend pratiques pour les lignes ou pour les renfoncements des moulures et des meubles sculptés.

BROSSES À LISSER & À VERNIR

LES BROSSES à lisser sont passées légèrement sur la peinture fraîche ou le vernis pour effacer tous traits de pinceau et donner une finition lisse. Le poil de blaireau est le meilleur, mais le plus cher ; les soies beau blanc sont moins chères et leur qualité est presque aussi bonne.

Autre brosse à lisser

Le mouilleur peut remplacer blaireau ou beau blanc. En soies de porc longues et douces fixées sur une monture en résine et destiné à lisser la peinture fraîche, il est également parfait pour estomper (voir p. 213 les autres usages).

Il vaut mieux investir dans des brosses à vernir d'excellente qualité et les traiter avec soin, les brosses ordinaires ne donnant qu'un résultat décourageant.

Brosse à vernir

Il existe de nombreuses sortes de brosses à vernir, dont la brosse biseautée ci-dessous, qui répartit peu à peu le vernis en donnant une mince couche lisse. Les novices préfèrent parfois une brosse plus légère, soies beau blanc à long manche ou à lisser.

Comme pour toutes les brosses essayez-les en main avant de les acheter.

Brosse pointue
pour appliquer
la gomme laque

Brosses à vernir

Il existe différents types de brosses à vernir, dont la brosse beau blanc biseautée souvent utilisée pour la peinture. Les brosses à lisser, minces et légères, servent pour les vernis fluides qui demandent à être longuement brossés. Les brosses à long manche aux nombreuses soies, comme les soies beau blanc et les soies de porc, conviennent au vernis plus épais qu'on laisse couler sur le support plutôt que le brosser. Les brosses à vernir ne doivent jamais servir pour la peinture, votre beau vernis risquant à coup sûr d'être gâché par les particules de peinture sèche même les plus minuscules restant dans leurs soies. Nettoyez les brosses à vernir aussitôt après usage et ne les rangez pas près des brosses à peinture.

Petite
brosse
à lisser

Large
brosse
à lisser

Brosse
soies beau blanc
biseautées

Brosse
douce
soie de porc

Brosse à gomme laque

Pour appliquer une couche de gomme laque (par opposition au vernis au tampon) prenez une brosse pointue qui ne doit servir qu'à cet usage.

Monture et soies d'une brosse de décorateur

Brosses à adoucir

Un mouilleur, ou la monture et les soies d'une brosse de décorateur épaisse peuvent servir pour adoucir vernis gras et badigeons. Assurez-vous que vous essorez bien la peinture en excès et qu'aucun solvant ne touche la monture en résine, qui fondrait.

Petites brosses à adoucir

Les blaireaux se trouvent en différentes formes. Les plus petits servent pour lisser ou estomper peintures et vernis sur les accessoires et les meubles. Le blaireau en éventail sert pour les petites surfaces et les moulures. Les brosses pour artiste, les blaireaux en poils de poney, les entreplumes en petit gris et même les pinceaux pour cosmétiques peuvent remplacer les vrais blaireaux.

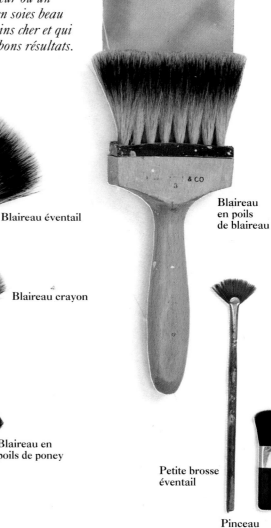

Mouilleur utilisé pour adoucir

Brosses à adoucir en blaireau

Cette brosse est entrée dans la mythologie des décorateurs en partie à cause de son prix, de six à dix fois celui d'une brosse de décorateur de même taille. Elle est faite des poils de blaireau les plus fins, fixés dans une monture de résine ou de caoutchouc. On n'utilise que les extrémités des soies, pour caresser la surface de la peinture jusqu'à obtention d'une finition parfaite. J'utilise pour ma part un mouilleur ou un blaireau en soies beau blanc, moins cher et qui donne de bons résultats.

Blaireau éventail

Blaireau crayon

Blaireau en poils de poney

Blaireau en poils de blaireau

Petite brosse éventail

Pinceau à cosmétiques

BROSSES SPÉCIALISÉES, PEIGNES FAUX BOIS

L'INTÉRET toujours grandissant montré par les Victoriens pour les techniques de peinture décorative, et les réalisations de veinage et de marbrure, jusqu'alors inégalées, aux Expositions Universelles de Paris et de Londres, conduisirent à la première production industrielle d'outils spécialisés.

On préférait jusqu'alors un style avec des finitions plus abstraites et les artistes se contentaient des ou-tils disponibles ou les fabriquaient eux-mêmes. Bien que l'on trouve aujourd'hui une gamme plus importante que jamais d'outils spécialisés et de brosses, la plupart se contentent de copier plus ou moins la fonction des autres.

Vous trouverez ici tous les outils nécessaires pour obtenir les effets illustrés dans ce livre. Certains sont onéreux, mais chaque fois qu'il est possible, je suggère des brosses moins chères mais utiles.

Roulette à plaques et effet de chêne

Roulette à plaques
Pour donner un effet de chêne, on passe sur une surface peinte à la queue à battre une roulette spéciale sur les plaques de laquelle on pose la peinture.

Brosse à chiqueter et plume
Les brosses à chiqueter sont utilisées pour soulever les particules de vernis. La grande a des longues soies fleur multiple et laisse un effet en fin pointillé, que l'on peut accentuer en appuyant davantage. Ou utilisez une brosse de décorateur soie beau blanc. La plume, trempée dans le solvant, permet de tracer les lignes veinées typiques du marbre.

Outils à dorer
A cause de sa valeur et de sa fragilité, on doit réserver à la feuille d'or les brosses en poils de poney les plus souples. Les feuilles d'or sont manipulées avec une palette à dorer et l'on pose les poudres métalliques avec une brosse entreplumes (sans aucune trace grasse).

Brosses à pocher
Elles ont des soies rudes, serrées, et on les utilise par petits coups secs et rapides.

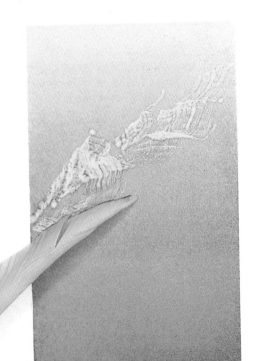

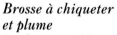

Palette à dorer

Grosse brosse à pocher

Pochon fait avec un putois

Petite brosse à pocher

Grosse brosse à chiqueter et plume

Entreplumes en poney

Veinette
faux-bois
éventail
en soie
beau blanc

Veinette
éventail
synthétique

Queue à battre
en crin de cheval
pour tirer et
tapoter le vernis

Mouilleur utilisé
pour faux bois

Spalter
et les marques
qu'il laisse

Balai
faux bois
5 rangs

Queues à battre, mouilleurs et spalters, ci-dessus.

Chacune de ces brosses permet de créer des effets de faux bois. Les queues à battre servent à tirer, tapoter ou même chiqueter sur du vernis, afin de créer différents effets de bois ainsi que des rayures. Le mouilleur, excellent blaireau bon marché, sert aussi à pocher et à chiqueter et peut être tiré sur du vernis pour donner un effet simple de faux bois. Les spalters donnent une texture faux bois que l'on peut adoucir avec un blaireau ou un mouilleur. Le balai blaireau cinq rangs servira pour ajouter des larges bandes de veinage.

Tampon à faux bois et peignes

Permettent de produire du faux bois très convaincant, des veinages fantaisie et des motifs abstraits. Un tampon en caoutchouc crée de façon magique le veinage en volute typique du pin (ci-contre à droite), particulièrement convaincant après avoir été battu, tiré ou adouci. Il est facile de produire des veinages fantaisie et des motifs abstraits avec un peigne en acier ou en caoutchouc.

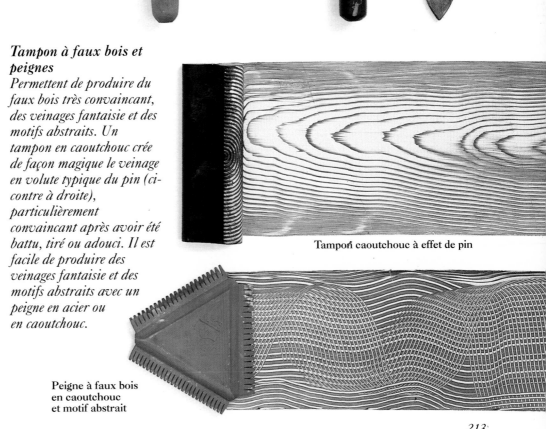

Tampon caoutchouc à effet de pin

Peigne à faux bois
en caoutchouc
et motif abstrait

POCHOIRS

IL EXISTE quantités de po-choirs tout faits, mais si vous fabriquez les vôtres, vous au-rez des motifs plus originaux et mieux adaptés à vos besoins. Ces fleurs de lys sont inspirées d'un livre sur les ornements médiévaux et gardent une fraîcheur spontanée qui manque souvent aux produc-tions en série (voir le mur du décor de la Cuisine française pp. 90-93).

Matériel et matériaux néces-saires pour réaliser et utiliser les pochoirs sont peu nombreux et fa-ciles à trouver (voir techniques pp. 314-15). J'utilise presque tou-jours la carte de Lyon plutôt que le rhodoïd. Ce dernier est pratique pour les motifs répétés qui doivent être alignés, mais il est plus glissant à découper et moins « sympa-thique ». J'utilise pour la plupart de mes pochoirs de l'émulsion (ou par-fois de la peinture aérosol), que l'on trouve en toutes couleurs et qui sèche vite.

Motifs
à main levée
sur papier
calque

Livre
d'ornements
médiévaux

Pochoir
découpé dans de
la carte de Lyon

Motifs pour pochoir
Le motif ci-dessus est intéressant et suffisamment simple pour être découpé et servir ensuite de cache sur la partie à décorer, ci-dessous.

Motif obtenu en vaporisant
la peinture autour du cache

Calque des motifs
Une version à main levée d'un motif tiré d'un livre est illustrée sur le papier calque ci-dessus (l'un des dessins a été rempli pour le rendre plus visible). On peut reproduire et changer l'échelle d'un motif avec un photocopieur.

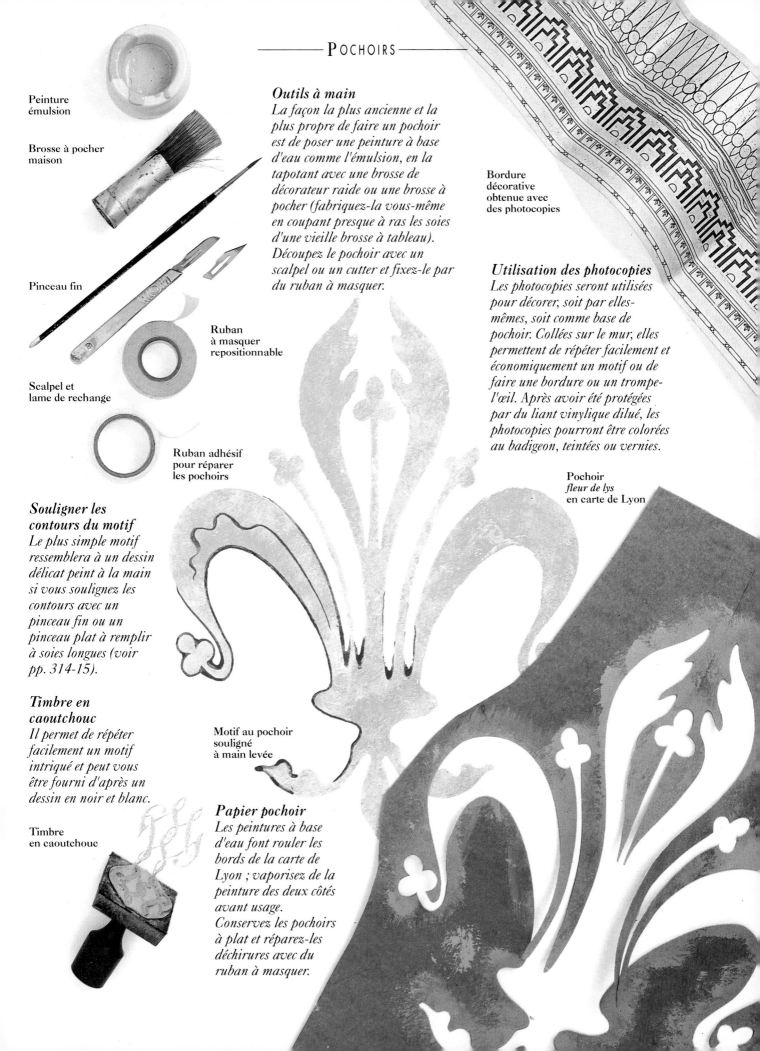

Peinture
émulsion

Brosse à pocher
maison

Pinceau fin

Scalpel et
lame de rechange

Ruban
à masquer
repositionnable

Ruban adhésif
pour réparer
les pochoirs

Outils à main
*La façon la plus ancienne et la
plus propre de faire un pochoir
est de poser une peinture à base
d'eau comme l'émulsion, en la
tapotant avec une brosse de
décorateur raide ou une brosse à
pocher (fabriquez-la vous-même
en coupant presque à ras les soies
d'une vieille brosse à tableau).
Découpez le pochoir avec un
scalpel ou un cutter et fixez-le par
du ruban à masquer.*

Bordure
décorative
obtenue avec
des photocopies

Utilisation des photocopies
*Les photocopies seront utilisées
pour décorer, soit par elles-
mêmes, soit comme base de
pochoir. Collées sur le mur, elles
permettent de répéter facilement et
économiquement un motif ou de
faire une bordure ou un trompe-
l'œil. Après avoir été protégées
par du liant vinylique dilué, les
photocopies pourront être colorées
au badigeon, teintées ou vernies.*

Pochoir
fleur de lys
en carte de Lyon

Souligner les contours du motif
*Le plus simple motif
ressemblera à un dessin
délicat peint à la main
si vous soulignez les
contours avec un
pinceau fin ou un
pinceau plat à remplir
à soies longues (voir
pp. 314-15).*

Timbre en caoutchouc
*Il permet de répéter
facilement un motif
intriqué et peut vous
être fourni d'après un
dessin en noir et blanc.*

Timbre
en caoutchouc

Motif au pochoir
souligné
à main levée

Papier pochoir
*Les peintures à base
d'eau font rouler les
bords de la carte de
Lyon ; vaporisez de la
peinture des deux côtés
avant usage.
Conservez les pochoirs
à plat et réparez-les
déchirures avec du
ruban à masquer.*

GRATTOIRS, CUILLÈRES & AUTRES OUTILS

TOUT DÉCORATEUR doit posséder une série d'outils variés : attirail hétéroclite volé dans la boîte à outils et plus souvent dans la cuisine, et c'est pourquoi je donne fréquemment les instructions concernant les mélanges de peinture sous forme de recettes de cuisine.

Utilisations astucieuses

A mesure que vous essayez de nouvelles techniques, vous découvrirez des astuces. Une petite longueur de moulure d'encadrement, par exemple, est utile pour peindre des lignes droites. Le rebord de la moulure sert de règle légèrement surélevée, contre laquel-faites glisser la virole d'un pinceau plat à remplir pour peindre ainsi une ligne nette et droite, sans bavures.

Les grattoirs à vitre servent à retirer la peinture du verre et d'autres surfaces ; ils comportent un rebord de chaque côté, qui permet de laisser la marge nécessaire sur la vitre quand on peint les encadrements.

Une autre gadget utile, qui me sert pour plusieurs techniques, est une boule à thé ou à infusion en mailles métalliques avec une poignée et qui s'ouvre pour que vous puissiez la remplir de poudre, charbon de bois en poudre, blanc de Meudon ou terre à foulon, et en saupoudrer les surfaces.

Brosse
en chiendent

Brosse métallique

Ruban
à masquer

Brosses et rubans adhésifs
Brosse en chiendent et brosse métallique pour nettoyer les pinceaux ; ruban de masquage pour peindre rayures, etc.

Grattoir à papier peint

Couteau de peintre

Baguette
d'encadrement

Grattoirs
Les grattoirs sont incomparables pour mélanger les enduits et les petites quantités de plâtre, faire les pâtes, ôter la peau des peintures, nettoyer les surfaces et retirer le papier peint. Ils vont du petit grattoir à vitre aux couteaux de peintre à large lame, qui peut servir de cache pour peindre moulures et lignes droites.

Grattoir
à vitre

Petit
couteau
à enduire
pour
mélanger
les pâtes

Couteau à enduire
pour nettoyer
les surfaces

Outils variés

La boule à thé sert à répartir les poudres, le tournevis à ouvrir les pots, et les vieux couteaux de cuisine à mélanger les peintures, prélever des petites quantités de poudre et enduire les petites fentes. La poire à sauce calibrée, utile pour mesurer les liquides de façon précise, permet de faire tomber en gouttes les solvants sur les surfaces peintes. Le fouet sert à mélanger les peintures et louche et cuillère à mesurer liquides et poudres.

Boule à thé pour poudres

Tournevis

Couteau de cuisine

Couteau à palette

Poire à sauce

Fouet de cuisine

Cuillère

Louche

Matériel supplémentaire

Éponges et chiffons de coton non pelucheux servent à tamponner, frotter et moucheter la peinture. La qualité intrinsèque de l'éponge naturelle peut se retrouver, sans l'égaler vraiment, en déchirant une éponge à laver les voitures. Pour tout nettoyer, utilisez les chiffons ou les lavettes à vaisselle tissées et, pour préparer surfaces et finitions, une cale à poncer, ainsi que du papier de verre et de la laine d'acier jusqu'aux plus fins .

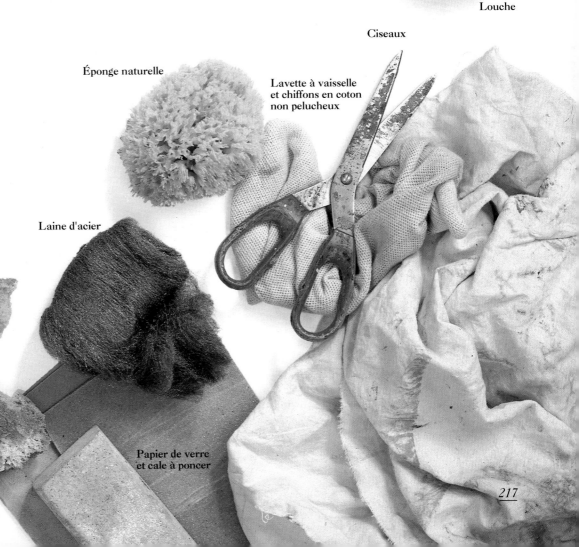

Ciseaux

Éponge naturelle

Lavette à vaisselle et chiffons en coton non pelucheux

Laine d'acier

Éponge à laver les voitures, déchirée

Papier de verre et cale à poncer

217

ENTRETIEN DES BROSSES

CELA VAUT la peine d'entretenir soigneusement vos brosses, qui pourront ainsi durer quinze ou vingt ans.

Brosses neuves

Toutes les brosses neuves, bonnes ou mauvaises, comportent toujours quelques soies mal fixées qui doivent être retirées avant de commencer le travail. Pour ceci tapotez à coups secs la virole sur le bord d'une table ou faites tourner la brosse entre les paumes des mains. Les soies mal fixées se détacheront en entraînant d'ailleurs des grains de poussière éventuels.

Si cela n'est pas suffisant, vous pouvez toujours copier le décorateur professionnel, qui utilise la brosse neuve pour les travaux d'extérieur pendant un certain temps et ne s'en sert à l'intérieur que lorsqu'elle ne perd plus aucune soie. A ce moment-là, l'extrémité de la brosse sera usée en biseau, exactement ce qu'il faut pour les travaux délicats de peinture.

Nettoyage et rangement

Toutes les brosses devraient être nettoyées soigneusement le jour même de l'utilisation, puis séchées et rangées. Rien n'est plus courant que d'oublier une brosse dans un récipient contenant du solvant et de la retrouver quelques semaines plus tard, solvant évaporé et soies collées en un seul bloc dans le fond du pot. Si vous achetez des brosses chères, vous serez certainement plus attentif à leur entretien !

Conservez toutes les brosses dans un endroit propre et sec, de préférence dans un placard à l'abri de la poussière et suffisamment aéré pour empêcher la moisissure.

Si vous rangez vos brosses pour plus de quelques semaines, enveloppez les soies dans du papier journal pour qu'elles gardent leur forme et maintenez le papier avec un élastique.

Si vous rangez les brosses pour longtemps, percez un trou dans le manche des plus grosses et suspendez-les à des crochets. Les petites brosses seront rangées à l'envers dans un récipient.

Vous pouvez laisser une brosse chargée de peinture pendant une heure ou deux si vous l'enveloppez dans un chiffon (mouillé avec de l'eau pour les peintures à l'eau et de la térébenthine pour les peintures à l'huile) ou du papier d'aluminium.

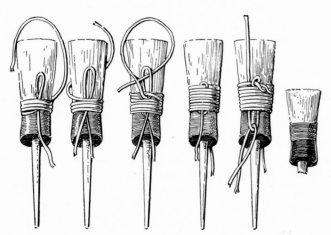

Tête biseautée *Les décorateurs avaient l'habitude d'entourer les brosses rondes neuves avec de la ficelle, en rentrant soigneusement les soies pour donner une tête biseautée.*

NETTOYAGE DES BROSSES

Laissez d'abord la brosse suspendue pendant quelques minutes dans du solvant (voir tableau pp.328-31 pour les solvants appropriés). Agitez la brosse pour la nettoyer, puis lavez-la avec eau chaude et savon et non du détergent, trop agressif. Rincez bien à l'eau claire. Il vaut mieux ne pas laisser une brosse suspendue toute la nuit dans la térébenthine, qui risque de durcir les soies. Si elle trempe dans l'eau, n'immergez pas le manche, qui pourrait gonfler et se fendiller. Si vos brosses sont restées dans le solvant pendant des semaines, essayez un nettoyant approprié.

Chiendent contre brosse *Le meilleur moyen de nettoyer de l'émulsion séchée sur une brosse.*

Brosse métallique *Si la peinture est vraiment durcie, la brosse métallique est la seule solution !*

Les solvants *Les peintures à base d'eau (émulsion) sèchent rapidement même sur la brosse. Trempez-la dans l'alcool à brûler et faites pénétrer le solvant dans les soies avec vos doigts. La peinture à base d'huile (laque satinée) sera nettoyée à la térébenthine.*

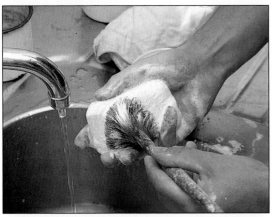

Le savon *Après avoir été nettoyées avec de l'alcool à brûler ou de la térébenthine, les brosses seront lavées à l'eau chaude avec du savon ordinaire non parfumé. Faites bien rentrer le savon dans les soies jusqu'à la virole, puis rincez la brosse longuement jusqu'à ce que l'eau sorte claire.*

Mise en forme *Essorez l'eau au maximum pour que la brosse ne soit pas trop longue à sécher. Peignez ensuite les soies avec une brosse en chiendent. Enfin pressez les soies entre les doigts pour les remettre en forme.*

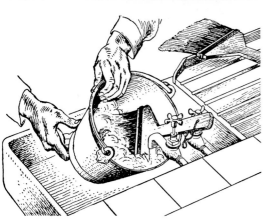

Nettoyage des grandes brosses *Une autre façon de nettoyer les grandes brosses est de les agiter dans un seau empli d'eau. L'eau doit circuler librement entre les soies. Changez l'eau sale fréquemment.*

RANGEMENT DES BROSSES
Pour suspendre les brosses dans l'eau ou le solvant les décorateurs utilisent différents gadgets dont on trouve aujourd'hui l'équivalent dans le commerce.

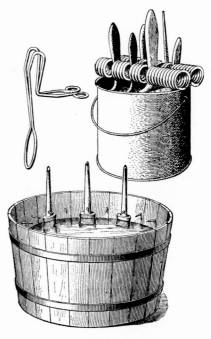

Méthodes à l'ancienne *On peut suspendre les brosses à des clous plantés dans un baquet en bois.*

Circulation de l'air *La meilleure façon de ranger les brosses est de les suspendre dans un placard bien ventilé où l'air pourra circuler. Les brosses garderont ainsi leur forme beaucoup mieux que si elles sont entreposées à plat.*

PIGMENTS & PEINTURES ARTISANALES

LES ORIGINES de la décoration d'intérieur sont très anciennes. Il y a plus de six mille ans, les habitants de Jéricho peignaient le soubassement des murs avec un pigment rouge, l'oxyde de fer, mélangé avec un liant qui était une colle primitive. Les peintures d'aujourd'hui, industrielles ou artisanales, ne sont pas si différentes : les pigments (couleurs naturelles ou synthétiques concentrées) sont mélangées avec un liant qui sèche au contact de l'air.

Faire soi-même sa peinture
La peinture artisanale est facile à travailler et possède un fini incomparable. Les ingrédients en sont bon marché et vous pouvez obtenir la couleur exacte désirée.

On trouve les pigments sous forme de poudres et de couleurs à l'huile. Les couleurs en poudre peuvent être mélangées avec toute une gamme de colles, dont le liant vinylique et la colle forte d'os, pour faire une sorte de pâte qui ressemble beaucoup à la peinture d'il y a six mille ans. Couleurs à l'huile et colorants universels peuvent être mélangés avec du vernis gras pour donner un vernis translucide convenant à de nombreuses finitions décoratives.

Certains pigments ont un pouvoir colorant (intensité du ton après dilution ou mélange) beaucoup plus fort que d'autres et certains pâlissent au contact des matériaux. Le tableau pages 324-27 indique leurs diverses propriétés.

Couteau
de cuisine

Couteau
à palette

Outils mélangeurs
Vieux couteaux de cuisine et couteaux à palette sont parfaits pour mélanger les peintures. Utilisez une passoire pour tamiser les couleurs en poudre.

Vernis gras transparent
L'un des produits les plus utiles en décoration est le vernis gras, à acheter tout fait ou à faire vous-même (voir p. 332). Les pigments, sous forme de couleurs à l'huile ou de colorants universels, sont mélangés avec le vernis pour donner un medium aux qualités uniques.

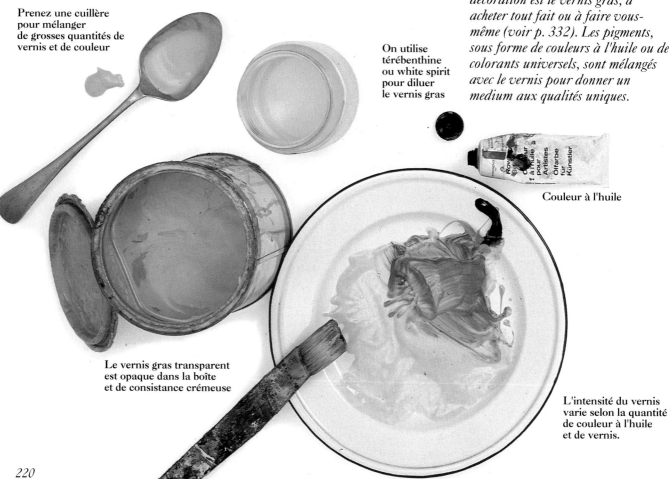

Prenez une cuillère pour mélanger de grosses quantités de vernis et de couleur

On utilise térébenthine ou white spirit pour diluer le vernis gras

Couleur à l'huile

Le vernis gras transparent est opaque dans la boîte et de consistance crémeuse

L'intensité du vernis varie selon la quantité de couleur à l'huile et de vernis.

Colle de peau,
pour faire
de la peinture
et du gesso
(voir p.230)

Colle d'os refroidie
devenue une gelée claire

Colle d'os, en perles ;
doit être trempée et chauffée

Liant vinylique ;
peut être mélangé
avec des couleurs
en poudre
pour donner
de la peinture

Peintures à l'eau

Les ingrédients ci-dessus sont des sortes de colles qui mélangées avec de l'eau et de la couleur en poudre, donnent une peinture extrêmement économique, parfaite pour les badigeons et les effets spéciaux, comme la grisaille (voir pp. 320-21). Pour obtenir une peinture traditionnelle à base de colle, comme celle utilisée au théâtre, il faut de la gélatine animale, colle forte d'os ou colle de peau (chez les spécialistes) que l'on dilue avec de l'eau puis chauffe au bain-marie (ci-dessus à droite). Quand elles sont transparentes, on ajoute des couleurs en poudre. Vous pouvez aussi suivre les instructions page 333 et faire votre peinture avec des couleurs en poudre et du liant vinylique.

Terre de Sienne naturelle,
marron rouge

Terre de Sienne brûlée,
rouge terre cuite intense,
obtenue avec de la terre de Sienne
naturelle chauffée.

Ocre jaune ;
une fois diluée
donne un jaune vif
ensoleillé

Ocre rouge
ou oxyde rouge

Couleurs de terre

Les pigments couleurs de terre, en poudre comme ceux illustrés ci-contre, ou en tube, comme les couleurs à l'huile, ont une origine très ancienne. On les appelle couleurs de terre parce qu'elles sont tirées du sol et leur nom indique souvent leur origine. La terre d'ombre, par exemple, vient d'une région d'Italie, l'Ombrie, et la terra verde est de la terre verte. Leur charme naturel les rend incomparables pour teinter, assombrir et patiner. Les pigments couleur de terre, en poudre et en liquide, sont moins chers que les autres pigments.

Terre d'ombre naturelle
excellente pour patiner
(voir p. 270)

Terre d'ombre brûlée,
d'une couleur chocolat
plus riche

TYPES DE PEINTURE

La gamme de peintures disponibles peut paraître immense, mais lorsque vous saurez quel solvant correspond à quelle peinture, vous pourrez commencer à distinguer les principales catégories. Le liant de la peinture, qui permet à l'ensemble de former un tout homogène, détermine le solvant à utiliser pour diluer la peinture et nettoyer les brosses. Certaines peintures, comme la glycérophtalique et la laque satinée, sont à base d'huile et solubles dans le white spirit, alors que d'autres, comme l'émulsion, à base d'eau, sont solubles dans l'eau.

En règle générale, les peintures qui partagent le même liant sont miscibles. Vous pouvez donc mélanger de l'émulsion avec une autre peinture à l'eau, comme les couleurs acryliques pour artistes. L'étiquette sur le pot vous indiquera de quelle sorte de peinture il s'agit et le tableau pages 328-31 donne les propriétés spécifiques des différentes peintures.

Encres à base aqueuse
pour écrire,
pour artistes
ou concentrées
pour aquarelles

Peintures en bombe
Dures, à séchage rapide (souvent destinées aux retouches sur carrosseries), utiles pour les petites surfaces et les pochoirs. En vaporisant différentes couleurs en couches superposées, on obtient des effets nuancés délicats. Achetez des aérosols ne contenant pas de CFC et utilisez dans des pièces bien aérées.

Nuance de
peinture aérosol

*Les encres, ci-dessus.
Les encres aqueuses sont utiles au peintre décorateur. On les projette sur les surfaces pour les techniques de patine (voir p. 268) et, utilisées à la place de couleur en poudre avec du liant vinylique, elles forment un vernis vite fait, à séchage rapide. L'encre de Chine, même diluée, donne le noir le plus intense et une finition indélébile.*

Gouache et
peinture acrylique
peuvent être
mélangées
avec des encres
à base d'eau.

Peintures aérosols

Primaires
La plupart des surfaces nues exigent une primaire pour un bon accrochage des couches suivantes.

Couleurs en tube
La gouache est plus dense et ses tons plus intenses que l'acrylique. Toutes deux peuvent colorer des peintures à base aqueuse.

Tubes de
gouache

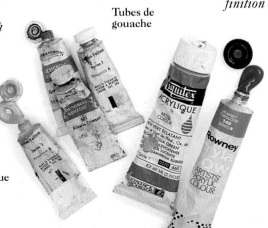

Primaire au zinc
pour aluminium

Primaire rouge oxyde
pour acier

Primaire acrylique
épaisse et souple
pour toile

Couleurs acryliques

Peintures spécifiques

Il existe de nombreuses peintures spéciales sur le marché, comme celle-ci qui donne un effet de métal martelé.

Peinture émail aspect métal martelé

Peintures à l'huile et alkydes

Les peintures généralement dites à l'huile (glycéro, laque satinée) sont en fait aujourd'hui à base de résine alkyde synthétique. Peuvent être teintées avec colorants universels ou couleurs à l'huile .

Glycéro brillante à l'huile

Peinture émail

Peinture émail pour maquette

Laque satinée

Peinture à l'huile, finition satinée, base parfaite pour les vernis gras. Sèche lentement et demande à être régulièrement et soigneusement appliquée.

Laque satinée à base d'huile

Couleur à l'huile verte mélangée avec de la glycéro

Finitions

Notez les différences de brillant des divers types de peinture sur l'assiette ci-dessus à droite.

Couleurs à l'huile

La composition des couleurs à l'huile, pigment et huile de lin, n'a pas changé depuis le XVe siècle. Elles s'utilisent comme les colorants universels, pour teinter peintures et vernis à l'huile et vernis gras.

Nuancier de fabricant

Gouache en pot

Utile pour le travail à main levée et pour teinter les autres peintures à base aqueuse.

Gouaches

Peinture émulsion

Peinture solide, à base aqueuse, pour murs, sols et meubles. On peut la teinter avec des colorants universels.

Émulsion, à base aqueuse

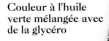

Couleurs à l'huile

Colorant universel, teinture chimique très courante

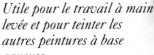

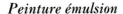

VERNIS & VERNIS GRAS

LES VERNIS se distinguent par leur ingrédient principal et le solvant qui permet de les diluer. Les trois groupes de vernis indiqués ici sont : vernis gras à base d'huile (solvant térébenthine), vernis à base aqueuse (solvant eau) et vernis à base d'alcool (solvant alcool).

Chaque type de vernis à l'intérieur de ces groupes possède des qualités et des propriétés diverses, qui conditionnent son utilisation (voir tableau pp. 328-31).

Le rôle traditionnel de la plupart des vernis courants est de former une couche protectrice sur une surface nue ou peinte, mais on peut aussi les utiliser de façon décorative, ainsi que les vernis spécifiques,

pour créer une couche de couleur translucide. Certains vernis de spécialistes, comme le vernis au tampon à l'alcool, sont colorés à l'origine; la plupart des vernis courants ne le sont pas, mais on peut les colorer avec des couleurs en tube ou en poudre (voir tableau pp. 328-31).

Utilisation du vernis gras
Pour obtenir une couche lisse de couleur translucide, il vaut mieux utiliser du vernis gras. Il colle moins que les autres vernis et permet d'obtenir plus facilement une finition parfaite. Il n'est pas très dur après séchage, mais on peut le protéger avec une couche de vernis transparent.

Vernis craqueleur
en deux parties

Vernis craqueleur
Se vend en deux parties, dont l'une sert de sous-couche, permet d'obtenir une finition craquelée sur beaucoup de surfaces (voir pp. 268-69). Le vernis craqueleur fut inventé en France au XVIIIe siècle pour imiter les fines craquelures des laques et faïences orientaux.

Teintez le vernis gras avec des couleurs à l'huile ou des colorants universels

Vernis gras transparent
Ce médium utile, généralement associé aux finitions « fausses », peut être employé pour donner une teinte simple vernissée ; il ne poisse pas la brosse et peut donc être parfaitement lissé.

Vernis gras transparent

Vernis à base d'huile
Les vernis traditionnels à base d'huile se trouvent encore, sous le nom de vernis décoratif et siccatif flamand au copal. Je les utilise de préférence au vernis polyuréthane qui, bien qu'extrêmement dur, a tendance à jaunir et s'écaille quand on le ponce. La mixtion à dorer sèche très vite et est incomparable pour protéger peinture dorée et poudres métalliques (voir pp. 302-303) ainsi que comme vernis à tout faire pour les petites surfaces. Les vernis à l'huile peuvent être teintés avec des teintes universelles ou des couleurs à l'huile.

Mixtion à dorer teintée avec des couleurs à l'huile

Gomme laque

Sécrétée par un insecte, le Coccus Lacca, la gomme laque est utilisée pure pour certaines techniques (comme celle pp. 270-71), mais diluée avec de l'alcool à brûler, elle donne un vernis à séchage rapide. Il en existe plusieurs sortes, de la gomme laque standard brune à la fine orange. La gomme laque décolorée est vendue comme vernis au tampon pour les bois clairs.

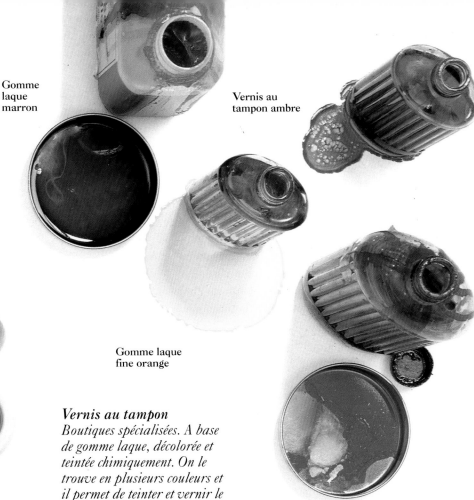

Gomme laque marron

Vernis au tampon ambre

Gomme laque fine orange

Vernis au tampon rouge

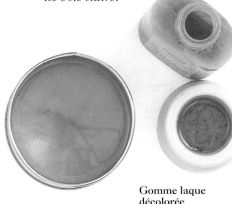

Bouche-pores ou fondur

Gomme laque décolorée

Bouche-pores *La gomme laque est le principal ingrédient des fixateurs de bois avant vernissage.*

Vernis au tampon

Boutiques spécialisées. A base de gomme laque, décolorée et teintée chimiquement. On le trouve en plusieurs couleurs et il permet de teinter et vernir le bois en même temps. Certaines couleurs sont vives et sans nuances, mais peuvent être diluées avec de l'alcool dénaturé pour donner des tons plus subtils. Les couleurs de terre, comme l'ambre et le marron, sont parmi les plus plaisantes.

Vernis à base aqueuse

Les dix dernières années ont vu le développement constant des vernis acryliques et aux résines vinyliques en phase aqueuse. J'utilise le plus souvent pour vernir du liant vinylique bon marché et très courant, qui sert également pour fixer les surfaces poreuses comme le plâtre, en vernis protecteur pour le papier peint et les photocopies (voir pp. 318-319) et pour lier les peintures artisanales (voir pp. 333). Pour les petites surfaces j'utilise souvent du vernis acrylique pour tableau, qui est imperméable et ne jaunit pas.

Les liants vinyliques peuvent être teintés avec des couleurs à l'eau

Tube de couleur à l'eau

Vernis acryliques pour tableau

Liant vinylique blanc à l'état liquide, qui devient transparent en séchant

SOLVANTS

ON CONSIDÈRE généralement les solvants sous leur angle pratique, comme diluants pour les peintures et vernis et pour nettoyer les brosses (voir pp. 328-31), mais on peut aussi les projeter ou les frotter sur des surfaces peintes ou vernies pour créer des motifs changeants.

Effets obtenus
Les solvants considérés ici sont la térébenthine (ou le white spirit), l'alcool à brûler, l'eau et l'acétone. Les solvants ne réagissent pas toujours sur les peintures, mais lorsqu'il y a réaction, elle est spectaculaire. Le résultat est parfait pour l'imitation marbre (voir pp. 294-95), le badigeon à la chaux (pp. 254-55) et les effets de patine en général (pp. 306-307). Plus la couche de peinture ou de vernis est mince, plus l'effet provoqué par le solvant sera important.

Lorsque vous projetez certains solvants sur une surface, protégez-vous toujours les yeux avec des lunettes spéciales (avec l'acétone, vous devez aussi vous protéger les mains). Ne négligez jamais ces mesures de sécurité.

Acétone
Solvant dangereux, qui réagit avec les peintures à base d'huile, laque satinée et brillante et doit être utilisé avec précaution et toujours dans un endroit aéré. L'acétone agit aussitôt qu'elle est projetée ou passée avec une éponge sur la peinture fraîche, mais doit rester en contact 30 minutes sur la peinture sèche, puis être frottée avec un chiffon propre pour révéler un entrelacs de taches et de parties usées. Le solvant qui resterait va s'évaporer et la peinture ramollie durcira à nouveau.

Effet moucheté, ci-dessous, obtenu avec de la térébenthine éclaboussée sur du vernis gras transparent frais (teinté avec du colorant)

La térébenthine projetée sur la peinture à l'huile donne des taches aux contours adoucis

L'acétone projetée sur de la peinture à l'huile sèche, puis frottée, produit des taches et des parties usées

Térébenthine et white spirit
La térébenthine est un solvant transparent provenant de la distillation de la résine de conifères. Le white spirit, plus fluide et d'une odeur beaucoup moins agréable, est plus courant parce que plus économique. L'une et l'autre réagissent de la même façon sur les peintures et vernis à l'huile, mais n'ont pas d'action sur les surfaces sèches. Utilisés sur des peintures à base d'huile diluées, ci-dessus, ils produisent des taches nuageuses, et sur le vernis gras, à gauche, donnent des mouchetés extaordinairement variés. Tous deux sont très toxiques.

La térébenthine a les mêmes propriétés que le white spirit

Protégez toujours les mains et les yeux quand vous utilisez des solvants

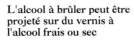

L'alcool à brûler projeté
sur de l'émulsion sèche
puis frotté donne
un effet nuageux

L'alcool à brûler peut être
projeté sur du vernis à
l'alcool frais ou sec

Effet rendu par
de l'alcool à brûler
sur de l'émulsion diluée
fraîche

Alcool à brûler
Utilisez-le principalement pour diluer la gomme laque ou le vernis au tampon (voir pp. 224-25). Vous pouvez aussi le projeter, le passer à l'éponge ou le faire couler sur une émulsion fraîche ou sèche pour créer un effet. Quand il est projeté sur du vernis au tampon, à gauche, il donne des motifs qui ont la profondeur et la complexité du marbre, ressemblant à ceux créés par la térébenthine ou le white spirit sur du vernis gras frais ; sur de l'émulsion fraîche on obtient moins de relief.

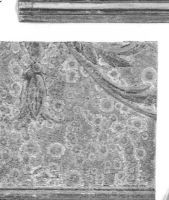

Alcool à brûler

Effet de l'eau projetée
sur une couche d'émulsion
diluée fraîche

L'eau
L'eau est le plus économique des solvants. Elle sert à diluer les peintures à base aqueuse comme l'émulsion et peut créer des dessins sur les surfaces peintes à l'émulsion diluée ou avec un badigeon de liant vinylique. Les motifs créés par l'eau complètent ceux donnés par l'alcool à brûler et les deux ensemble font beaucoup d'effet. Faites attention à ne pas appliquer trop d'eau, sous peine de retirer toute la peinture. De nombreux procédés emploient également l'eau, avant application de badigeons.

Application des solvants
Il est plus facile d'utiliser une brosse pour les surfaces horizontales, mais pour les surfaces verticales comme les murs, il vaut mieux employer des éponges ou des chiffons.

L'eau est un solvant pratique
mais long à sécher

PÂTES & POUDRES

AVEC de simples matériaux vous ferez des pâtes et des mélanges qui transformeront les surfaces les plus ordinaires, en imitant, par exemple, le bois patiné par les ans et la cire, le grès usé par les intempéries, la terre cuite ou un ancien vert-de-gris incrusté dans le métal. Ces imitations ne datent pas d'hier : au XVIIIe siècle déjà on imitait la pierre avec un mélange de chaux, sable et plâtre.

Utilisation du plâtre
On oublie trop souvent l'importance du plâtre en finition murale décorative. Le plâtre lisse est généralement peint, et le plâtre texturé réservé pour dissimuler les structures de mauvaise qualité. Les murs en plâtre nus et lisses sont d'une élégance rafraîchissante et vous pouvez colorer le plâtre blanc avec des couleurs en poudre. Les vieux murs en plâtre possèdent une simplicité étonnante, que l'on imite en appliquant le plâtre sur des particules de cire (voir technique pp. 274-75)

Où trouver les matériaux
Certains produits, comme le blanc de Meudon et la terre à foulon, se trouvent seulement dans les boutiques spécialisées, mais d'autres, comme les sables et le plâtre, sont disponibles chez tous les marchands de matériaux et les magasins de bricolage.

Formes en plastique

Les pâtes
Pâtes et poudres transforment des formes ordinaires en plastique, en ornements vert-de-grisés ou en bois patinés.

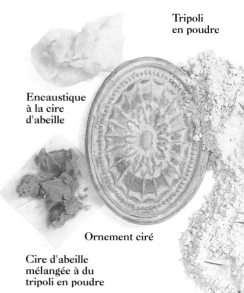

Tripoli
en poudre

Encaustique
à la cire
d'abeille

Ornement ciré

Cire d'abeille
mélangée à du
tripoli en poudre

Terre à foulon

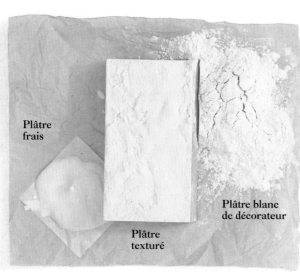

Plâtre
frais

Plâtre blanc
de décorateur

Plâtre
texturé

Le plâtre
Le plâtre de décorateur se trouve en gris, rose, blanc ; on peut le teinter avec des couleurs en poudre. Comme le plâtre de Paris, le plâtre de décorateur est un gypse, mais sa prise étant beaucoup moins rapide, on peut le travailler avec un sac en plastique ou une truelle.

Gesso
Le gesso est utilisé depuis des siècles sur le bois comme bouche-pores et pour donner une surface absolument lisse prête à être dorée ou peinte. La recette de base comprend du blanc de Meudon et de la colle de peau (voir instructions p. 332).

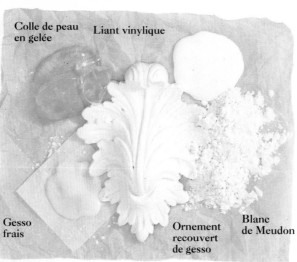

Colle de peau
en gelée

Liant vinylique

Gesso
frais

Ornement
recouvert
de gesso

Blanc
de Meudon

Les cires
Les cires à patiner sont faciles à faire et peuvent être utilisées en finitions décoratives par elles-mêmes, ou pour patiner et vieillir le bois. Pour les faire, mélangez de la cire d'abeille et un peu de térébenthine, puis ajoutez la couleur sous forme de terre à foulon, tripoli en poudre ou couleurs en poudre. On peut également utiliser des couleurs à l'huile ou même du cirage pour colorer la cire.

Mélange de pâtes

La plupart des pâtes sèchent très vite et il vaut mieux les mélanger dans des récipients à jeter comme des pots à confiture ou à yaourt. Prenez un couteau pour les mélanger, une brosse serait irrécupérable. Gardez sous la main films plastiques et couvercles pour fermer aussitôt les pots et empêcher les pâtes de dessécher trop vite.

Couteau à palette et tripoli en poudre

Emulsion

Blanc de Meudon

Le blanc de Meudon peut être saupoudré sur la pâte humide

Alcool à brûler

Pâte pour imitation vert-de-gris

Encaustique à la cire d'abeille

Ornement cérusé

Couleur en poudre blanche

Cire à céruser

Cire à céruser

Le bois était autrefois désinfecté avec une pâte de soude caustique. On utilise aujourd'hui une cire à patiner inerte, mélange d'encaustique à la cire d'abeille et de pigment blanc inoffensif, peinture à l'huile blanche ou poudre. Cette cire est facile à faire, mais on la trouve facilement. Elle peut aussi servir à vieillir les objets en plâtre.

Pâte vert-de-gris

Certains effets de métal demandent une texture sableuse. Utilisez une pâte faite avec de l'émulsion, du blanc de Meudon et de l'alcool à brûler. Le blanc de Meudon ajoute du corps à la pâte, et l'alcool, en faisant coaguler la peinture, lui donne l'aspect sableux.

Liant vinylique

Sable

Pâte au sable et liant vinylique

Texture sable

Pour imiter la texture rugueuse de la rouille et certains types de pierre. Posez du sable sec sur la surface, en tapotant, projetant ou soufflant, après l'avoir recouverte de colle (en bombe ou liant vinylique non dilué). Utilisez un sable fin pour les petits objets.

Sable

Liant vinylique

Texture de grès

Pour imiter la matière de certains types de pierre très usée, appliquez une pâte sur la texture sable. Mélangez du sable et du liant vinylique non dilué pour donner une pâte extrêmement épaisse, que vous appliquez avec une spatule. Peignez après séchage.

LA DORURE

UN CERTAIN mystère entoure l'art de la dorure, ce qui est compréhensible lorsqu'il s'agit de dorure à la détrempe, technique hautement spécialisée, mais la dorure à l'huile (voir pp. 302-303) est simple et relativement bon marché.

La dorure à l'huile nécessite la pose d'une feuille d'or (or véritable ou, plus économique, or faux ou cuivre battu) sur une couche de vernis d'apprêt, appelé mixtion à dorer. Pour une finition parfaitement lisse, la surface à dorer est préparée avec plusieurs couches de gesso. On le trouve tout fait en blanc, rouge ou ocre ou vous pouvez le faire vous-même avec les ingrédients indiqués ci-dessous (voir

p. 332). Le gesso rouge luit à travers la feuille d'or et ses minuscules craquelures lui donnent un aspect chaleureux et ancien ; le gesso ocre jaune sert à dissimuler les déchirures de la feuille d'or et à intensifier sa couleur.

Poudres

Les poudres métalliques que l'on trouve en une large gamme de couleurs dont l'or, seront saupoudrées sur le vernis d'apprêt ou fixateur pour donner une finition or. On peut également les mélanger avec du vernis pour donner de la peinture dorée et les utiliser avec de la feuille d'or pour imiter un effet obtenu par l'association de la dorure à l'huile et à la détrempe.

Emblème doré à l'huile, patiné au vernis à l'alcool

Ruban adhésif doré

Gesso rouge, ocre ou blanc

Colle de peau en poudre, et en gelée, après avoir été chauffée

Surface peinte à la bombe et dorée à la feuille

Blanc de Meudon

Gesso fait maison

Gesso
On passe plusieurs couches de gesso sur la surface à dorer, pour la rendre lisse (voir pp. 302-303). On trouve le gesso tout fait ,mais vous pouvez le faire vous-même avec du blanc de Meudon et de la colle de peau ou du liant vinylique (voir recettes de gesso p. 332).

Effets spéciaux
La dorure à la détrempe se fait souvent sur une couche d'argile colorée (généralement rouge), qui apparaît à travers les déchirures de la feuille d'or. Imitez cet effet, en appliquant la feuille d'or sur du gesso coloré (tout fait ou colorez le vôtre avec de l'ocre rouge en poudre) ou de la peinture rouge aérosol. Du ruban adhésif doré imite les filets de feuilles d'or, et vernis au tampon, émulsion diluée ou encre patineront votre œuvre (voir pp. 306-307).

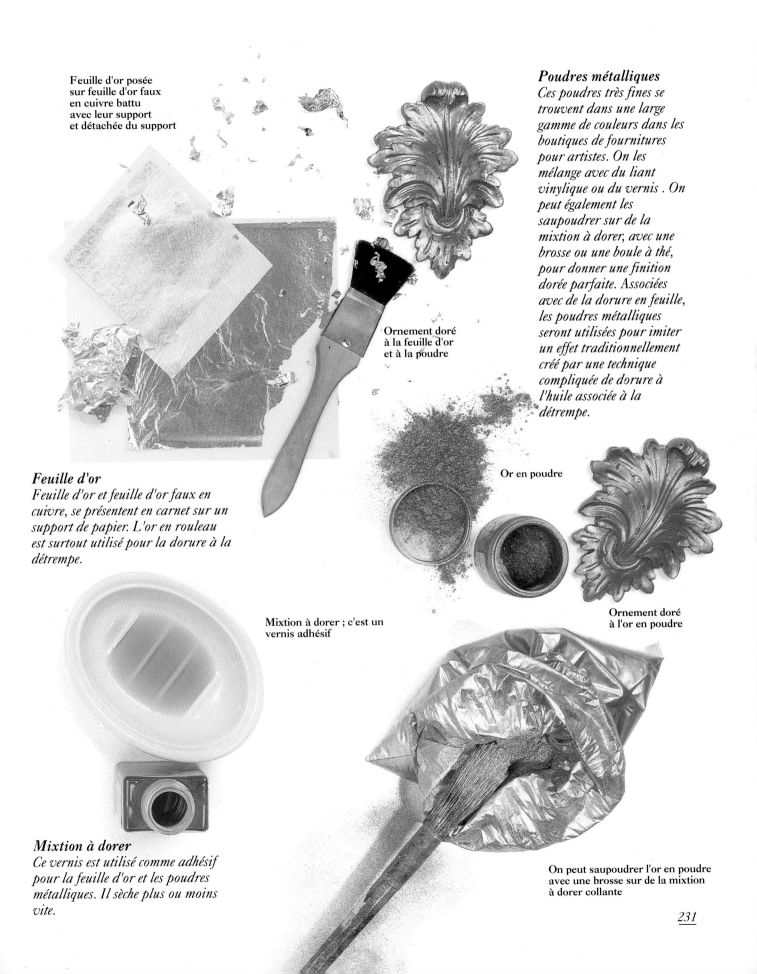

Feuille d'or posée
sur feuille d'or faux
en cuivre battu
avec leur support
et détachée du support

Poudres métalliques

Ces poudres très fines se trouvent dans une large gamme de couleurs dans les boutiques de fournitures pour artistes. On les mélange avec du liant vinylique ou du vernis . On peut également les saupoudrer sur de la mixtion à dorer, avec une brosse ou une boule à thé, pour donner une finition dorée parfaite. Associées avec de la dorure en feuille, les poudres métalliques seront utilisées pour imiter un effet traditionnellement créé par une technique compliquée de dorure à l'huile associée à la détrempe.

Ornement doré
à la feuille d'or
et à la poudre

Or en poudre

Feuille d'or

Feuille d'or et feuille d'or faux en cuivre, se présentent en carnet sur un support de papier. L'or en rouleau est surtout utilisé pour la dorure à la détrempe.

Ornement doré
à l'or en poudre

Mixtion à dorer ; c'est un
vernis adhésif

Mixtion à dorer

Ce vernis est utilisé comme adhésif pour la feuille d'or et les poudres métalliques. Il sèche plus ou moins vite.

On peut saupoudrer l'or en poudre
avec une brosse sur de la mixtion
à dorer collante

PLÂTRE & PIERRE

ES QUALITÉS intrinsèques et les associations archéologiques du plâtre brut, de la pierre, du marbre et de la terre cuite conviennent particulièrement aux pièces de style méditerranéen, rustique ou ethnique, antique ou médiéval. Mais le marbre poli et certaines terres cuites émaillées, en motifs complexes, sont également adaptés aux décors plus grandioses de style néo-classique.

Plâtre texturé

Les vieux murs de plâtre effrité ont un tel pouvoir évocateur, comparés aux murs plats et simplement peints, que j'ai inventé une technique spéciale (voir pp. 274 – 75), grâce à laquelle le plâtre neuf est appliqué et texturé pour ressembler véritablement à un vieux mur. Le plâtre doit être mélangé dans un seau, (voir ci-dessous).

Plâtre uni

Un plâtre lisse est difficile à obtenir et mieux vaut demander à un plâtrier professionnel. On peut cependant dissimuler petits trous et fissures indésirables avec de l'enduit appliqué au couteau.

Matériel

Taloche pour appliquer le plâtre frais, couteau à enduire pour les fissures et grattoir triangulaire pour détacher le plâtre effrité. Chanvre ou fibre de verre pour l'âme des moulages.

Moulure en plâtre

Grattoir triangulaire

Toile de chanvre

Couteau à enduire

Taloche

LE TRAVAIL DU PLÂTRE

Mélanger *Versez le plâtre dans l'eau jusqu'à ce qu'il affleure à la surface. Mélangez puis transférez dans un couvercle de poubelle.*

Stabiliser *Vieux plâtre écaillé, détrempe et vieilles peintures poreuses doivent être peintes avec un fixateur de fond avant de les décorer.*

Rebouchage *Grattez tout ce qui se détache, mouillez et appliquez du plâtre frais ou de l'enduit. Poncez après séchage.*

Moulures en plâtre

Le plâtre décoratif est un élément essentiel de nombreux styles d'époque. Les modèles classiques ou moins courants se trouvent dans les magasins spécialisés. Au siècle dernier les moulures étaient faites directement en place, avec une forme de base sur laquelle on scellait des ornements moulés au préalable, mais aujourd'hui ces derniers font partie de la moulure d'origine. On scelle les moulures au mur avec du plâtre (par un professionnel) ou on visse les moulures légères.

Granit noir

Carreaux de terre cuite

La terre cuite est peut-être le matériau coloré le plus chaleureux et convient particulièrement aux intérieurs de style rustique et méditerranéen. Utilisez-la, en carrelage vernissé ou non, pour les murs et les sols (avec sable et ciment pour ces derniers). Vous pouvez également imiter la terre cuite avec de la peinture (voir pp. 284-85) en vernissant la surface pour la protéger. Ou encore, teintez des dalles de ciment et recouvrez-les de vernis.

Carreau de terre cuite

Marbre brèche verte

Marbre et pierre

Toute pierre dont la surface accepte d'être polie suffisamment pour qu'elle prenne un aspect brillant peut se comparer au marbre, même le granit. Le scagliola (mélange de pigment, chaux, poudre de marbre et colle) est un faux marbre traditionnel. On utilise depuis longtemps la peinture pour imiter le marbre, et le prix du vrai marbre justifie le succès de ces substituts (certains marbres se rayent trop facilement pour être utilisés pour les sols). D'autres pierres servent également pour les sols, dont l'ardoise et le grès.

Carreau d'ardoise brute

233

DÉCORATION DU PLÂTRE

DE NOMBREUX effets de peinture, comme le badigeon et les vernis, conviennent pour les murs en plâtre lisse ou parfois brut. Pour obtenir ces effets on utilise des procédés variés, dont les détails sont donnés avec chaque méthode.

Moulures décoratives

Le plâtre se trouve aussi sous forme de moulures, courantes dans les intérieurs depuis le XVIIIᵉ siècle. Vous pouvez les peindre (ou les vernir, pp. 256-57), mais également les vieillir, par un procédé simple (pp. 272-73) qui donne au plâtre un velouté chaleureux.

Types de plâtre

Le plâtre de décorateur est généralement du gypse. Le plâtre de Paris à prise rapide (utile pour réparer certaines moulures dont il est le composant) est une sorte de plâtre de gypse et l'on trouve des variétés à prise plus ou moins rapide. Le plâtre de construction est vendu en deux qualités (gros et fin pour le fond et la couche de lissage) ou en plâtre pour enduits, et en de nombreuses couleurs. Les plâtres en poudre modernes absorbent l'humidité et, si on attend un ou deux mois avant de les utiliser, la prise en sera plus rapide, ce qui les rend plus difficiles à travailler.

Les plâtres pour murs et moulures peuvent être mélangés avec des couleurs en poudre. Suivez les instructions page 333 et n'utilisez que des couleurs résistant aux composés alcalins (voir pp.324-27).

Le plâtre traditionnel est fait de chaux, sable et souvent de crins de cheval ou autre fibre. Pour les vieilles maisons mal isolées contre l'humidité, on doit utiliser un plâtre traditionnel à base de chaux, peint ensuite avec un badigeon (voir p. 332), pour permettre une évaporation naturelle.

Temps de séchage

On doit laisser sécher plusieurs semaines ou mieux plusieurs mois murs et moulures en plâtre neuf avant de les décorer, pour permettre une évaporation complète de l'humidité, sous peine de voir la peinture cloquer et s'écailler.

Préparation du plâtre nu

Avant d'être peint à l'émulsion, le plâtre nu recevra une couche de fixateur, liant vinylique ou émulsion diluée à moitié avec de l'eau. Avant de peindre avec une peinture à base d'huile, fixez le plâtre avec du liant vinylique ou une primaire résistant aux composés alcalins. On peut aussi utiliser la gomme laque avant d'appliquer peintures à base d'huile ou d'eau.

La peinture sur plâtre
La fresque est l'une des plus anciennes sortes de peinture: un mélange de pigment en poudre et d'eau est appliqué sur du plâtre à moitié pris qui, en séchant, absorbe la peinture fraîche, en l'incorporant dans la couche supérieure. J'ai peint ce chérubin, avec des couleurs en poudre résistant aux composés alcalins et ne pâlissant pas au contact de la chaux.

Plâtre doré
Chérubin en plâtre de Paris passé à la gomme laque, puis à la peinture rouge oxyde aérosol et enfin doré à la feuille.

IMITATION STUC

J'ai trempé une corde dans du plâtre de Paris pour l'assortir aux pompons et lui donner l'apparence du stuc.

Corniche en plâtre patinée

Patine antique

Une bonne manière de décorer des objets en plâtre est un mélange de gomme laque et de cire à céruser (voir technique pp. 272-73). La patine obtenue ressemble à de l'albâtre et fait totalement oublier le matériau bon marché en dessous. Le procédé convient aussi bien pour des grandes surfaces comme la corniche ci-dessus, que pour des petits moulages. Il est important de laisser les moulages sécher plusieurs jours avant de les patiner, pour laisser évaporer l'humidité.

Moulage

Les moulages en plâtre existent en différents styles, mais vous pouvez les faire vous-même. Utilisez du plâtre de Paris et du matériel acheté dans les boutiques d'artisanat. J'ai fait ce pompon et verni le plâtre avec de la gomme laque. Après séchage, je l'ai peint au vernis au tampon rouge et brun (voir 225). Pour mettre en valeur certaines parties j'ai frotté par endroit le vernis sec avec un peu d'alcool à brûler. On peut aussi peindre ou patiner les moulages comme la corniche ci-dessus.

Autres matériaux

Les moulures en bois et en plastique, comme les formes ci-contre achetées chez un fournisseur pour décorateurs, peuvent recevoir le même genre de patine. Cela permet d'obtenir des ornements délicats, ce qui n'est pas possible avec du plâtre, assortis aux autres éléments patinés de la pièce. Pour donner la chaleur du plâtre à tout un mur, utilisez la finition peinture teintée en rose, page 183.

Moulages en plastique à finition de peinture plâtre rose

Moulage en plâtre fait maison

Encorbellements et coupes

Le procédé utilisé sur la corniche en haut de cette page convient tout aussi bien sur les encorbellements et la coupe, ci-contre à droite (cette dernière sert d'abat-jour p. 63). Ces moulages se trouveront près du plafond, mais la finition est si douce et si belle que l'on peut très bien l'utiliser à des objets disposés à hauteur de regard. Grâce à cet aspect vieilli, les moulages deviennent objets artistiques.

Encorbellements patinés

Coupe patinée

235

BOIS NATUREL

LORSQU'UN traitement spé-cial (vernis, cire ou huile) permet de mettre en valeur le grain et les veines du bois, celui-ci prend un aspect chaleureux et accueillant. Avant d'appliquer les vernis standard (voir pp. 224-5), le bois doit être préparé. L'encaus-tique à la cire d'abeille nourrit le bois tout en lui donnant un aspect satiné et une bonne odeur de miel.

Le choix du bois

Le monde voit disparaître ses fo-rêts naturelles plus vite qu'elles ne se renouvellent et il vaut mieux acheter du bois qui peut être rem-placé, comme le pin de Scandina-vie, de préférence aux bois durs brésiliens qui viennent des forêts tropicales.

Si vous avez l'intention de peindre ou veiner le bois (voir p. 239), vous allez dissimuler ses qualités naturelles et il vaut mieux alors choisir isorel et panneaux de particules ou d'aggloméré, tous uti-lisant les déchets de bois. La plu-part des bois tendres, comme le pin et le sapin, sont relativement éco-nomiques, ce qui les rend popu-laires. Certaines essences sont par-ticulièrement esthétiques et vous pouvez les mettre en valeur en leur donnant une finition claire, mais il vaut mieux peindre celles qui ne sont pas spécialement intéres-santes .

Les bois durs : chêne, orme, frê-ne, noyer, hêtre et acajou, sont comme leur nom l'indique, plus durs et leur veinage est plus fin et plus beau. A cause de leur prix, ils sont plus souvent réservés aux meubles et moulures qu'aux larges surfaces et ils sont souvent cirés ou vernis plutôt que peints.

Moulures en bois tendres

La moulure de chambranle ci-dessous est un exemple de la large gamme que l'on trouve sur le marché. Elles sont moins chères que les moulures sculptées industriellement ou celles, encore plus belles, sculptées à la main. Leur finition étant souvent assez quelconque, mieux vaut les peindre. Vissez ou clouez en place.

Vernis gras

Fixateur pour nœuds

Préparation et vernissage du bois

Le vernis permet de protéger le bois tout en révélant son veinage. Je préfère le vernis gras au polyuréthane qui a tendance à jaunir. Pour empêcher la résine de sortir des nœuds, appliquez du fixateur (qui assombrira légèrement) ou de la cire blanche (moins efficace, mais qui n'assombrit pas). Une couche de bouche-pores à base de gomme laque empêchera le vernis de colorer le bois.

Moulure de chambranle en bois tendre

Moulures étroites

Faciles à trouver, de formes et dessins simples. On les utilise seules ou avec d'autres éléments, comme les cimaises, pour améliorer des plinthes standard ou à hauteur de cimaise à tableaux. Les modèles en bois tendres font plus d'effet s'ils sont teintés, peints ou vernis mais les moulures en bois

durs, comme l'acajou et le chêne sont plus belles simplement cirées ou vernies pour laisser voir le veinage.

Moulure décorative en bois tendre

Cadre à doucine en bois tendre

Moulure astragale pour panneaux en bois tendre

Bois
d'olivier

Coupe à fruits
en frêne tourné

Bois durs
*Chêne, orme et acajou
font partie des bois
durs les plus courants
et servent souvent pour
des moulures cirées ou
vernies. Ils sont chers
(et l'acajou étant un
bois tropical doit être
utilisé avec
parcimonie) mais des
petites quantités
associées avec des bois
tendres teintés ou veinés
font autant d'effet (les
techniques de veinage
sont indiquées pp. 296-
301). Le sycomore et les
bois fruitiers, comme le
cerisier, sont
généralement utilisés
pour la marqueterie et
le bois tourné.*

Chêne

Acajou

Les qualités du frêne *Ce bois dur
est courant pour les objets décoratifs et
la marqueterie à cause de son beau
veinage qui reste très apparent même
quand il est teinté ou passé au
badigeon (voir pp. 252-53), cérusé
(voir pp. 260-61) ou même peint en
noir à l'aérosol. On en fait des objets
en bois tourné, comme cette coupe à
fruits ; on ne peut généralement pas
tourner des essences plus économiques
comme le pin, à cause du nombre
important de nœuds qui bloquent la
lame du tour et parfois font éclater le
bois.*

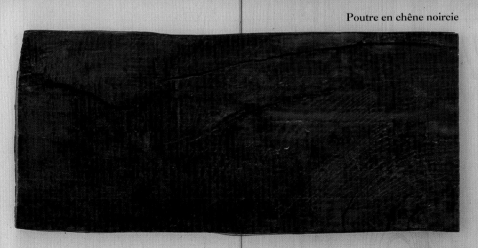

Poutre en chêne noircie

Vieux chêne
*Au Moyen Age, les poutres en chêne
étaient parfois protégées par du
goudron ou blanchies à la chaux et si
vous en peignez une en blanc, vous ne
ferez que suivre la tradition. Mais la
plupart étaient laissées à l'état brut et
noircissaient naturellement avec le
temps (les 150 dernières années ont vu
la vogue des poutres artificiellement
noircies).*

DÉCORATION DU BOIS

IL EXISTE plusieurs procédés pour colorer le bois qui, loin de cacher ses qualités naturelles, le mettent en valeur. Mais on peut aussi utiliser la peinture classique, surtout sur les panneaux et les moulures. Page 67 par exemple, le caractère du bois disparaît au profit du style classique de la composition.

Préparation

Avant toutes choses, les nœuds du bois doivent recevoir une couche de fixateur pour empêcher la résine de sortir. Les nœuds du pin qui forme le fond de ces pages ont été traités avec de la cire blanche (voir p. 225) plutôt qu'avec du fixateur (qui est brun foncé), pour ne pas gâcher le subtil badigeon rose pâle.

Sol imitation bois

Certains types de revêtements de sol plastiques sont si réussis qu'on ne peut les distinguer du vrai bois. Ils ne risquent pas de se gondoler ou se tacher et conviennent particulièrement pour une salle de bains.

Sauf dans le cas de badigeon ou de patine, le bois qui doit être peint ou cérusé sera passé au bouche-pores ou avec une primaire spéciale, légèrement poncé (pour la céruse le bois est passé à la brosse métallique), puis recevra une sous-couche. Le bois déjà peint sera d'abord nettoyé avec du savon noir et une peinture glycéro, légèrement poncée. Le bois verni doit être décapé.

Imitation de bois

La résine moulée est souvent moins chère que le bois. Certains fabricants proposent des panneaux qui peuvent habiller une pièce entière. Les moules étant faits à partir de vrai bois, le veinage est très réaliste.

Bois passé au badigeon

Badigeon pour bois

Ce procédé simple, utilisant de légers badigeons de peinture diluée, donne au bois un aspect adouci presque laiteux. Il offre l'avantage sur la teinture d'offrir un plus grand choix de couleurs et vous pouvez laisser apparaître le veinage.

« Sculpture » en résine moulée

Plancher en pin cérusé

Finition vieillie sur lambris

Revêtement de sol plastique à effet de bois

Imitation du veinage

Pendant des siècles, on a utilisé la peinture pour imiter les différentes essences de bois sur d'autres surfaces ou sur le bois lui-même, qui offre un dessin naturel sous-jacent. Le veinage (voir pp. 296-301) sert à transformer certains bois, comme le pin, ou à lui donner l'apparence de bois durs plus prestigieux et aussi à donner une unité à toutes les surfaces d'une pièce ; voyez par exemple le veinage de la baignoire, page 63.

Veinage chêne foncé sur contreplaqué

Contreplaqué peint imitation chêne clair

Hêtre peint imitation palissandre

Effet de céruse sur panneau de chêne sculpté

Bois cérusé

La céruse est l'un des moyens les plus simples et les plus spectaculaires de traiter le bois. La cire ou la pâte à céruser avec laquelle on frotte le bois laisse un léger dépôt dans les pores, mettant ainsi en relief le veinage ; le procédé rend particulièrement bien sur les surfaces sculptées, la cire s'accumulant dans les renfoncements. Les bois à pores ouverts comme le frêne, le chêne et l'orme sont les plus faciles à veiner ; les bois comme le pin, qui ont un grain fermé, doivent d'abord être vigoureusement frottés à la brosse métallique.

Finition peinture vieillie

On peut donner au bois un aspect de peinture écaillée. L'émulsion jaune des lambris ci-contre, est appliquée sur des particules de cire qui empêchent la peinture d'adhérer, ce qui permet de l'enlever en frottant pour laisser voir des parties de bois nu (voir pp. 266-67).

PAPIER & CARTON

Depuis des siècles et encore aujourd'hui, on se sert du papier pour la décoration d'intérieur. On l'utilise essentiellement de trois manières, dont la plus évidente est la décoration de la surface des murs et des objets : papier peint, bordures et découpages. On peut aussi l'employer pour filtrer la lumière, lorsque, par exemple, le papier est tendu sur un cadre et huilé. Enfin, il sert comme moyen de décoration, pour le pochoir et le décalque.

peinture. Au XVIIIe siècle, le papier d'apprêt était collé directement sur les panneaux de bois, puis peint en imitation des revêtements muraux plus onéreux. Les premiers papiers peints imitaient également d'autres surfaces comme la tapisserie, les peintures murales et le tissu tendu.

Pour obtenir de bons résultats utilisez toujours les colles appropriées (ou du liant vinylique pour les découpages) pour coller le papier.

Le papier peint

On en trouve de toutes sortes, dont la plus simple est le papier d'apprêt qui peut servir sous un papier peint ou comme sous-couche pour de la

Photocopies décor

Collez des photocopies de forme originale sur les meubles ou les murs, en guise de découpage économique (voir pp. 318-19).

Photocopie
d'un griffon

Bordure classique en papier

Bordures en papier

Traditionnellement imprimées sur du papier fort. Vous pouvez facilement faire vos propres bordures, en collant ensemble des séries de photocopies. Posées à hauteur de frise ou de cimaise, les bordures ajoutent une touche d'époque originale.

Pochoirs

Certains pochoirs modernes sont découpés dans du rhodoïd, assez souple pour tourner les angles. Mais il est glissant et donc parfois difficile à découper. La carte de Lyon est meilleure.

Pochoir pour une frise

Pochoir découpé dans de la carte de Lyon

Papier calque et tracé d'un motif

Papier calque

Ce papier est indispensable pour transférer les motifs sur les murs, le sol et les meubles. Les motifs sont d'abord tracés sur le papier et le dessin calqué sur la surface en frottant l'envers du tracé avec un crayon.

Papier peint
aux motifs XIXᵉ siècle

Papier de soie

Papier de soie
huilé

Papier
cadeau
fleuri

Découpage en couleur

Le papier cadeau, même
peu épais, peut être
découpé puis collé sur un
mur ou des meuble. Pour
un motif répété, utilisez
les photocopies en
couleur. Protégez avec
du vernis transparent.

Papier de soie huilé

Le papier passé au
vernis, à l'huile ou à la
gomme laque devient
translucide et peut servir
pour des stores ou un
abat-jour (voir p. 332).

Bordure de style
victorien

Papier
d'emballage

Papier peint

Le papier peint, même s'il est parfois
un peu cher, offre une immense gamme
de motifs : compliqués comme la frise
victorienne ci-dessus, ou dessins
graphiques comme l'imprimé gothique
XIXᵉ siècle, en haut.

Papier d'emballage

Il était parfois utilisé à la place de
papier peint à la fin du siècle dernier
dans les intérieurs Arts and Crafts au
décor et aux meubles simples (voir
p. 28-29 et 176-79).

241

FINITIONS POUR MÉTAL

L E MÉTAL se trouve dans la maison sous forme de radiateurs, tuyaux, appareillage électrique et poignées de porte. Nu, peint ou même corrodé, il est décoratif ; on peut imiter la patine de la rouille, du vert-de-gris et de l'or sur les surfaces métalliques ou non.

Protection du métal
De nombreux métaux (excepté l'or) s'oxydent au contact de l'air. Fer et acier se transforment en rouille, et cuivre et bronze ternissent ou verdissent pour former du vert-de-gris. Un produit spécifique stoppera le processus de rouille puis vous passerez une sous-couche puis une couche de glycéro

Couche de primaire
Le métal doit recevoir une primaire et une sous-couche avant d'être peint (un métal verni doit d'abord être décapé avec un décapant chimique). Utilisez de l'antirouille sur le fer et l'acier, comme le radiateur ci-dessous; cette primaire est une formule spéciale à base d'huile.

ou de laque satinée. Pour apprécier les qualités naturelles des métaux, protégez-les simplement avec une couche de vernis-laque pour métal.

L'aspect décoratif de ces effets chimiques sera accentué si vous rassemblez différents métaux patinés et même si vous vous contentez de les imiter sur le métal, le plastique, le bois ou le plâtre. Les techniques d'imitation sont indiquées pages 286-89.

L'or
L'or étant cher, on l'a battu pendant des siècles pour en faire des feuilles ultra minces et dorer ainsi toutes sortes de surfaces. Cela vaut la peine d'apprendre l'art de la dorure (voir pp. 303-303).

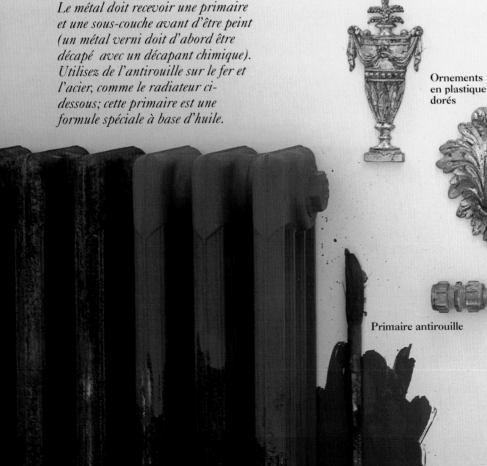

Ornements en plastique dorés

Primaire antirouille

Pincettes rouillées

Rouille décorative
La rouille peut être considérée comme finition décorative naturelle. Ces pincettes en fer, trop brillantes pour la pièce où elles se trouvaient, ont été laissées à l'extérieur pendant un mois, puis, pour inhiber la rouille, cirées avec de l'encaustique à la cire d'abeille.

Dorure
Utilisez la feuille d'or pour apporter le brillant et la richesse de l'or aux surfaces métalliques ou non. Sur ces ornements en plastique, la feuille d'or reflète la lumière ; l'effet est ici accentué par la présence d'un fond coloré qui apparaît sous la feuille d'or.

Imitation vert-de-gris sur un joint

Cuivre et vert-de-gris
Les tuyauteries en cuivre de la salle de bain sont très décoratives en métal nu, laqué et poli. Le métal corrodé, sous forme de vrai vert-de-gris ou d'imitation en peinture (comme celui du raccord sur le tuyau ci-dessus) se détache sur le métal poli.

Palmette en plastique doré à l'aérosol

Effets sur matériaux non métalliques

La peinture est un moyen sûr pour imiter les patines métalliques (il existe aussi des produits chimiques très toxiques). Ce motif en plastique, ci-contre à gauche, a été vaporisé avec de la peinture or, puis verni. On peut imiter d'autres patines complexes avec de la peinture, dont le fer forgé.

Lampe métallique peinte

Finitions peintures spécifiques

Certaines peintures métalliques spécifiques donnent une finition décorative sur des surfaces métalliques ou non, comme le bois. L'une est la peinture émail martelé utilisée sur la lampe ci-dessus. La plupart des peintures métalliques sont résistantes et sèchent vite, mais leurs solvants sont toxiques.

Effet de rouille sur du bois

Effet de fer forgé sur lincrusta

Bouton de porte patiné

Pour patiner les métaux

Cuivre neuf et surfaces dorées peuvent parfois paraître trop clinquantes. Du vernis au tampon leur donne un effet de patine. Diluez-le à 1/1 avec de l'alcool à brûler et passez-le avec une éponge (bouton de porte) ou projetez-le en gouttelettes (urne dorée page ci-contre). La méthode pour patiner feuille d'or et poudres métalliques est indiquée page 304.

Finitions or et métal

On peut donner l'apparence du métal aux surfaces les plus inattendues. Pour le soubassement en lincrusta ci-contre j'ai utilisé des badigeons, et pour le vert-de-gris, des poudres d'or et du vernis au tampon.

Panneau de lincrusta décoré avec des poudres métalliques et une finition vert-de-gris

VERRE & PLASTIQUE

L E VERRE est un beau matériau polyvalent, très utilisé dans la maison. Il est moulé, pressé, poli, coloré et peint, à motifs, gravé et granité. Mais quelle que soit sa forme, le verre garde toujours ses qualités intrinsèques de dureté, fragilité et translucidité.

La relation entre le verre et la lumière est propre à la matière même ; comme il peut la modifier, son rôle dans le décor est important. Un objet en verre devrait toujours être placé dans une pièce par rapport à la source de lumière, de façon que les vases soient éclairés par la clarté venant du dehors et que les miroirs captent l'imagerie des fenêtres, leurs formes, et ce qu'elles reflètent.

Un matériau sous-estimé

On pourrait penser que le plastique est un médiocre substitut, ce qui est vrai quand il veut imiter le verre; il se raye, ne réfracte pas la lumière dans les couleurs du spectre et à tendance à accumuler l'électricité statique qui attire la poussière. Mais il existe des centaines de plastiques, dont certains possèdent des caractéristiques uniques qu'il ne faut pas négliger.

On dénigre en général les plastiques parce qu'ils sont « faux », bon marché et produits en série et ne possèdent pas la qualité chaleureuse des autres matériaux employés dans le bâtiment. On utilise cependant aujourd'hui des plastifiants dans le ciment, le plâtre et la peinture. Et les ancêtres du plastique remontent loin : Robert Adam, l'architecte anglais du XVIIIe siècle, avait demandé à plusieurs fabricants de produire des décorations murales en carton-pâte ou en stuc (mélange de colophane, colle et blanc de Meudon) pour imiter le bois sculpté plus onéreux. Deux produits à base d'huile de lin, le linoleum et le lincrusta, qui peuvent également être considérés comme les prototypes du plastique, suivirent au XIXe siècle. Tous ces matériaux sont agréables à travailler.

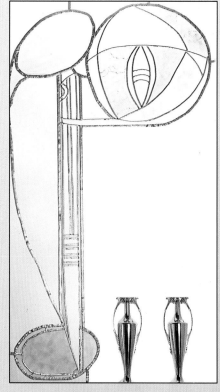

Effets de vitrail
Un vitrail tamise et colore joliment la lumière (voir p. 308-309).

Décoration en résine moulée
L'utilisation de moules en caoutchouc siliconé de haute qualité assure une reproduction fidèle de chaque détail sur l'étagère à assiettes imitation bois, ci-contre à droite. On ne devrait avoir aucune hésitation à employer ce genre de moulage en résine, les moulages en plâtre n'étant après tout qu'une imitation de sculpture.

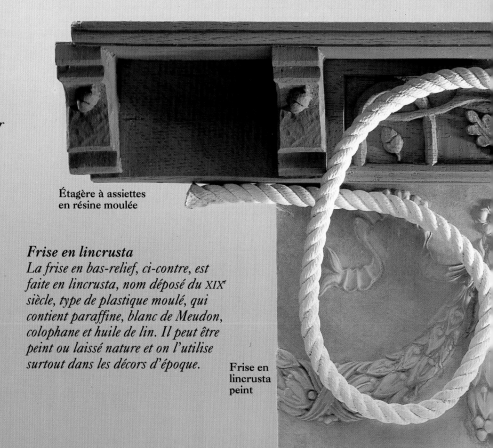

**Étagère à assiettes
en résine moulée**

Frise en lincrusta
La frise en bas-relief, ci-contre, est faite en lincrusta, nom déposé du XIXe siècle, type de plastique moulé, qui contient paraffine, blanc de Meudon, colophane et huile de lin. Il peut être peint ou laissé nature et on l'utilise surtout dans les décors d'époque.

**Frise en
lincrusta
peint**

Imitation de carrelage
en terre cuite

Carrelages et ornements

Comme le revêtement de sol imitation bois, page 63, les carrelages en plastique reproduisent fidèlement chaque détail des matériaux qu'ils imitent. Les ornements décoratifs, comme la palmette et la couronne, sont encore fabriqués en stuc par quelques fabricants, mais ceux-ci sont en plastique moulé et seront transformés avec des finitions peinture spéciales ou de la feuille d'or. Passés à la vapeur ils deviennent flexibles, ce qui permet de les adapter aux formes incurvées.

Corde décorative

S'il vous faut une corde pour votre décor, vous avez le choix entre la corde en polyester, ci-dessous, très belle une fois peinte (voir p. 81) et celle en chanvre, que vous trempez dans le plâtre ou le gesso (voir p. 67).

Palmette
en plastique

Moulure en plastique blanc

Dalle de marbre
imitation

Couronne
en plastique

Corde en polyester
peinte en bleu

245

EFFETS DÉCORATIFS SIMPLES

Les techniques de cette partie sont surtout utilisées pour décorer des grandes surfaces – murs, planchers et boiseries – bien que certaines, comme les mouchetés et la céruse, puissent également convenir aux meubles et aux petites superficies. Faciles à maîtriser, à peine plus élaborées qu'une simple couche de peinture, ces techniques permettent d'obtenir des effets très satisfaisants. La plupart utilisent une « superposition » de couleurs, mince couche de badigeon coloré ou de vernis passée sur une couleur de fond. Le badigeon, en particulier, se prête à une grande variété de décors (vous en trouverez trois versions, une pour le bois et deux pour les murs).

Exemples de mouchetés sur bois, posés sur un panneau de bois cérusé

Un des traitements décoratifs les plus simples pour le bois nu est le badigeon, ci-dessus (l'échantillon du bas a été cérusé)

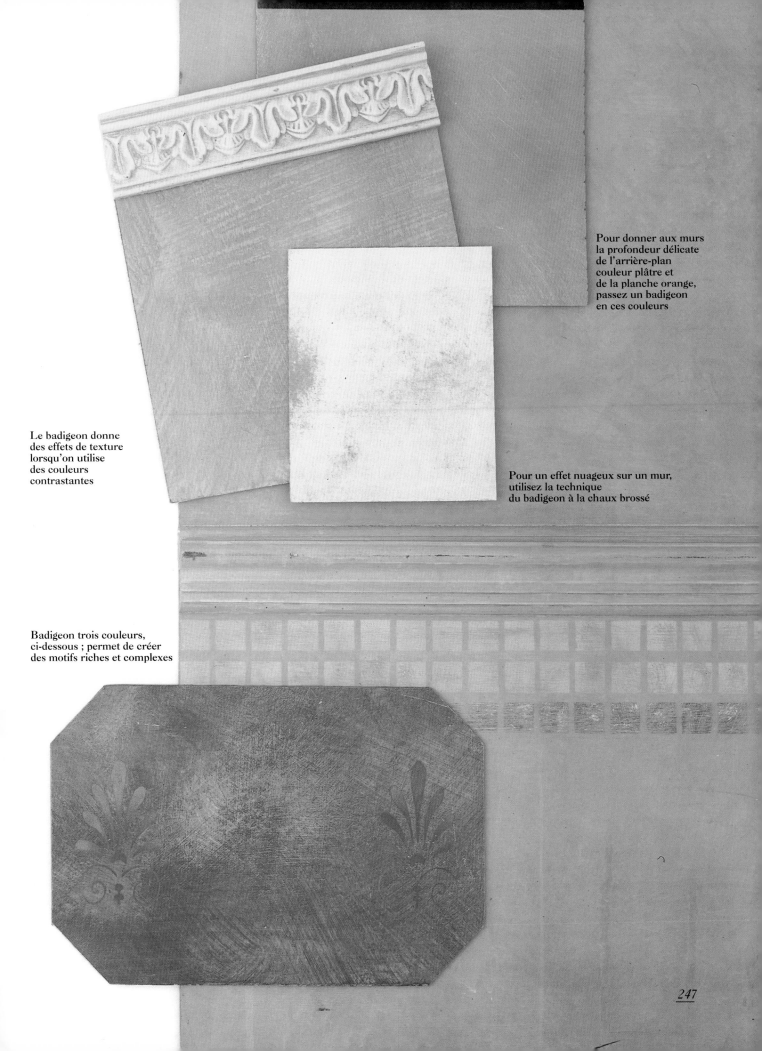

Pour donner aux murs
la profondeur délicate
de l'arrière-plan
couleur plâtre et
de la planche orange,
passez un badigeon
en ces couleurs

Le badigeon donne
des effets de texture
lorsqu'on utilise
des couleurs
contrastantes

Pour un effet nuageux sur un mur,
utilisez la technique
du badigeon à la chaux brossé

Badigeon trois couleurs,
ci-dessous ; permet de créer
des motifs riches et complexes

BADIGEON

Le badigeon, l'une des techniques les plus simples et les plus efficaces pour peindre les murs, vient d'une longue tradition de procédés utilisant la peinture à base d'eau. A la place de détrempe, peinture habituelle en Europe et aux Etats-Unis jusque vers 1950, dont le faible pouvoir couvrant était souvent déguisé par des coups de

pinceau décoratifs, j'utilise un badigeon fait maison au liant vinylique ou un badigeon obtenu en diluant de l'émulsion. Ces badigeons sont passés sur fond d'émulsion blanche pour donner aux murs lisses une finition translucide subtile, au dessin délicat. Pour colorer et mettre en valeur la texture des murs en plâtre brut (voir pp. 274-75) on emploie une méthode légèrement différente et une technique voisine pour les peindre à l'éponge.

L
A COUCHE de fond est de l'émulsion blanche. Si les murs sont déjà peints en blanc, assurez-vous qu'ils sont bien propres. On passe rapidement un badigeon sur la couche de base ; le dessin produit par les coups de pinceau est ensuite estompé avec une brosse mouillée, puis brossé à nouveau.

Couleurs

Les couleurs douces : rose cendré (voir p. 55), ocre jaune, gris, terre de Sienne naturelle, crème et beige pâle donnent les résultats les plus délicats sur un grand mur.

Les couleurs plus fortes, comme la terre cuite, conviennent pour des soubassements.

Choix des badigeons

Le badigeon sera fait avec du liant vinylique (comme ici) ou de l'émulsion diluée. Le liant vinylique est plus facile à travailler, les

épaisseurs de peinture qui apparaissent quand le badigeon sèche pouvant être mouillées avec de l'eau et retravaillées. Pour un badigeon au liant vinylique, mélangez eau, liant et couleurs en poudre ou, pour des petites surfaces, des couleurs en tube à base d'eau (acryliques ou gouaches), voir page 333. Les couleurs en poudre sont très toxiques (précautions à suivre page 325). Pour donner à votre mur une finition lavable, appliquez une couche de vernis à l'huile mat.

Utilisation de l'émulsion

Le badigeon à l'émulsion est moins spectaculaire. Diluez l'émulsion à 1/4 avec de l'eau. Comme elle durcit en séchant il est impossible de mouiller et retravailler les arêtes de peinture. Appliquez (*étape 1*) sur des surfaces de un mètre carré au maximum à la fois et estompez aussitôt les coups de pinceau (*étape 2*).

Large brosse de décorateur

Éponge synthétique

Badigeon au liant vinylique

MATÉRIEL ET MATÉRIAUX

Le badigeon est un mélange dilué de liant vinylique et de poudre de terre de Sienne naturelle. Après avoir appliqué le badigeon (étape 1), essuyez l'excès de peinture.

PASSAGE DE L'ÉPONGE

J'ai laissé couler sur le mur du badigeon et de l'eau. Après séchage, j'estompe les coulées avec une éponge humide, jusqu'à obtention d'un effet nuageux.

BADIGEON

MUR LISSE

1 *Appliquez dans tous les sens sur émulsion blanche sèche. (Avec un badigeon à l'émulsion, peignez par petites surfaces.)*

2 *Quelques minutes plus tard (aussitôt avec un badigeon à l'émulsion), estompez légèrement avec une brosse humide.*

3 *Après quelques minutes, le badigeon commence à sécher ; passez la brosse fermement pour soulever la peinture et marbrer.*

MUR BRUT

1 *Pour une finition marbrée passez le badigeon dans tous les sens sur une base d'émulsion blanche. Insistez dans les creux.*

2 *Estompez les marques de pinceau avec une brosse humide ; répétez 5 à 10 mn plus tard en appuyant.*

3 *Comme le montre ce mur peint à moitié, le badigeon fait ressortir les irrégularités du plâtre texturé.*

AUTRE POSSIBILITÉ

Pour ce mur j'ai suivi les étapes 1 et 2 du mur lisse. Le dessin est plus simple, les marques de brosse plus apparentes et les contrastes de couleur plus subtils.

Badigeon en Trois Couleurs

On peut obtenir des effets de texture étonnants en superposant des badigeons en trois couleurs. Celui-ci arrive même à imiter les murs antiques peints à la détrempe, comme dans la salle de bains gréco-romaine ci-contre, où crème, jaune et vert furent appliqués sur le soubassement. Pour le riche bronze du mur j'ai utilisé deux badigeons au liant vinylique faits maison (un ocre jaune et un terre de Sienne brûlée) suivis d'un badigeon d'émulsion crème diluée. Le premier est appliqué comme indiqué dans les étapes 1-3 du badigeon pour mur lisse (p. 249) ; les étapes de la page ci-contre illustrent l'application du deuxième et du troisième.

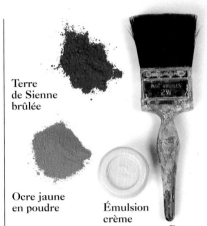

Terre
de Sienne
brûlée

Ocre jaune
en poudre

Émulsion
crème

Brosse de
décorateur

Brosse de
décorateur

Liant
vinylique

LES TROIS couleurs doivent être différentes mais apparentées. Choisissez des mélanges comme le rouge tomate, terre cuite et beige, ou bleu vert, vert bleu et bleu pâle.

Le troisième ton est utilisé pour estomper la texture et recouvrir la surface d'un voile de couleur translucide et doit être plus pâle que les deux autres. On doit l'appliquer avec parcimonie.

Choix des peintures

J'utilise des badigeons faits maison pour les deux premières étapes, pour leurs coloris plus purs, plus intenses, leur finition plus texturée. La qualité de la couleur du dernier badigeon n'a pas d'importance (elle doit simplement être assez pâle pour donner un aspect cendré), j'utilise donc de l'émulsion par commodité.

Les couleurs en poudre sont très toxiques et doivent être manipulées avec beaucoup de précaution (voir page 325).

Pour une finition très douce, supprimez le liant vinylique et vernissez après séchage. Pour une finition légèrement texturée, diluez de l'émulsion à 1/4 avec de l'eau pour les trois badigeons.

Préparation

Comme avec le badigeon simple, l'effet convient pour les surfaces lisses ou texturées et la meilleure couche de base est de l'émulsion blanche, appliquée à la brosse et non au rouleau. Les rouleaux laissent une texture trop prononcée.

Méthode de travail

Quand vous appliquez la deuxième couleur, travaillez par surfaces d'environ un mètre carré. Appliquez le badigeon (étape 1) et retravaillez les surfaces qui sèchent (étape 2) à des intervalles de cinq minutes environ.

Pour éviter de former des arêtes de peinture régulières, variez la forme des surfaces travaillées.

MATÉRIEL ET MATÉRIAUX

Pour faire les deux premiers badigeons mélangez séparément de l'ocre jaune et de la terre de Sienne brûlée en poudre (ou des couleurs à base d'eau en tube), de l'eau et 5 % de liant vinylique par volume (voir p. 333). Pour le troisième badigeon, diluez l'émulsion couleur crème à 1/6 avec de l'eau.

Pour une pièce moyenne il vous faudra environ 1 à 2 litres de chaque.

Utilisez des brosses de très bonne qualité, les brosses ordinaires laissant des soies dans la peinture.

1 *Sur un badigeon ocre jaune déjà sec (suivre les étapes 1-3 pour mur lisse p. 249), appliquez un badigeon terre de Sienne brûlée. Passez la peinture dans tous les sens, en tirant la brosse. Appuyez fermement pour faire des marques de pinceau.*

2 *Comme avec le badigeon simple, nuance et profondeur sont obtenues par le travail sur la peinture en cours de séchage. Utilisez une brosse presque sèche et appuyez fermement pour estomper les marques de pinceau précédentes, en tirant à nouveau la peinture dans tous les sens.*

3 *Après quelques heures, quand la surface est complètement sèche, appliquez le troisième badigeon, plus pâle. Passez une petite quantité sur la surface pour former un voile de couleur lisse et ténu. Appuyez, mais légèrement cette fois, pour estomper les marques de pinceau.*

Pochoir et badigeon
Avant d'appliquer le badigeon terre de Sienne brûlée (voir étapes 1 et 2), j'ai peint ce pochoir avec de la peinture dorée en aérosol. Le dernier badigeon pâle (voir étape 3) est appliqué par-dessus. Après séchage, je fais apparaître un peu plus le motif en frottant légèrement avec un chiffon et de l'alcool à brûler.

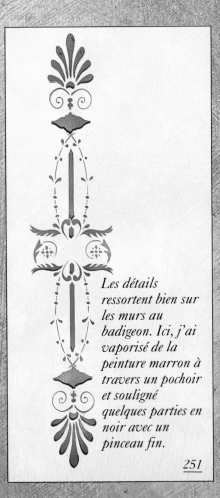

Les détails ressortent bien sur les murs au badigeon. Ici, j'ai vaporisé de la peinture marron à travers un pochoir et souligné quelques parties en noir avec un pinceau fin.

BADIGEON SUR BOIS

La tradition de la peinture à l'eau sur le bois remonte très loin. Mais si l'application de couches épaisses de peinture dissimule complètement les veines du bois, le badigeon, lui, permet de révéler ses qualités naturelles. Par ce procédé un ou deux badigeons colorés sont passés sur le bois nu. La peinture, en pénétrant dans les fibres, agit plutôt comme une teinture en laissant apparaître leur dessin naturel. Les étapes 1 et 2 donnent un aspect plus riche que la seule étape 2 ; l'étape 3 permet de révéler davantage le veinage. La technique de l'étape 2 seule est illustrée sur le sol du décor Baroque anglais ci-dessus et page 67.

Peinture émulsion

Terre d'ombre naturelle en poudre

Chiffon

Brosse de décorateur

L'IDÉE d'appliquer de la peinture à l'eau directement sur des sols en bois nu est souvent repoussée avec horreur, l'eau ayant tendance à soulever les fibres et pouvant réagir négativement avec les résines et les essences présentes dans le bois.

Mais le bois nu et la peinture émulsion sont parfaitement compatibles, parce que l'émulsion contient un liant polyvinylique qui accroche la peinture au bois. Si cependant les fibres se soulèvent, poncez légèrement.

Préparation

Aucune trace de peinture ou de vernis ne doit rester sur le bois décapé. Le bois qui a été décapé ou blanchi chimiquement doit être neutralisé avec un mélange à 1/20 de vinaigre et d'eau (voir également pp. 248-49).

Choix des couleurs

Les couleurs pâles : bleu, olive et vert doux, blanc et rose convien-nent le mieux aux nuances naturelles du bois clair, comme le pin, et les teintes un peu plus fortes avec les bois sombres, comme le chêne. Rappelez-vous, quand vous faites votre choix, qu'une couleur paraît beaucoup moins intense diluée.

Pour être sûr d'avoir dilué l'émulsion à la bonne consistance et pour vérifier la teinte, faites d'abord un essai sur une chute. Un badigeon dilué correctement doit pénétrer le bois en 20 minutes sans dissimuler le veinage. Si nécessaire, rectifiez le ton avec de la couleur à l'eau en tube, comme l'acrylique ou la gouache pour artistes.

Vernissage

Les sols passés au badigeon et les autres surfaces qui nécessitent une finition résistante, seront légèrement poncés, passés au bouche-pores (ou fondur) puis vernis. Le bouche-pores empêche le vernis de pénétrer dans le badigeon et de le foncer. Le vernis jaunira légèrement la finition.

MATÉRIEL ET MATÉRIAUX

Pour l'étape 1 mélangez la terre d'ombre naturelle en poudre (ou couleur acrylique ou gouache) avec de l'eau. Les couleurs en poudre sont toxiques et vous devez suivre les précautions indiquées p. 325. Pour faire le badigeon appliqué à l'étape 2, ajoutez de l'eau à de l'émulsion dans la couleur choisie jusqu'à ce qu'elle soit aussi fluide que du lait. Il faut une brosse pour appliquer les peintures et un chiffon pour essuyer le bois et révéler le veinage.

1 *Pour nuancer subtilement la couleur commencez par passer sur le bois nu, dans le sens du fil, un badigeon de terre d'ombre naturelle et d'eau. Remuez fréquemment le mélange pour l'empêcher de déposer dans le fond. Laissez sécher.*

2 *Pour une finition simple commencez ici. Avec une brosse, posez une bonne quantité d'émulsion diluée sur le bois et étalez dans le sens du fil. L'émulsion diluée pénètre dans le bois et le teinte légèrement tout en laissant apparaître le veinage.*

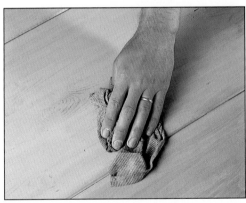

3 *Pour révéler davantage le veinage attendez 15 à 20 mn, puis essuyez avec un chiffon propre, ce qui enlèvera un peu de peinture.*

Mur au badigeon, *ci-dessous. L'émulsion diluée est passée sur le bois teinté puis, après séchage, poncée (voir p. 95).*

BADIGEON À LA CHAUX

Ce procédé donne aux murs l'aspect d'un badigeon à la chaux bien brossé à l'ancienne mode (utilisé pour les murs extérieurs) et de détrempe (à l'intérieur).J'ai transformé la technique, qui ne nécessite ni brosse en chiendent ni lait de chaux, pour donner aux murs un aspect vieilli en accord avec le bois usé et les naïves peintures murales (ci-dessous) typiques des intérieurs médiévaux. Mais un mur ainsi peint fait également une bonne toile de fond pour les décors ethniques et rustiques, comme la salle à manger Sante Fe illustrée ci-dessus et page 99.

ON OBTIENT un aspect irrégulier et vieilli en passant à la brosse sèche une émulsion à l'eau sur une couche de fond de laque satinée. On frotte avec de l'alcool à brûler pour ôter un peu de l'émulsion et pour obtenir une finition nuageuse, comme brossée à la brosse en chiendent.

Couche de base
Les murs doivent être propres et sans trace de gras. Appliquez une couche de laque satinée, diluée à 1/2 avec de la térébenthine. Il n'est pas besoin de lisser la peinture dont on ne verra que des petites taches. Prenez une couleur neutre pour donner l'impression d'un authentique badigeon à la chaux brossé. J'ai utilisé de la glycéro mate terre de Sienne naturelle pour donner l'effet illustré dans la page ci-contre; autres tons possibles : brun moyen et rose plâtre.

Brosse sèche
L'émulsion blanche est appliquée avec une technique utilisée par les peintres pour les décors de scène, appelée brosse sèche.

Avant d'appliquer l'émulsion sur le mur, passez la brosse plusieurs fois sur une planche afin de répartir une petite quantité de peinture également entre les soies.

Appliquez la peinture à coups très légers, en effleurant à peine la surface du mur. A mesure que la brosse se décharge, appuyez un peu plus jusqu'à ce que la brosse soit presque sèche.

Finition
L'émulsion durcit en séchant et la plupart des murs n'ont pas besoin de protection supplémentaire, mais dans les pièces où l'on passe souvent, comme une entrée, on peut mettre du vernis à l'huile mat.

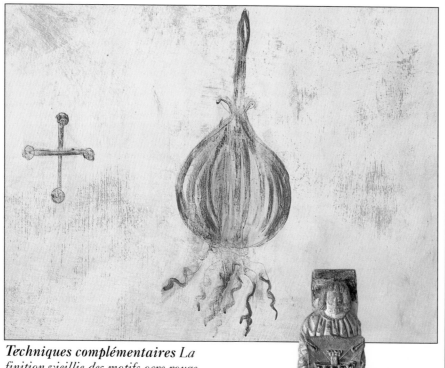

Techniques complémentaires *La finition vieillie des motifs ocre rouge peints sur le mur et le chevalier peint à la main (doré et patiné à la cire) complètent bien les murs au badigeon à la chaux brossé. J'utilise ces trois finitions dans le décor de cuisine médiévale (voir pp. 114-15).*

MATÉRIEL ET MATÉRIAUX

Utilisez une brosse de décorateur de bonne qualité, qui résistera sans perdre ses soies à la technique des étapes 1 et 2. Une brosse en soies de porc noires (ci-contre) est parfaite. Pour une pièce d'environ 4x5m, il vous faudra à peu près 5 litres d'émulsion et 2 litres d'alcool à brûler. Ce dernier émettant des vapeurs nocives ouvrez les fenêtres, et ne fumez pas; portez un masque respiratoire (magasins de bricolage).

Émulsion blanche

Chiffon

Brosse de décorateur

Alcool à brûler

1 *Trempez le bout des soies d'une brosse de 10 cm dans l'émulsion blanche et distribuez la peinture dans les soies en la brossant sur un morceau de bois. Passez légèrement la brosse relativement sèche sur le fond de laque satinée, en appuyant progressivement un peu plus, pour produire des taches marbrées .*

2 *Quand la peinture est sèche, elle laisse apparaître des taches de la couche de fond. Si vous désirez plus de texture, ajoutez de la peinture en utilisant la technique précédente. Laissez sécher. Pour un effet encore plus « brossé », sautez cette étape pour aller directement à l'étape 3.*

AUTRE POSSIBILITÉ DE COULEUR

Avec deux brosses, je passe à la brosse sèche de l'émulsion indigo et violette sur une base de laque satinée rose brun, puis je frotte vigoureusement avec de l'alcool à brûler pour une finition vieillie.

3 *Trempez un chiffon dans de l'alcool à brûler et frottez-le sur toute la surface. L'alcool va ramollir la couche sèche d'émulsion en révélant la couche de base en certains endroits et en déposant un mince film blanc sur toute la surface. Si vous frottez de larges surfaces, portez des gants en caoutchouc.*

VERNIS ADOUCI

Le vernis gras est un matériau de décoration irremplaçable. Avec des techniques extrêmement simples, ce vernis teinté avec des couleurs à l'huile permet de recouvrir d'un voile léger de couleur une surface peinte, en lui donnant une richesse insurpassée. Il peut être mélangé et adouci (étapes 1-4) pour donner aux surfaces nouvellement peintes, comme le mur illustré à gauche, un brillant chaud et patiné, pour ajouter une profondeur délicate à la peinture du mur (décor oriental p. 193) et aussi pour rendre les teintes plus intenses et plus complexes (mur bleu du décor médiéval p. 123). Les moulures peintes, comme cimaises et sculptures, seront mises en valeur par le vernis passé en moucheté essuyé.

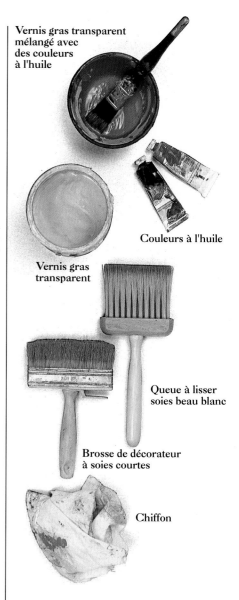

Vernis gras transparent mélangé avec des couleurs à l'huile

Couleurs à l'huile

Vernis gras transparent

Queue à lisser soies beau blanc

Brosse de décorateur à soies courtes

Chiffon

L E VERNIS gras se trouve tout fait, mais vous pouvez le fabriquer vous-même (recette p. 332). Diluez-le avec de la térébenthine ou du white spirit jusqu'à consistance de crème liquide et mélangez-le avec des couleurs à l'huile pour donner une mixture richement colorée, qui offre l'avantage de ne pas couler et de ne pas coller, comme le vernis.

Si le vernis gras dilué paraît trop sirupeux, ajoutez un peu de térébenthine; s'il paraît trop fluide, rajoutez du vernis.

Le vernis gras peut se travailler pendant une demi-heure après avoir été passé et ne sèche complètement qu'après six à dix heures.

Préparation

La surface de base classique consiste en deux couches lisses de laque satinée, mais vous pouvez aussi vernir du papier peint. La surface doit être aussi lisse que possible, le vernis adhérant aux plus minuscules recoins, qui ressortiront sous formes de marques foncées (pour la patine ancienne ces marques sont un avantage).

Couleurs de patine

Le vernis gras peut être teinté avec des couleurs à l'huile, mais on utilise certaines teintes pour donner l'aspect vieilli : ombre naturelle (utilisée pour vernir les motifs du mur et l'encorbellement page ci-contre), Sienne naturelle, ombre brûlée, brun Van Dyck et toutes ces couleurs au choix mélangées avec du gris, blanc ou noir.

Vernissage et polissage

Les surfaces doivent toujours être vernies ultérieurement avec un vernis polyuréthane, le vernis gras ne durcissant pas et disparaissant avec le temps. Pour une finition parfaitement lisse, frottez la surface vernie avec de la cire d'abeille sur de la laine d'acier extra fine. Polissez avec un chiffon doux.

MATÉRIEL ET MATÉRIAUX

Il vous faut deux brosses de décorateur : une pour appliquer le vernis gras et une pour le lisser. Pour l'étape 3, utilisez une brosse à lisser ou un mouilleur. Prenez de la couleur à l'huile pour teinter le vernis gras transparent, qui reste opaque dans la boîte, mais devient un film translucide quand il est passé sur la surface à vernir. Voir page 333 la façon de teinter le vernis.

1 Appliquez le vernis gras teinté avec une brosse de décorateur, sans vous inquiéter si la couleur fait des marques irrégulières, le vernis sera lissé plus tard.

2 Avec une brosse douce et sèche et en appuyant légèrement, répartissez le vernis également, en lissant bien pour faire disparaître toute marque. La couleur du vernis gras va apparaître moins intense. Finissez en brossant la surface le plus légèrement possible.

3 Avec l'extrémité des soies d'un mouilleur ou d'une queue à lisser en soies beau blanc, lissez la surface dans tous les sens pour faire disparaître toutes les marques de pinceau et que la finition soit absolument lisse.

PATINE ANTIQUE

L'aspect antique et velouté de cet encorbellement en plâtre est obtenu avec du vernis gras transparent et de la laque satinée. On a d'abord passé en moucheté du vernis gras teinté avec de la couleur à l'huile terre d'ombre naturelle, puis essuyé (avec la technique illustrée ci-dessous à gauche). La surface est ensuite passée à la brosse avec de la laque satinée blanche (diluée au 1/4 avec de la térébenthine) et les parties en relief essuyées avec un chiffon.

MOUCHETÉ-ESSUYÉ

Pour donner aux moulures peintes une profondeur nuancée, appliquez le vernis gras. Puis en tenant « debout » une brosse de décorateur ferme (ou une brosse à pocher), tapotez pour donner un aspect finement moucheté. Entourez vos doigts d'un chiffon et essuyez les parties en relief pour révéler la couleur sous-jacente.

VERNIS DÉCORATIFS

La fluidité et le temps de séchage du vernis gras transparent teinté avec des couleurs à l'huile en fait le medium idéal pour recouvrir un fond coloré. On peut créer différents effets en « tirant » une brosse sur du vernis gras frais, en le texturant avec une éponge, un sac en plastique ou un chiffon, ou en le peignant pour donner des dessins variés. Ces techniques conviennent tout aussi bien pour des meubles que pour des grandes surfaces (le mur du décor Empire, ci-contre à gauche et p. 59, est obtenu en tirant la brosse sur le vernis).

LE VERNIS gras transparent possède la transparence, la luminosité et l'intensité de l'aquarelle et, cependant, contrairement à l'aquarelle, il est facile à appliquer, car il sèche lentement. On peut le travailler à la brosse, au chiffon ou au sac en plastique pendant 30 à 60 minutes, ce qui donne largement le temps de créer des effets décoratifs variés.

Les surfaces à décorer

Ce genre d'effets de vernis convient pour les murs, portes, soubassements et meubles. Le veinage est une façon spectaculaire de réveiller des vieux meubles et, en utilisant une éponge au lieu d'un sac en plastique ou un chiffon (qui donnent un dessin compliqué), on obtient un aspect adouci sur toutes les surfaces et surtout sur les murs.

Le choix des couleurs

Dans le décor du Bureau Empire, ci-dessus et page 59, j'ai peint le mur avec un couche de laque satinée mauve. J'ai ensuite passé du vernis gras bleu foncé (voir p. 333 pour le mélange des couleurs et du

vernis gras) et tiré une queue à battre pour révéler la peinture sous-jacente. Pour les techniques au chiffon et au sac, j'ai utilisé du vernis rouge sur une base rouge.

Les associations de couleurs dépendent en grande partie de l'atmosphère de la pièce et du caractère du meuble que vous décorez, mais il vaut mieux éviter les contrastes trop voyants entre la couleur de base et celle du vernis.

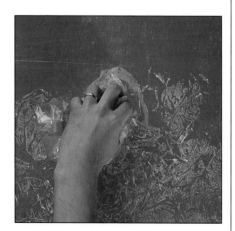

Procédé « au sac ». *Si on tamponne le vernis frais avec un sac en plastique (mouillé de térébenthine), on obtient des effets dynamiques.*

Vernis gras transparent

Mouilleur

Brosse de décorateur

Térébenthine

Couleur à l'huile bleu foncé

Colorant universel rouge

Queue à battre

MATÉRIEL ET MATÉRIAUX

Vous pouvez acheter tout fait le vernis gras ou le faire vous-même avec la recette page 332. Voyez page 333 pour le mélanger avec la couleur (couleur à l'huile ou colorant universel). Pour le tirer, utiliser une queue à battre ou toute autre brosse à soies longues. Vous pouvez utiliser une époussette moins chère que le mouilleur en soies beau blanc pour l'étape 2 du « chiffonnage ».

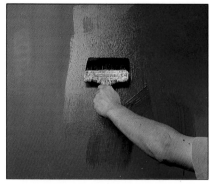

1 Appliquez à la brosse un mélange de vernis gras transparent et de couleur à l'huile bleu foncé sur une base de laque satinée, en une couche fine et égale.

2 Brossez le vernis par passes verticales avec un mouilleur ou une brosse à adoucir pour le lisser et le répartir encore plus également.

3 Posez un niveau à bulle sur le vernis frais et appuyez sur le bord ou entaillez légèrement le vernis au crayon pour donner des lignes verticales.

4 En suivant ces lignes, tirez lentement une queue à battre ou un brosse à soies longues sur le vernis, en maintenant les soies à plat.

AU CHIFFON

1 Passez du vernis gras sur la laque satinée sèche. Tamponnez ou roulez un chiffon pour obtenir un effet marbré.

2 Après une demi-heure, avec l'extrémité d'un mouilleur en soies beau blanc, tapotez le dessin du vernis pour l'estomper.

LE PEIGNE

Passez un peigne en métal ou en caoutchouc sur le vernis gras pour créer des motifs rayés. Croisez les passages à angles droits ou très aigus pour obtenir un veinage.

BOIS CÉRUSÉ

Le bois cérusé possède un lustre velouté d'un blanc délicat, un aspect veiné qui convient aussi bien aux meubles et aux petits objets qu'aux surfaces plus grandes, comme les boiseries illustrées ici (et p. 103). La céruse vient de l'Europe du XVIᵉ siècle, quand le bois était nettoyé et protégé avec une pâte caustique contenant de la chaux éteinte.

Le pigment blanc restant dans les pores du bois formait une finition décorative, et dès le XVIIᵉ siècle, la céruse devint à la mode pour le plus grand dommage des artisans dont doigts et ongles étaient attaqués par la pâte à céruser, les vapeurs toxiques raccourcissant leur espérance de vie de façon dramatique. Les produits d'aujourd'hui sont heureusement moins dangereux.

L E MÉLANGE le plus courant utilisé pour céruser le bois est la cire à céruser, pâte inoffensive de cire et de pigment. Vous pouvez la faire vous-même (voir p. 333) ou l'acheter toute faite chez les spécialistes.

Préparation
On ne peut céruser que du bois nu passé au préalable au bouche-pores à la gomme laque. Le bois verni ou teinté sera d'abord décapé ou blanchi, rincé avec un mélange à 1/10 de vinaigre et d'eau, puis poncé légèrement dans le sens du fil, et enfin passé au bouche-pores.

Le choix des bois
Seuls certains bois peuvent être cérusés avec succès. Les bois à pores ouverts sont ceux qui conviennent le mieux : le chêne, suivi du frêne. Bien que le pin ne soit pas un bois à pores ouverts, on peut le céruser si on le frotte avec une brosse mé-

tallique, en appuyant beaucoup plus fort qu'il n'est indiqué à l'étape 1, où les pores du chêne sont simplement agrandis ; suivez ensuite les étapes 2 et 3. On peut céruser du pin sculpté ou vieilli.

Le hêtre est trop dur et ses pores trop fermés pour être préparé avec une brosse métallique, mais on peut le badigeonner avec de la laque satinée diluée à 1/4 avec de l'alcool à brûler, puis frotter les parties moulurées pour donner un effet de céruse.

Autre procédé
Comme il est impossible de vernir le bois cérusé, les parties soumises à une usure intense, comme les sols et les plans de travail, devront être cérusées avec un mélange d'eau et de pigment blanc (voir p. 333), en suivant les étapes 1-3. Après séchage, passez une autre couche de bouche-pores gomme laque, suivie, après séchage, de vernis.

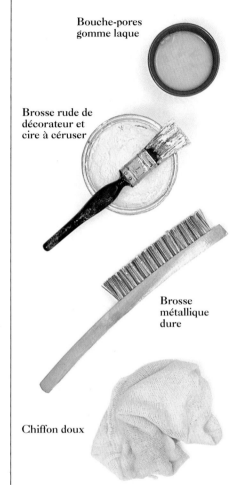

Bouche-pores gomme laque

Brosse rude de décorateur et cire à céruser

Brosse métallique dure

Chiffon doux

MATÉRIEL ET MATÉRIAUX
Le bouche-pores à la gomme laque à séchage rapide est utilisé comme fixateur pour le bois brut, avant d'ouvrir les pores avec une brosse métallique dure. On utilise une brosse de décorateur pour appliquer la gomme laque (nettoyez la brosse avec de l'alcool à brûler) et la cire à céruser (nettoyez la brosse avec de la térébenthine). Vous pouvez acheter la cire à céruser toute faite ou la faire vous-même (voir p. 332). Il vous faudra aussi des chiffons doux pour retirer le surplus de cire à céruser et pour polir la surface une fois cérusée.

1 Brossez le bois préparé à la brosse métallique, en appuyant bien. Si vous vous apercevez plus tard que les pores ne sont pas assez ouverts et que la cire n'a pas assez pénétré, brossez à nouveau. Travaillez toujours dans le sens du fil pour éviter les rayures, qui apparaîtraient en blanc.

2 Appliquez la cire à céruser avec une brosse de décorateur rude, par des mouvements circulaires pour faire pénétrer la cire dans les pores. Travaillez sur un quart de mètre carré à la fois et ne vous inquiétez pas si vous n'obtenez pas un aspect uniforme.

3 Laissez durcir légèrement la cire pendant 10 minutes environ. Tendez un morceau de chiffon entre les doigts et polissez la surface en un mouvement circulaire (le fait de tendre le tissu l'empêche de rentrer dans les pores et d'enlever la cire). Après 15 minutes polissez avec un chiffon propre.

Pin cérusé Ce plancher neuf en pin (voir aussi p. 95) a d'abord été passé au badigeon (voir pp. 252-53) puis cérusé avec un mélange d'eau et de pigment.

MOUCHETÉ

Avec un peu d'entraînement, il est facile de maîtriser la technique du moucheté, qui permet de décorer murs, meubles et petits objets avec des pointillés de peinture. Une brosse chargée de peinture est tapotée contre un tasseau, la peinture est projetée de la brosse et atterrit en pointillés sur la surface. Plus on envoie de peinture, plus la finition est riche, surtout si on utilise plus d'une couleur. Le mur rouge tomate du décor ci-dessus, a été moucheté avec du vernis gras noir, puis avec de la peinture or pour donner un aspect exotique. Si le moucheté est très dense, on imite le porphyre et le granit, page ci-contre, à droite.

Vernis à l'huile

Peinture dorée

Brosse à tableau

Brosse large

Brosse à pocher

Brosse à dents

Vernis gras transparent

Tasseau

Couleurs à l'huile

ON PEUT moucheter avec de la peinture et du vernis gras, mais aussi avec de l'encre et du vernis et obtenir quantité d'effets selon le type de brosse utilisée et la quantité de produit qu'elle contient. Pour des petits objets prenez un brosse à dents ou une brosse à pocher et diluez le medium utilisé jusqu'à consistance laiteuse.

Pour le granit, projetez de l'émulsion grise, puis blanche sur un fond gris foncé ; pour le porphyre, du violet, noir et rose sur fond rouille rouge.

Contrôle du granité

A mesure que la peinture est déchargée, les pointillés deviennent plus petits. Chaque fois que vous rechargez la brosse, secouez-la légèrement sur un chiffon jusqu'à obtention de la grosseur de pointillé désirée. Granitez alors la surface et recommencez. Pour réduire les vibrations entourez le tasseau d'un chiffon.

Préparation et vernissage

On peut graniter les surfaces peintes, nues, lisses ou texturées. Portez masque, lunettes de protection et des gants. Seules les surfaces granitées avec du vernis gras transparent demandent à être vernies. Pour dissimuler les irrégularités, utilisez du vernis mat ; pour une finition polie, du vernis brillant.

Papier « patiné » Ce papier mural neuf est verni, granité, puis passé au vernis craqueleur (voir pp. 268-69), pour lui donner un aspect patiné.

MATÉRIEL ET MATÉRIAUX

Il faut des brosses (des vieilles, que vous pouvez maltraiter sans remords) et un tasseau (pour tapoter la brosse). Colorez le vernis gras avec des couleurs à l'huile (voir p. 333). La peinture dorée se trouve dans le commerce. Pour des petits objets utilisez une petite brosse à soies raides (une brosse à dents est parfaite) et du vernis à l'huile teinté avec des couleurs à l'huile (utilisées page ci-contre), encre, vernis gras teinté ou peinture (diluée si nécessaire).

MOUCHETÉ

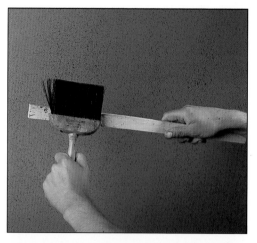

1 *Avant de commencer, chargez une brosse avec du vernis gras et projetez la peinture en excès sur un chiffon. Tenez ensuite la brosse parallèle au mur et tapez la virole contre le tasseau. Le vernis sera projeté en pointillé. Répétez jusqu'à obtention d'un moucheté également réparti sur le mur ; recommencez sur les parties insuffisamment recouvertes.*

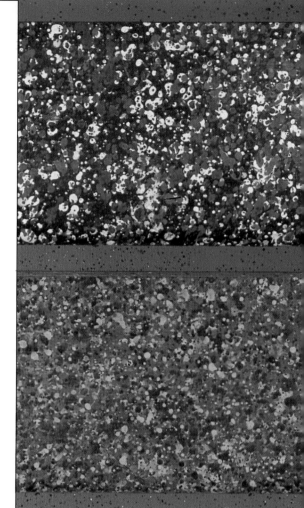

2 *Quand le vernis noir est sec, utilisez une petite brosse pour projeter des pointillés de peinture dorée, sans les serrer. Comme pour l'étape 1, chaque fois que vous rechargez la brosse, commencez par projeter la peinture en excès sur un journal ou un chiffon.*

Petites surfaces *Trempez les soies d'une brosse à dents ou à pocher dans du vernis teinté ou de la peinture et raclez-les vers vous avec le pouce.*

VIEILLIR & PATINER

Les techniques pour vieillir et patiner permettent d'imiter les effets du temps sur la peinture, le bois, le plâtre, le plastique, le métal et même le papier. Bien qu'il puisse sembler curieux de vouloir donner un aspect usé à une peinture ou du plâtre neuf, une finition patinée crée une atmosphère douce et chaleureuse et aide à fondre nouveaux et anciens matériaux. Cette partie indique comment obtenir avec cire ou vernis une patine antique, vieillir instantanément peinture fraîche, ornements ou murs en plâtre neuf et créer un réseau de craquelures sur la peinture. Les trois premières techniques peuvent être utilisées séparément ou pour obtenir un effet complexe, ajoutées dans l'ordre où elles sont données.

Ce moulage en plâtre neuf a reçu une patine antique avec de la gomme laque et de la cire à céruser

Les chevaliers en résine sont vieillis en suivant la technique pages 266-67 et patinés avec de la cire comme indiqué pages 270-71

Le réseau de fines craquelures est obtenu avec du vernis craqueleur et un moucheté à l'encre brun foncé donne l'apparence de chiures de mouches

Un fin moucheté de vernis
teinté en brun a permis de
donner au cheval à bascule
une finition patinée

On utilise des cires à patiner
pour adoucir la couleur du bougeoir
en bois et du morceau
de lincrusta peint

Peinture vieillie sur bois,
à gauche, et peinture craquelée,
ci-dessous

265

VIEILLIR LE BOIS PEINT

Il n'est pas toujours facile d'établir, dans un décor comportant de vieux meubles ou associant le neuf et l'ancien, un lien visuel entre ces derniers éléments et la peinture des structures de la pièce : portes, cimaises, plinthes et boiseries. On peut tricher en réalisant sur ces structures (et meubles) un aspect usé et fané, qui donnera à la pièce son unité. La formule en est simple : plusieurs couches de peinture, de la cire et du papier de verre. Les associations de couleurs utilisées ici sont le bleu vert traditionnel, typiquement scandinave (voir pp. 86-9), mais il existe des variantes plus toniques (voir pp. 108-11).

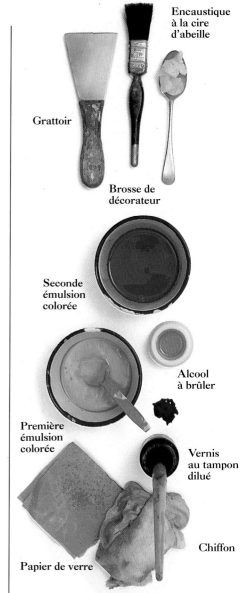

Encaustique
à la cire
d'abeille

Grattoir

Brosse de
décorateur

Seconde
émulsion
colorée

Alcool
à brûler

Première
émulsion
colorée

Vernis
au tampon
dilué

Chiffon

Papier de verre

MATÉRIEL ET MATÉRIAUX
Utilisez de la cire d'abeille ou de la vaseline pour empêcher la peinture d'accrocher et donner un aspect écaillé et ayez sous la main quantité de chiffons et du papier de verre (du moyen et du fin). Diluez le vernis à l'alcool avec de l'alcool à brûler.

ETTE TECHNIQUE a l'avantage de pouvoir être appliquée aussi bien sur du bois neuf que du vieux. Il faudra cependant préparer le bois déjà traité : pour un vieux meuble en pin, commencez par retirer l'accumulation de cire en le frottant avec de la térébenthine ou du white spirit, puis avec un détergent concentré. Si le meuble est verni ou peint, poncez-le bien pour enlever le maximum et unifier la surface. Il vaut mieux, en fait, le décaper complètement.

Peintures à l'eau
Ici, la technique utilise de l'émulsion à base d'eau (plutôt qu'une peinture à l'huile), ce qui est peu courant aujourd'hui,mais reste traditionnel. Autrefois, les meubles étaient généralement peints avec des couleurs à l'eau, des badigeons à base de vinaigre ou de bière, des peintures liées à la caséine (dérivé du lait ressemblant à du latex), ou des peintures au gesso (pigments liés dans un mélange de craie et de colle).

L'aspect complexe de cette finition contredit la simplicité de la technique et des matériaux utilisés. Cela n'a pas d'importance si les fibres du bois se soulèvent par l'action de l'eau, puisqu'il sera poncé.

Finitions
Cette technique donne au bois un aspect écaillé, fané et rugueux, mais pour empêcher qu'il ne s'abîme réellement, protégez-le avec du vernis. Vous pouvez aussi utiliser de l'encaustique à la cire d'abeille, qui fera briller la peinture.

Les étapes indiquées page ci-contre permettent d'obtenir une finition pour le bois, mais vous pouvez obtenir un effet encore plus spectaculaire en la faisant suivre de celles illustrées pages 268-69, qui concernent les craquelures inspirées des céramiques anciennes.

1 Foncez le bois avec une couche de vernis au tampon brun moyen (diluée à 1/2 avec de l'alcool à brûler). Évitez toute teinture, qui pénétrerait dans les fibres.

2 Après séchage, appliquez des particules de cire ou de vaseline avec un petite brosse. Allongez quelques-unes avec le doigt, dans le sens du fil.

3 Laissez la cire sécher au moins 12 heures avant d'appliquer une couche généreuse d'émulsion. N'appuyez pas sur la brosse pour ne pas retirer la cire.

4 Laissez sécher entièrement (une journée là où il y a de la cire ou de la vaseline). Appliquez la seconde couleur, en diluant l'émulsion à 1/3 avec de l'eau.

5 Une demi-heure plus tard, commencez à frotter pour révéler le vernis sous-jacent. Enlevez le maximum de cire ou de vaseline avec un chiffon et un grattoir si nécessaire.

6 Pour adoucir les bords, retirez davantage de peinture et « liez » les parties dénudées, poncez soigneusement avec du papier de verre à grain moyen, puis à grain fin.

VARIANTE

Vous pouvez vous arrêter à l'étape 6 ou continuer pour un effet encore plus subtil, en recouvrant la surface avec un badigeon de la couleur verte originale, comme ci-dessus (dilué à 1/4 avec de l'eau), ou d'un autre ton.

CRAQUELURES

La plupart des meubles et objets fraîchement peints, les moulures et même certaines pièces anciennes peuvent être mis en valeur par la splendeur un peu fanée d'une finition craquelée. Les craquelures furent inventées en France, au XVIIIe siècle, inspirées par la finition des faïences orientales et des céramiques japonaises Raku. Pour accentuer encore la patine d'une finition craquelée, ajoutez délicatement des taches de mouches ici et là, comme sur le papier peint qui forme le fond de ces pages. Pour des craquelures moins serrées, voir page 192.

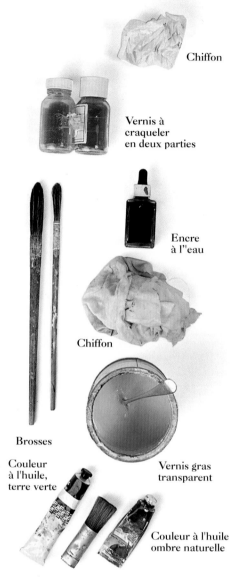

Chiffon

Vernis à craqueler en deux parties

Encre à l''eau

Chiffon

Brosses

Couleur à l'huile, terre verte

Vernis gras transparent

Couleur à l'huile ombre naturelle

Brosse à pocher

DEUX vernis, vendus ensemble, réagissent l'un sur l'autre pour produire les craquelures. On commence par appliquer un vernis souple, séchant lentement, puis un second vernis à base d'eau et séchant rapidement. La difficulté est de savoir à quel moment appliquer le second vernis, quand le premier est encore très légèrement collant. Les craquelures produites par la réaction de ces deux vernis sont si ténues qu'elles sont presque imperceptibles, jusqu'à ce que la poussière s'y incruste ou comme ici, un colorant, vernis gras teinté, frotté dans les craquelures (voir étapes 3 et 4).

Le vernis à craqueler ne convient pas pour les profonds reliefs, où il s'accumulerait et ne pourrait sécher également.

CHIURES DE MOUCHES

1 *Pour imiter les chiures de mouches sur une finition craquelée (ou n'importe quelle surface peinte), projetez de l'encre posée sur une brosse à pocher.*

2 *Après deux minutes, tamponnez les taches d'encre sans les étaler avec un chiffon absorbant pour laisser des petits points de couleurs.*

MATÉRIEL ET MATÉRIAUX
Le vernis à craqueler se présente en deux éléments (voir p. 224). L'un est à base d'huile (souvent appelé vernis à vieillir), l'autre à base d'eau. Pour faire votre propre version très efficace, voir page 332. Mélangez du vernis gras transparent à 1/1 avec des couleurs à l'huile couleurs de terre (ici terre verte et ombre naturelle) pour teinter les craquelures. Utilisez de l'encre à base d'eau et une brosse à dents pour les chiures de mouches.

1 Appliquez le vernis à l'huile avec une brosse douce (un putois est parfait). Passez une mince couche parfaitement égale pour que toute la surface sèche en même temps. Laissez le vernis sécher jusqu'à ce qu'il soit légèrement collant ; puis passez à l'étape 2. (Il est bon de tester le temps de séchage avant).

2 Passez une bonne couche de vernis à base d'eau avec un putois. Couvrez bien la première couche. Laissez sécher, environ une heure. Les craquelures vont apparaître et, si nécessaire, vous pouvez les accentuer en chauffant le vernis avec un sèche-cheveux.

3 Pour mettre en valeur les craquelures et patiner le vernis, frottez du vernis gras coloré sur toute la surface, avec vos doigts ou un chiffon. Les couleurs de terre donnent une meilleure patine. J'ai utilisé un mélange de couleurs à l'huile terre verte et terre d'ombre naturelle mais vous pouvez essayer des couleurs plus vives.

4 Enlevez la plus grande partie du vernis gras avec un chiffon, en en laissant dans les craquelures. Laissez sécher plusieurs jours. Ce vernis étant soluble à l'eau, vous devez soit le protéger avec un vernis à l'huile, soit le retirer avec une éponge humide en ne laissant de couleur que dans les craquelures.

PATINE

Ce procédé utilise un médium à patiner translucide (vernis ou cire), pour donner l'aspect de l'âge aux surfaces peintes. Vernis ou cire sont colorés avec un pigment neutre (généralement du brun), qui représente le dépôt formé au cours des années par les salissures et la poussière sur une surface maintes et maintes fois encaustiquée. En estompant les couleurs et en usant certaines parties, on donne au bois peint une beauté et une douceur qu'il acquiert naturellement avec les années. Le soubassement en pin neuf de la page ci-contre a reçu une finition vieillie (voir pp. 266-67) puis est patiné au vernis ; les boiseries ci-dessus sont patinées à la cire.

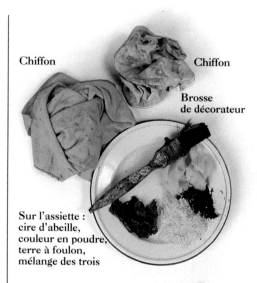

Chiffon   Chiffon

Brosse de décorateur

Sur l'assiette : cire d'abeille, couleur en poudre, terre à foulon, mélange des trois

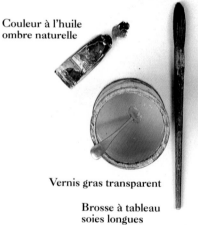

Couleur à l'huile ombre naturelle

Vernis gras transparent

Brosse à tableau soies longues

CONTRAIREMENT à l'habitude il vaut mieux que la surface soit rugueuse, le medium à patiner faisant plus d'effet s'il se loge dans les rayures, marques de coups et pores ouverts. Si une surface est neuve, poncez-la ou passez-la à la brosse métallique (pp. 268-69).

Pour les surfaces lisses, utilisez la technique du vernis adouci pages 256-57.

Cire contre vernis

Le choix de votre medium dépend de la finition désirée et de considérations pratiques. On obtient un beau brillant patiné avec les surfaces cirées. La cire d'abeille peut se colorer avec des couleurs à l'huile ou des couleurs en poudre, a une odeur agréable et protège le bois.

Le vernis à patiner, d'un autre côté, donne une finition translucide incomparable. Mais comme il ne devient pas très dur, il demande une couche protectrice. Pour les parties soumises à un usage inten-sif prenez du vernis à l'huile et ajoutez-lui de la couleur à l'huile.

Autres méthodes de patine

Pour un aspect plus opaque et plus velouté, recouvrez les surfaces peintes avec un badigeon léger d'émulsion diluée à 1/4 avec de l'eau ou de laque satinée diluée à 1/4 avec du white spirit.

Peinture « ancienne » Laque satinée bleue puis laque diluée vert sauge pour un aspect ancien et velouté.

MATÉRIEL ET MATÉRIAUX

Les couleurs qui imitent le mieux la poussière et les salissures sont la terre d'ombre naturelle et la terre de Sienne naturelle. Pour du vernis à patiner faites un mélange à 1/8 de couleurs à l'huile et de vernis gras transparent.

Ajoutez le vernis lentement à la couleur à l'huile (voir p. 333). Pour la cire à patiner mélangez un peu de couleur à l'huile, de couleur en poudre et de terre à foulon ou de tripoli avec de la cire d'abeille et un peu de térébenthine (voir p. 228). Les couleurs en poudre sont très toxiques (voir p. 325). Utilisez une brosse à tableau à soies longues, pour faire rentrer le médium à patiner dans tous les recoins.

UTILISATION DU VERNIS À PATINER

1 *Appliquez le vernis à patiner, passez une mince couche sur toute la surface et dans chaque rainure et fissure. Utilisez un putois à soies longues ou une petite brosse de décorateur.*

2 *Essuyez délicatement le vernis frais en un mouvement circulaire, en tournant le chiffon pour présenter toujours du tissu propre. Ne laissez qu'un voile de couleur sur la surface, mais sans toucher au vernis dans les rainures.*

1 *Passez la cire à la brosse, comme vous le feriez avec le vernis, en remplissant chaque rainure et en recouvrant toute la surface.*

2 *Après 10 minutes, enlevez la plus grande partie de la cire en frottant, ne laissez qu'un fin voile. Attention à ne pas ôter la cire des rainures.*

Finition *Pour protéger la surface quand elle est sèche, passez une couche de vernis mat à base d'huile ou de cire d'abeille. Pour patiner encore davantage, teintez le vernis ou la cire avec des couleurs à l'huile avant de l'appliquer.*

3 *Le lendemain, polissez la fine couche de cire pour lui donner une patine ancienne et veloutée. (Cette technique peut être utilisée seule ou sur du vernis à patiner bien sec, pour rehausser la couleur.*

PLÂTRE PATINÉ

L'aspect poudreux et sévère des moulures en plâtre blanc demande souvent à être amélioré. La métamorphose d'une corniche neuve, d'un renfoncement, un panneau ou un moulage comme celui de la page ci-contre (qui sert d'abat-jour dans la Salle de bains Biedermeier p. 63) est rapide et facile. Avec quelques matériaux et produits simples vous obtiendrez une délicate patine antique et une finition rappelant celle du marbre fin ou de l'albâtre. Les résultats sont si remarquables qu'ils engagent à rechercher d'autres moulages en plâtre pour en faire des décorations murales.

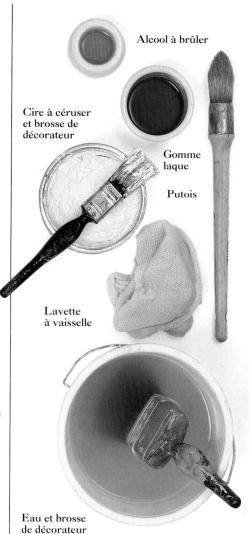

Alcool à brûler

Cire à céruser
et brosse de
décorateur

Gomme
laque

Putois

Lavette
à vaisselle

Eau et brosse
de décorateur

L A GOMME laque est utilisée pour empêcher le plâtre d'adhérer au moule. Ici, elle sert à ajouter couleur et texture à du plâtre neuf, non peint.

L'action du produit

Les matériaux nécessaires sèchent rapidement : la gomme laque en quelques minutes et la cire à céruser en une demi-heure. La gomme laque est en partie soluble dans l'eau et une surface poreuse comme le plâtre, mouillé au préalable, l'absorbera pour donner une finition douce et mate. Si vous appliquez une seconde couche de gomme laque quelques minutes après la première (voir étape 2), elle séchera en donnant un surface brillante et nettement colorée.

Choix des techniques

La gomme laque existe en couleurs allant du brun à l'orange. On peut aussi utiliser du vernis à l'alcool (voir p. 225) ou teinter de la cire à céruser avec de la couleur à l'huile.

Le plâtre peint doit d'abord être décapé. Comme cela prend beaucoup de temps, vous pouvez travailler sur une couche d'émulsion pour obtenir un résultat similaire. Faites une solution à 1/2 de gomme laque et d'alcool à brûler et appliquez avec parcimonie, comme dans l'étape 2. Suivez les étapes 3 et 4, mais n'espérez pas obtenir le même satiné et la même profondeur de couleur.

Transformation. *Avec les étapes 1-4, le plâtre neuf et blanc, à gauche, prend le satiné velouté du plâtre patiné.*

MATÉRIEL ET MATÉRIAUX

Vous pouvez acheter la cire à patiner ou la faire vous-même (voir p. 332). La gomme laque se trouve en plusieurs consistances, choisissez-la sirupeuse et diluez-la à 1/1 avec de l'alcool à brûler pour pouvoir la travailler plus facilement et la rendre plus claire. Appliquez la gomme laque avec une brosse pointue, un putois par exemple (voir p. 208).

1 A moins que le plâtre soit très frais et donc très mouillé, vous devez l'humidifier pour le préparer pour la gomme laque. Pour cela passez de l'eau dessus plusieurs fois avec une brosse, vous serez surpris de voir à quelle rapidité l'eau est absorbée. Pour une corniche, traitez une seule partie de la pièce à la fois.

2 Le plâtre encore humide, passez la gomme laque diluée à la brosse rude dans toutes les parties sculptées, en tapotant (évitez les larges coups de pinceau qui se verraient ensuite). Appliquez une seule couche pour une surface mate et marbrée, et une seconde couche quelques minutes plus tard si vous préférez une couleur plus riche.

3 Laissez sécher la gomme laque pendant 10 minutes environ, puis passez la cire à céruser en insistant bien sur tous les creux et les interstices, pour éviter les « trous » sombres dans la finition. Posez une couche égale de cire en la répartissant bien ou diluez le mélange sur la surface avec de la térébenthine.

4 Prenez aussitôt un chiffon absorbant et frottez les parties en relief du moulage pour retirer un peu de cire en révélant la gomme laque en dessous. Sur les surfaces planes tamponnez avec le chiffon en retirant la plus grande partie de la cire. Laissez sécher au moins une demi-heure avant de faire briller.

MURS EN PLÂTRE VIEILLI

Même s'il peut sembler légèrement sadique de vouloir abîmer et vieillir un mur plat et bien lisse, le procédé lui donnera texture et caractère. Le plâtre effrité du mur à gauche (voir aussi p. 167) confère au balcon un air de grandeur un peu décadente parfait pour le décor. (Voir aussi la chambre médiévale p. 123 et le studio vénitien p. 145.) Cette technique vous permettra d'introduire ce style, en un geste quelque peu théâtral, pour une salle à manger, une chambre, une entrée.

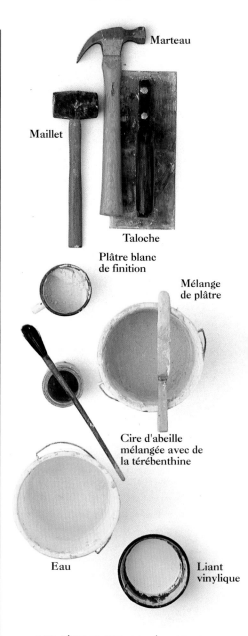

Marteau

Maillet

Taloche

Plâtre blanc de finition

Mélange de plâtre

Cire d'abeille mélangée avec de la térébenthine

Eau

Liant vinylique

CETTE TECHNIQUE utilise la cire avec une méthode de « repoussage » identique à celle utilisée pages 266-67. La cire, chauffée au préalable, est appliquée par endroits avant de plâtrer, ce qui empêche le plâtre d'adhérer. Lorsque ce dernier est sec, on peut le retirer, ce qui laisse un aspect écaillé très convaincant.

Préparation du mur

Le plâtre peut s'appliquer sur un mur déjà plâtré, peint ou non. La couleur de la peinture apparaîtra à travers les déhirures et, si vous préférez un aspect neutre, le mur doit être de la même couleur que le plâtre. Avant de poser la cire, passez une couche de liant vinylique mélangé à 1/1 avec de l'eau.

Choix du plâtre

Pour cette technique utilisez du plâtre blanc fin de finition. Son temps de prise est plus lent que celui des autres plâtres et, comme il est blanc, on peut le teinter avec de la couleur en poudre quand on le mélange avec l'eau (voir p. 333) ou le passer au badigeon de couleur quand il est sec (voir pp. 248-51). Mélangez le plâtre avec l'eau en suivant les' instructions du fabricant et ajoutez 1% de liant vinylique, qui aidera le plâtre à adhérer à la surface.

Application du plâtre

Une couche de plâtre de quelques millimètres est relativement facile à appliquer. Si vous avez déjà posé du plâtre, vous savez combien il est difficile d'obtenir une surface vraiment unie, sans bosses et sans creux, mais ici les irrégularités sont au contraire nécessaires. Tenez la taloche légèrement en biais pour que seul le bord qui tire le plâtre touche le mur.

Autre finition

Vous pouvez remplacer le plâtre par un enduit vinylique à lisser (magasins de bricolage), beaucoup plus facile à travailler. Appliquez-le au pinceau, puis lissez-le avec un couteau à enduire quand il est presque sec. Une fois sec, cet enduit s'épluchera plutôt que s'écaillera, en donnant une texture un peu moins vétuste.

MATÉRIEL ET MATÉRIAUX

Le liant vinylique permet de fixer et de protéger la surface et il faut en ajouter 1% du volume au mélange de plâtre et d'eau. Le plâtre est posé à la truelle; pour de grandes surfaces, vous pouvez investir dans une taloche (support pour le plâtre prêt à être étalé). Il est conseillé de porter des lunettes de protection pour l'étape 5, le plâtre risquant d'être projeté dans tous les sens.

1 *Fixez la surface avec du liant vinylique mélangé à 1/1 avec de l'eau et laissez sécher. Ici le fond est coloré, mais ce n'est pas nécessaire.*

2 *Chauffez doucement cire d'abeille et térébenthine en quantité égale au bain-marie ; posez à la brosse par endroits sur le mur.*

3 *Pendant que la cire est encore souple, passez le plâtre avec des mouvements larges en arc, pour couvrir toute la surface d'une fine couche.*

4 *Quand le plâtre commence à prendre, jetez de l'eau propre sur le mur avec une brosse et lissez les arêtes à la taloche mouillée.*

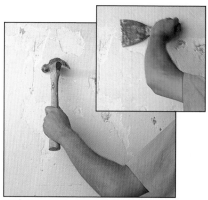

5 *Laissez le plâtre sécher une journée. Tapez ensuite avec un marteau ou un maillet pour faire tomber le plâtre des parties cirées, puis grattez.*

6 *Poncez légèrement la surface pour adoucir les arêtes. Protégez avec une couche de liant vinylique dilué à 1/4 avec de l'eau.*

IMITATIONS

Les imitations transforment l'aspect d'une surface et trompent le regard en la faisant passer pour ce qu'elle n'est pas. Vous trouverez dans cette partie toutes les techniques pour donner des effets de pierre, marbre, bois, rouille, or et même cuir, ainsi que des idées pour les employer.
Les finitions « fausses », tout en intégrant des matériaux ordinaires comme le plastique et l'isorel, dans un même décor richement ornementé, permettent également d'ajouter un élément inattendu, comme une finition de plomb foncé pour un mur, ou de la terre cuite veloutée pour des plinthes.

La feuille d'or sur une moulure en bois et un ornement en plastique, peut être posée ici ou là au hasard, en révélant la couleur de la peinture sous-jacente.

Le sable permet d'imiter la rouille, ci-dessous

Finition pierre exécutée avec de l'émulsion, ci-dessus, et effet de bois obtenu avec un simple badigeon fait maison, à gauche

Ces formes en isorel à la texture
de cuir et aux couleurs inhabituelles
se trouvent dans les panneaux
muraux, page 133

Marbre jaune de Sienne
ci-dessous, et marbre
granitique, en bas,
sont des finitions élaborées

Ornement
en plastique
finition
plâtre

Les effets terre cuite, ci-dessus,
et vert-de-gris, à droite,
sont obtenus par la reproduction
exacte des couleurs et par
superpositions de couches.

PIETRA SERENA

Rien n'égale la texture de la pierre pour ajouter force et densité à un intérieur. Mais la vraie pierre n'est pas indispensable, puisqu'on peut parfaitement l'imiter sur toutes sortes de matériaux, dont le bois, le plastique et le plâtre (voir le décor florentin, à gauche et p. 137).
La pierre imitée ici est la pietra serena, marbre grossier qui, au cours des ans, passe du gris à un brun-ombre brûlée velouté. C'était autrefois le matériau courant des grands bâtiments florentins de la Renaissance et sa couleur particulière (souvent copiée par les décorateurs à l'extérieur pour le stuc et la pierre) peut ajouter un certain panache italien et une touche historique aux décors d'intérieur.

Émulsion blanche diluée et stryper

Alcool à brûler

Pâte à texturer

Laque satinée de base et brosse de décorateur

Brosse de décorateur

Blanc de Meudon

Chiffon

MATÉRIEL ET MATÉRIAUX
On utilise de la laque satinée pour la couche de base et de l'émulsion diluée avec de l'eau pour les lignes de veinage. La pâte à texturer est faite de peinture émulsion et de blanc de Meudon ; ajoutez le blanc de Meudon jusqu'à ce que le mélange commence à épaissir, il doit se tenir sans couler.
Utilisez une brosse de décorateur (voir pp. 208-209) pour appliquer la couche de base et la pâte, et un stryper ou pinceau à remplir pour le veinage.

LES CARACTÉRISTIQUES de cette pierre : couleur chaude, texture changeante et veines claires, peuvent être imitées avec des matériaux simples.

Pour reproduire la couleur de la *pietra serena*, commencez par une couche de base foncée de laque satinée gris-brun. Si vous ne trouvez pas la couleur qui convient, ajoutez lentement de la laque gris foncé à de la laque brun-terre d'ombre (si vous faites le mélange inverse, vous obtiendrez une couleur trop froide et trop bleue). La laque satinée peut être appliquée sur la plupart des surfaces, si elles ont reçu la primaire qui convient (voir les surfaces pp. 232-45). Eliminez au préalable toute texture existante.

Texture de pierre
Pour imiter la surface texturée et usée de la pierre, commencez par appliquer une couche épaisse d'une pâte faite de peinture émulsion gris pâle et de blanc de Meudon. Après séchage, frottez avec de l'alcool à brûler. Ce dernier va ramollir la pâte là où elle est plus épaisse et la retirer aux autres endroits pour révéler des taches de couleur de la couche de base de laque satinée lisse, en donnant l'impression d'une pierre usée par l'érosion. Ajoutez enfin des lignes minces pour imiter le veinage blanc, caractéristique de la pierre. Protégez la surface terminée avec une couche de vernis à l'huile mat.

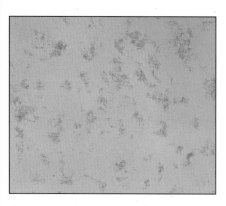

Imitation de pierre calcaire
Suivez les étapes 1-4, mais avec une pâte à texturer beige crème.

1 Appliquez une couche épaisse de pâte à texturer sur la couche de base laque satinée gris-brun foncé. Tirez la brosse du milieu vers l'extérieur pour produire une texture granitée avec des reliefs. Laissez sécher, ce qui peut prendre deux jours si l'atmosphère est humide.

2 Trempez un chiffon dans de l'alcool à brûler. Le chiffon formant un tampon, frottez la surface fermement en un mouvement circulaire. L'alcool ramollit les reliefs de la pâte pour donner l'impression d'une pierre usée grossièrement taillée. La couche de base gris-brun va se révéler aussi par endroits.

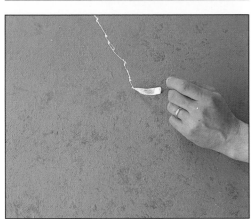

3 Tirez un stryper ou un pinceau à remplir sur la surface pour produire des veines fines et inégales. Utilisez de l'émulsion diluée à 1/1 avec de l'eau.

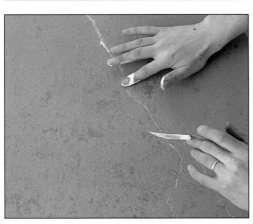

4 Le stryper dépose par endroits des petits amas de peinture ; effacez-en certains aussitôt avec les doigts. Effacez les autres quand ils sont à moitié secs, de façon à laisser des cercles et des ombres de peinture blanche. En estompant ainsi la ligne ici et là ,elle donnera l'impression d'une veine se prolongeant jusqu'au cœur de la pierre.

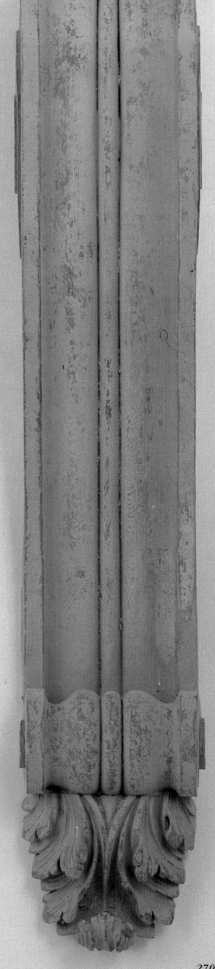

GRÈS

Cette technique remonte au XVIIIe siècle, quand on imitait à l'intérieur avec de la peinture les finitions d'extérieur. Mais alors que les méthodes anciennes se contentaient de suggérer, dans les immenses entrées et escaliers des grandes demeures, des matériaux comme le grès, cette technique donne une finition plus subtile convenant pour des pièces de proportions modestes. Avec ce procédé vous obtiendrez une finition granulée et poudreuse et la texture du matériau qu'elle imite. Je l'ai utilisé pour le mur du décor écossais ci-dessus et page 155. Non seulement l'effet est amusant à reproduire, mais le résultat spectaculaire ajoute du caractère au décor.

C OMMENCEZ par peindre le mur avec une couche de base d'émulsion blanche. S'il est déjà peint en blanc, assurez-vous qu'il est propre et que la peinture n'est pas écaillée.

Si vous appliquez une nouvelle couche de base, passez la peinture sans précautions particulières, puisqu'elle sera en grande partie dissimulée par l'émulsion et le vernis des étapes 2 et 3.

Texture et couleur

Comme l'effet de cuir pages 282-3, l'effet de grès est créé en superposant textures et épaisses couches de peinture. La texture est rehaussée avec du vernis gras transparent coloré.

On utilise de la laque satinée diluée pour ajouter un fin voile de couleur, qui estompe les teintes précédentes et donne une impression encore plus réaliste. La surface est ensuite légèrement poncée pour révéler certaines nuances sous-jacentes.

Protection

La laque satinée diluée appliquée à l'étape 3 va donner au vernis gras en dessous une protection suffisante pour la plupart des pièces. Cependant, pour une entrée par exemple, vous pouvez ajouter un vernis mat.

Conseils spécifiques

Passez une couche très épaisse d'émulsion en la tapotant brosse « debout » (étape 2). Si la surface ne paraît pas assez texturée, recommencez cinq minutes plus tard. Plutôt que de tapoter la brosse sur tout le mur à la fois, faites chaque « pierre » séparément. Faites un ou deux angles incurvés pour les joints de mortier, mais pas davantage.

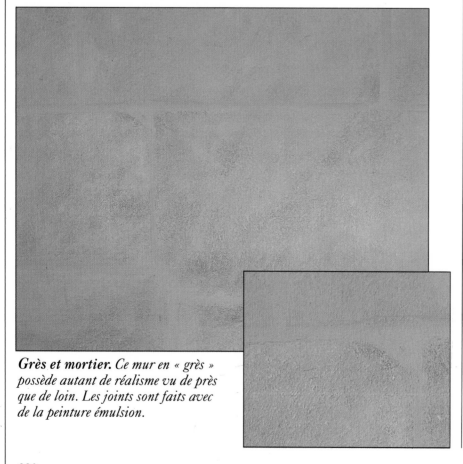

Grès et mortier. *Ce mur en « grès » possède autant de réalisme vu de près que de loin. Les joints sont faits avec de la peinture émulsion.*

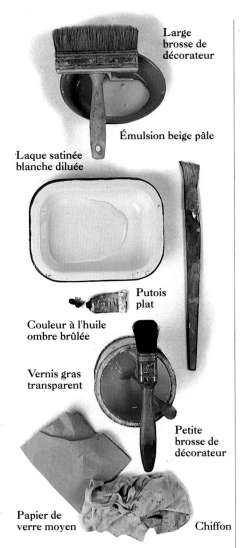

Large
brosse de
décorateur

Émulsion beige pâle

Laque satinée
blanche diluée

Putois
plat

Couleur à l'huile
ombre brûlée

Vernis gras
transparent

Petite
brosse de
décorateur

Papier de
verre moyen

Chiffon

MATÉRIEL ET MATÉRIAUX

*Il faut deux brosses de décorateur
(une large et une petite), un putois
plat (ou une brosse à tableau plate),
un chiffon et du papier de verre
moyen. Mélangez le vernis gras
transparent avec de la couleur à
l'huile brune (voir p.333) et diluez la
laque satinée blanche avec un peu de
térébenthine. Vous pouvez obtenir des
effets différents en appliquant plus
d'une couleur d'émulsion à l'étape 2.*

1 *Dessinez des formes de pierre
irrégulières sur une couche
d'émulsion blanche sèche. Laissez
l'épaisseur des joints entre chaque
pierre (étape 6).*

2 *Avec un spalter à soies rudes,
passez l'émulsion beige pâle,
brosse « debout », en tapotant.
Arrêtez-vous presque à ras des lignes
de crayon.*

3 *Après séchage, passez du vernis
gras transparent mélangé avec
de la couleur à l'huile brune.
Attendez 5 minutes, puis essuyez le
vernis avec un chiffon.*

4 *Après séchage du vernis (une
journée parfois), appliquez de la
laque blanche diluée pour donner
une fine couche égale de couleur et
laissez sécher une journée.*

5 *Quand la peinture est sèche,
poncez toute la surface avec du
papier de verre moyen, ce qui
révélera l'émulsion beige pâle
appliquée à l'étape 2.*

6 *En suivant les intervalles entre
les « pierres », peignez les joints
de mortier entre chaque pierre
avec de l'émulsion gris pâle et
un putois.*

CUIR

La riche texture des cuirs travaillés médiévaux donne une splendeur spectaculaire à un décor. Les techniques d'imitation cuir permettent d'obtenir les mêmes effets somptueux (illustrés page ci-contre), mais également un résultat plus subtil, comme sur les panneaux bleus et roses du décor Tudor (ci-contre à gauche et page 133). J'ai élaboré cette méthode à partir d'une découverte accidentelle d'une de mes élèves, qui apprenait à patiner une surface peinte et texturée. Au lieu de passer la peinture à la brosse normalement, elle donnait de petits coups de pinceau en le tournant dont le dessin apparut ensuite sous la patine.

Terre d'ombre naturelle

Terre d'ombre brûlée

Brosse de décorateur

Papier de verre

Vernis gras transparent

Chiffon

LES TECHNIQUES de finition cuir peuvent s'appliquer à n'importe quelle surface propre et bien dégraissée.

« Cuir repoussé »

On utilise ici un cache en forme d'obélisque, en carton, et on l'utilise comme guide pour peindre, et pour protéger la première couleur d'émulsion (étape 1) de la seconde, pour laquelle la brosse est passée à petits coups tournants en donnant des dessins de vieux cuir.

Votre choix de couleurs variera selon l'aspect plus ou moins fantaisie que vous voulez donner au cuir. Pour obtenir une finition réaliste, utilisez des peintures émulsion cuivre et marron, ainsi qu'un mélange de couleurs à l'huile terre d'ombre naturelle et brûlée ou terre de Sienne brûlée pour colorer le vernis gras transparent.

Pour du cuir non « repoussé » suivez les étapes 1-5 page ci-contre, sans utiliser de cache, en peignant et texturant toute la surface.

Effets nuancés

La finition plus douce des panneaux du décor Tudor (page 133) est obtenue en appliquant de la couleur à l'huile marron mélangée avec du vernis gras sur des couches de base d'émulsion rose et bleu, texturées comme indiqué dans l'étape 2

Touches finales

On peut laisser l'une ou l'autre finition en mat, ou la frotter avec de la cire d'abeille. Protégez avec du vernis satiné.

Cache II est découpé dans de la carte de Lyon (voir pp. 214-15).

MATÉRIEL ET MATÉRIAUX

Utilisez une petite brosse de décorateur pour appliquer les deux nuances d'émulsion. La peinture doit être assez épaisse pour pouvoir la texturer. Si elle glisse sur elle-même, ajoutez-lui un peu de blanc de Meudon. Mélangez un peu de couleurs à l'huile ombre naturelle et Sienne brûlée à 1/1 avec du vernis gras transparent. Portez des gants si vous travaillez sur une large surface (voir tableau pp. 324-27). Utilisez du papier fort ou l'envers d'un morceau de papier de verre pour l'étape 5.

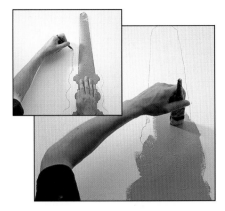

1 *Tracez un trait assez lâche autour du cache ; passez l'émulsion cuivre, brosse debout, sur la partie tracée en une texture épaisse et irrégulière. Laissez sécher 24 h.*

2 *Remettez le cache dans sa position de départ. Appliquez une couche épaisse d'émulsion marron, en faisant « tourner » la brosse tout autour du cache.*

3 *Retirez le cache et laissez sécher 24 heures. Frottez ensuite avec un mélange à 1/1 de couleur à l'huile et de vernis gras transparent.*

4 *Avec un chiffon essuyez doucement l'excès de vernis, en laissant le reste dans les creux du relief produit par l'émulsion.*

5 *Pour révéler par endroits les couches sous-jacentes, frottez doucement les reliefs (dont l'obélisque) avec l'envers d'un morceau de papier de verre.*

6 *L'obélisque, qui n'était pas peint avec l'émulsion marron de l'étape 2, va apparaître plus clair. Pour donner à la forme un contour plus précis, retracez-le avec un crayon.*

TERRE CUITE, PLÂTRE & PLOMB

La patine usée du vieux plomb, la chaleur de la terre cuite et la surface poudreuse du plâtre brut rosé possèdent une caractéristique commune. Toutes sont des finitions minérales provenant de transformations chimiques du matériau brut, que l'on peut imiter avec une brosse, une éponge et de l'émulsion. La technique simple et rapide indiquée ci-contre donne une finition terre cuite ; il suffit d'utiliser d'autres couleurs d'émulsion pour imiter le plâtre et le plomb.

CETTE TECHNIQUE utilise les marques imprécises que peuvent laisser une éponge et une brosse et n'est donc possible que sur de larges surfaces. La coulure de peinture ici ou là faisant partie de la finition, il faut travailler sur des surfaces verticales ou des objets que l'on peut mettre debout.

Le mur et la plinthe du décor ci-dessus et le large encadrement à droite page ci-contre, offrent une finition terre cuite ; voir page 183 la finition plâtre et page 127 la finition plomb. Terre cuite, plâtre et plomb partagent tous trois une sorte de velouté sec que seules peuvent imiter des peintures à base d'eau comme l'émulsion, qui sèchent en donnant une finition mate. Le soubassement d'une entrée, un mur de salle de bains, seront protégés par un vernis extra mat à base d'huile ou du vernis mat acrylique. N'utilisez pas de vernis brillant qui gâcherait l'effet velouté.

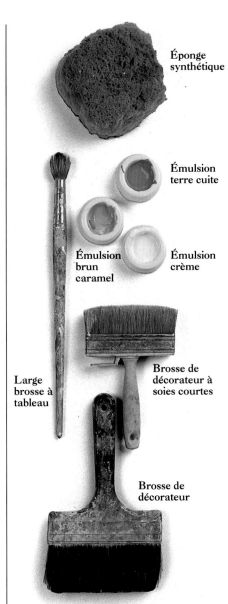

Éponge synthétique

Émulsion terre cuite

Émulsion brun caramel

Émulsion crème

Large brosse à tableau

Brosse de décorateur à soies courtes

Brosse de décorateur

PLOMB ET PLÂTRE

Effet plomb *Appliquez une émulsion gris foncé, sautez l'étape 1 et suivez les étapes 2-4, avec de la peinture gris clair.*

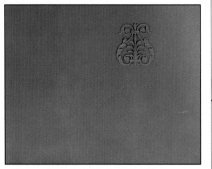

Effet plâtre *Suivez les étapes 1-4, en remplaçant simplement la couleur de la terre cuite par une nuance rose-brun.*

MATÉRIEL ET MATÉRIAUX
Vous pouvez utiliser une brosse de décorateur de n'importe quelle qualité pour passer la couche de base et la peinture de l'étape 1, l'éponge faisant disparaître toutes traces éventuelles de pinceau. Les creux des éponges naturelles donnent les meilleurs dessins, mais une éponge synthétique déchirée convient également. Utilisez de l'émulsion diluée comme indiqué page ci-contre.

1 Passez l'émulsion terre cuite (diluée à 1/1 avec de l'eau) sur une couche d'émulsion caramel sèche. Continuez à brosser la peinture (qui commence à sécher) pour laisser une couche nuageuse en faisant apparaître par endroits la couche de base. Pour un effet de plâtre utilisez du rose brun dilué à 1/1.

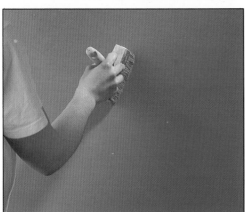

2 Quand la peinture est complètement sèche (1 à 5 h plus tard), humidifiez la surface avec une brosse de décorateur propre (ce qui facilite les étapes suivantes). Mouillez des surfaces de 1 m² à la fois. Pour le plâtre et le plomb mouillez la peinture rose brun ou gris foncé.

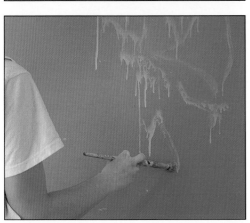

3 Appliquez l'émulsion crème (diluée à 1/2 avec de l'eau) avec un large putois ou une brosse de décorateur de 2,5 cm en un dessin irrégulier de taches et de lignes ; chargez assez la brosse pour que la peinture coule légèrement. Utilisez la même couleur pour le plâtre et du gris clair pour le plomb.

4 Tamponnez et étalez taches et lignes avec une éponge humide. Le mince film d'eau (appliqué à l'étape 2) va permettre aux marques de l'éponge de se fondre et à la peinture de couler. Passez l'éponge pendant 10 à 15 secondes, à des intervalles d'une minute environ ; les marques d'éponge deviennent plus claires.

L'EFFET
On voit ici comment l'eau appliquée à l'étape 2 permet aux marques d'éponge de se fondre, ainsi que la trace laissée par une coulure occasionnelle essuyée avec l'éponge (étape 4).

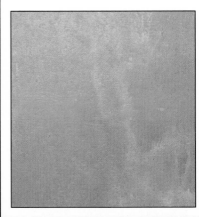

VERT-DE-GRIS

Les métaux patinés offrent une riche variété de couleurs et de textures, témoins fascinants du passage du temps et de l'action des éléments. Le vert-de-gris, avec ses réminiscences d'embruns, sa teinte verte et irrégulière est le résultat de la corrosion naturelle s'attaquant au cuivre et au bronze. Son côté décoratif est tel que les artisans du métal le reproduisent par la chaleur et les acides, en un procédé très toxique. Vous pouvez réaliser sans danger un vert-de-gris très convaincant, avec des matériaux simples. Le métal neuf de la salle de bains ci-dessus (et pp. 158-61) a été transformé suivant cette technique.

Blanc de Meudon

Pâte vert-de-gris prête à l'emploi

Émulsion bleu pâle

Brosse à tableau

Émulsion vert menthe

Émulsion bleu vert intense

Vernis au tampon

Alcool à brûler

Peinture aérosol ocre jaune

CE PROCÉDÉ convient pour n'importe quelle surface métallique ou plastique sur laquelle vous pouvez travailler horizontalement. La pâte vert-de-gris ne tient pas sur les surfaces verticales, mais vous pouvez imiter l'effet (comme le mur p. 173 et le fond de ces pages) en utilisant une méthode légèrement différente.

mière couche de peinture (pâtes épaisses, peinture aérosol et poudre) en taches irrégulières plutôt qu'en couches égales, de façon à obtenir un aspect authentique. Vous pouvez fixer la finition veloutée avec du liant vinylique dilué, suivi de vernis mat pour donner une surface résistante à l'usure.

Application

Si vous ne travaillez ni sur le bronze ni sur le cuivre, vous obtiendrez une couleur de fond semblable en peignant la surface avec de la couleur en poudre bronze ou de la peinture aérosol (l'or donne plus de brillant). Si votre surface est argentée, comme le métal ici, peignez-la simplement avec du vernis au tampon brun (voir p. 225).

Comme pour les techniques de faux marbre, faux bois et pour vieillir ou patiner la peinture, le but de ce procédé est d'imiter un phénomène naturel. Appliquez les couches se superposant sur la pre-

Surfaces verticales *Appliquez de l'émulsion diluée dans les nuances vert-de-gris et laissez couler de l'eau sur la peinture fraîche.*

MATÉRIEL ET MATÉRIAUX
Il vous faut deux pâtes à vert-de-gris, une bleu pâle et une vert menthe. Pour faire la pâte à vert-de-gris, mélangez à 1/2 de l'alcool à brûler et de l'émulsion, puis incorporez du blanc de Meudon jusqu'à consistance crémeuse. L'alcool s'évaporant rapidement, il vous faudra peut-être en rajouter pour que le mélange n'épaississe pas trop.

1 *Passez à la brosse un mélange à 1/4 d'émulsion bleu vert foncé et d'eau sur la couche de base bronze ou or et laissez sécher.*

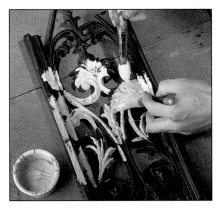

2 *Passez les pâtes vert-de-gris bleu pâle et vert menthe ensemble. Faites varier l'épaisseur et la texture pour produire un effet naturel.*

3 *Pendant que les pâtes vert-de-gris sèchent, appliquez des petites taches légères de couleur ici et là, avec de la peinture aérosol ocre jaune.*

4 *Inondez la surface avec de l'eau pour faire apparaître les couleurs sous-jacentes. Laissez l'eau couler sans frotter.*

5 *Saupoudrez un peu de blanc de Meudon ou de plâtre, en l'appuyant sur la surface humide et collante. N'oubliez pas les recoins.*

6 *Quand c'est à moitié sec, essuyez certains reliefs avec un chiffon rugueux pour faire apparaître ici et là les couleurs sous-jacentes. Après séchage, protégez avec du liant vinylique dilué.*

287

FER & ROUILLE

Les finitions métalliques peuvent être exploitées pour donner des effets décoratifs intéressants. Dans la chambre Baroque Espagnol, ci-contre et page 45, la porte est traitée en imitation fer avec un brillant métallique argenté orné de coulées de rouille. Plinthe, chambranle et cabochons de la porte imitent le métal attaqué, dont la corrosion se traduit par de la rouille noire. Ces deux techniques simples sont illustrées ici et peuvent s'appliquer à toutes surfaces.

CETTE IMITATION métal simple est produite avec différents matériaux super-posés en couches séparées pour donner un aspect réaliste et métal-lique. Dans la technique de la rouille (voir étapes 1-4 ci-dessous à gauche), une surface en bois reçoit une texture faite d'un mélange de colle et de sable, qui couvre par la même occasion ses irrégularités. La dernière couche se compose de vernis au tampon mélangé avec de l'alcool à brûler et rehaussé de peinture émulsion. Pour le procédé d'imitation fer, de l'émulsion noire diluée est appliquée sur une couche sèche de peinture à l'huile.

Effets naturels

Le succès de ces finitions métal-liques dépend du dessin naturel donné à la surface. Dans les der-nières étapes, on « rompt » la pein-ture de base de la porte en « fer » avec de l'eau, et dans la technique imitation rouille, l'alcool à brûler est appliqué sur le vernis pour imi-ter la texture du métal. Pour obte-nir cet effet naturel avec le chiffon ou la brosse, changez constamment l'angle d'attaque, le sens dans le-quel vous travaillez et la pression appliquée.

Protection du « métal »

Bien que la fausse rouille soit très solide (colle, sable et peinture for-mant une sorte de ciment), il vaut mieux la protéger avec du vernis à l'huile satiné pour une finition très dure. La peinture métallique ar-gentée utilisée pour l'imitation fer contient des poudres d'aluminium, aucune protection n'est nécessaire. Mais certaines peintures contien-nent des métaux qui, risquant de noircir à l'air, doivent être protégés avec du vernis polyuréthane satiné.

IMITATION ROUILLE

1 *Passez du liant vinylique et saupoudrez de sable ; mettez une planche sous les parties verticales pour récolter le surplus.*

2 *Laissez sécher complètement et passez de l'émulsion marron foncé, en la faisant pénétrer dans la texture du sable.*

3 *Quand tout est sec, passez une couche de vernis au tampon d'un brun riche, dilué à 1/1 avec de l'alcool à brûler.*

4 *Après 10 minutes, passez de l'alcool en dessinant un motif, puis des touches d'émulsion couleur rouille.*

MATÉRIEL ET MATÉRIAUX

Pour imiter fer et rouille il vous faut des outils de base : brosses de décorateur, mouilleur, brosse à tableau et chiffon. L'émulsion brune sert pour la rouille et l'émulsion couleur rouille, plus vive, pour des petites touches dans les deux finitions. L'alcool à brûler est utilisé pour travailler sur la peinture et le vernis au tampon, avec la technique indiquée page ci-contre, en produisant des effets nuageux qui suggèrent la texture de la rouille.

Vernis au tampon

Chiffon + émulsion noire

Brosse de décorateur

Brosse de décorateur

Émulsion brune

Alcool à brûler

Brosse à tableau

Liant vinylique

Émulsion rouille

Sable

Mouilleur

IMITATION ROUILLE

1 *Passez de la peinture argentée sur la surface. Diluez à 1/4 émulsion noire et eau et ajoutez une goutte de détergent. Appliquez avec un chiffon mouillé pour donner un effet nuageux. Travaillez par petites surfaces, le mélange séchant vite.*

2 *A mesure que le mélange sèche, adoucissez avec le mouilleur sec ou une queue à lisser en soies beau blanc pour estomper les marques de chiffon. Insistez sur certains endroits pour donner une texture naturelle.*

3 *Quand tout est bien sec, passez de l'eau sur la surface et faites couler dessus de l'émulsion couleur rouille (diluée à 1/2 avec de l'eau). L'eau passée au préalable va diluer la « rouille », qui deviendra pâle et translucide sur l'argent comme le montrent les exemples ci-contre.*

MARBRE DE CARRARE & SERPENTIN

Les techniques d'imitation marbre datent des Romains et recouvrent toute une variété de styles. Le marbre blanc de Carrare et le serpentin vert sont faciles à peindre et seront imités avec succès sur différentes surfaces, sols, plinthes ou petits objets. Un marbre bien imité ajoute du style et une certaine qualité classique à un décor, comme on le voit dans l'entrée florentine, ci-dessus et page 137.

PENDANT DES siècles on a imité le marbre avec les détrempes et les peintures au gesso. Mais le XIXᵉ siècle cherchait davantage de réalisme et, en Angleterre, on adopta un médium bon marché, le vernis gras transparent, utilisé pour diluer des couleurs à l'huile onéreuses. Le vernis gras transparent est encore utilisé de nos jours.

Le meilleur fond pour le vernis gras est fait de deux couches de laque satinée blanche, suffisamment glissante et qui présente une surface raisonnablement lisse. Le vernis gras finit par disparaître avec le temps et demande à être protégé, quand il est sec, par du vernis satiné, puis ciré pour lui donner un beau brillant.

Le vernis gras attirant la poussière, vous devez travailler dans un endroit sans courant d'air, en commençant par passer l'aspirateur, et bien secouer vos brosses.

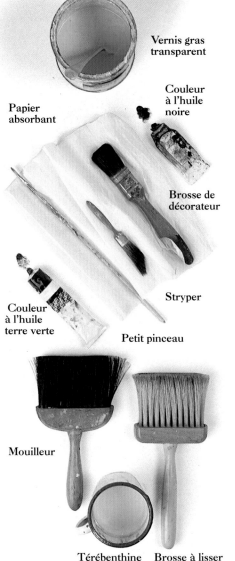

Vernis gras transparent

Papier absorbant

Couleur à l'huile noire

Brosse de décorateur

Couleur à l'huile terre verte

Stryper

Petit pinceau

Mouilleur

Térébenthine

Brosse à lisser en soies beau blanc

MATÉRIEL ET MATÉRIAUX
Utilisez les couleurs à l'huile pour teinter le vernis gras transparent (voir p. 333). Le noir sert pour le marbre de Carrare, la terre verte et le blanc pour le premier vernis du marbre serpentin et la terre verte seulement pour le second. Les couleurs à l'huile étant toxiques, n'oubliez pas de vous laver les mains après usage. Pour les mouilleurs et brosses à lisser, voir pages 210-11 et, pour le stryper, page 208.

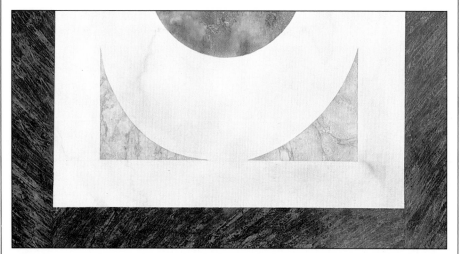

Sol en marbre *J'ai utilisé des marbres de différentes couleurs pour donner un dessin plus frappant ; la méthode d'imitation de marbre jaune se trouve page 292.*

MARBRE DE CARRARE

1 Avec un chiffon doux, frottez un peu de vernis gras transparent sur le fond de laque satinée pour que la surface soit plus glissante.

2 Trempez un pinceau mince dans le vernis noir et peignez quelques veines très irrégulières, en ajoutant ici et là une tache ou un point.

3 Avec un mouilleur ou une brosse à lisser, touchez les veines avec le bout des soies, pour les étaler légèrement dans tous les sens.

4 Trempez un stryper dans la térébenthine et peignez une ligne ici ou là sur la surface vernie, en suivant certaines des veines adoucies.

5 Estompez à nouveau la surface, en brossant toujours dans le même sens les lignes de térébenthine, comme un dessin de plume légère.

6 Lissez dans tous les sens avec une brosse à lisser en soies beau blanc, pour éliminer toutes marques de pinceau et créer un voile léger.

MARBRE SERPENTIN

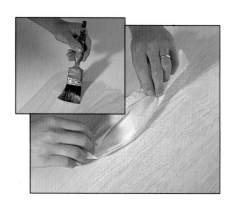

1 Passez du vernis gras teinté à la couleur à l'huile terre verte. Tamponnez la surface avec du papier absorbant ramassé en plis pour dessiner un motif.

2 Laissez sécher une journée au moins, puis passez sur le tout une mince couche de vernis gras teinté de terre verte beaucoup plus foncée.

3 Tamponnez avec le papier comme précédemment, en tournant le papier au fur et à mesure pour que la surface soit toujours en contact avec du papier propre.

MARBRE DE SIENNE

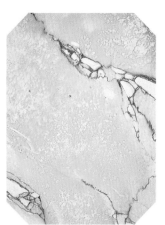

Bien que les marbres faciles à imiter, comme le marbre de Carrare et le serpentin, soient en eux-mêmes d'une élégante beauté, la meilleure manière d'utiliser les imitations marbre est de diviser une surface en blocs et en incrustations, en incorporant des petites quantités de marbre riche et complexe dans le dessin, comme dans les sols marbrés et vernis de la page 290. Le marbre jaune de Sienne est depuis longtemps le préféré des maçons italiens pour ce genre de décoration à cause de ses couleurs intenses et de son graphisme, qui le rendraient trop écrasant pour une grande surface. Il peut être utilisé aussi pour des couvercles de boîte ou des plateaux de table.

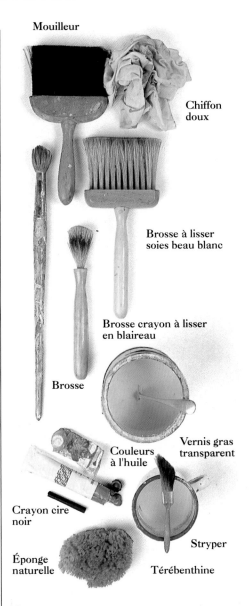

Mouilleur

Chiffon doux

Brosse à lisser soies beau blanc

Brosse crayon à lisser en blaireau

Brosse

Couleurs à l'huile

Vernis gras transparent

Crayon cire noir

Éponge naturelle

Stryper

Térébenthine

LA TECHNIQUE d'imitation de marbre jaune de Sienne demande plus de temps que les autres marbres, mais le résultat en vaut la peine. Étudiez des fragments originaux ou des photos.

Préparation et vernissage

Une finition marbre devant être sans défaut, poncez votre surface, si nécessaire, et peignez-la avec deux couches de laque satinée crème. Le vernis gras attirant la poussière, nettoyez et passez l'aspirateur la veille. Assurez-vous que les brosses sont bien propres et ne portez pas de vêtements de laine. Quand le vernis est complètement sec, protégez-le avec une couche de vernis dur, pour lui éviter de disparaître peu à peu.

Le dessin

Délimitez les formes nettement avec du ruban adhésif, que vous collez avant de peindre la laque satinée crème et que vous retirez

pendant que la peinture est encore fraîche, en essuyant soigneusement les bavures éventuelles.

Si la couleur du marbre jaune ne vous plaît pas, utilisez la même technique, mais avec un vernis gras différemment coloré : rouge somptueux ou vert émeraude par exemple. Pour le marbre de Brescia (faisant partie du sol p. 290) mélangez un vernis gras brun-rouge.

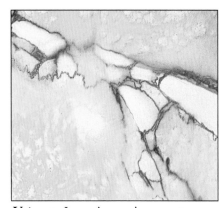

Veinage *Les veines noires sont dessinées au crayon-cire noir trempé dans la térébenthine.*

MATÉRIEL ET MATÉRIAUX
Mélangez du vernis gras transparent avec un peu de couleur à l'huile terre de Sienne naturelle (voir p. 333). Certaines de ces couleurs étant toxiques, nettoyez-vous toujours les mains et les ongles après utilisation. On peut utiliser une brosse à tableau fine à la place d'un stryper et une brosse en martre au lieu du blaireau à lisser (voir pp. 206-11). Vous pouvez utiliser térébenthine ou white spirit pour l'étape 4.

1 Passez du vernis gras transparent. Posez ensuite des taches et des traits de vernis gras teinté en terre de Sienne naturelle.

2 Lissez grossièrement taches et traits avec un mouilleur, en tirant le vernis dans tous les sens.

3 Avec la brosse à lisser, lissez les taches du bout des soies pour effacer toutes marques de pinceau et adoucir encore le vernis.

4 Trempez un stryper ou une brosse à tableau fine dans la térébenthine et posez quelques veines sur le vernis.

5 Pendant que les veines s'élargissent, prenez une éponge pour tamponner très peu de térébenthine sur la surface.

6 Pour arrêter l'action de la térébenthine, tamponnez au chiffon les parties humides ou estompez-les à la brosse.

7 Utilisez un crayon cire trempé dans un peu de térébenthine, pour tracer quelques veines dans le vernis gras frais en un dessin de « cailloux » et de « grains », typique du marbre.

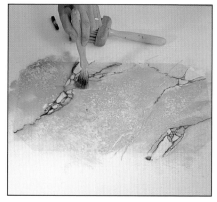

8 Après 10 minutes la térébenthine devrait commencer à s'évaporer. Estompez alors doucement le veinage avec un blaireau à lisser ou une brosse à tableau en martre.

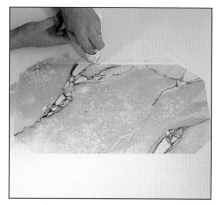

9 Étalez au chiffon doux une partie du veinage noir pour qu'il « s'enfonce » dans la pierre, et effacez certains des « cailloux » et des « grains » pour faire des cassures crème.

MARBRE GRANITIQUE ROSE

Certaines des finitions minérales parmi les plus ressemblantes sont celles obtenues avec une brosse effleurant à peine la surface et un graphisme paraissant fait au hasard, en mélangeant différents médiums. Le marbre granitique rose est un parfait exemple de ce type de finition décorative qui donne d'excellents résultats, comme on peut le voir ci-contre. Posez si possible la surface à décorer à plat sur le sol pour que le solvant puisse former des flaques (pour les surfaces verticales, voir ci-dessous). Utilisez un badigeon à l'eau ou un vernis à l'huile.

POUR qu'une imitation marbre soit convaincante la couche de base doit être absolument lisse. Si nécessaire poncez la surface et appliquez deux couches de laque satinée beige pâle, sans coups de pinceau.

Médiums

Le médium traditionnel est la peinture à l'huile ou le vernis gras coloré. Cependant, pour le marbre granitique rose, rien ne vaut la variété des graphismes obtenus avec un badigeon à l'eau fait maison avec de la couleur en poudre, de l'eau et un peu de liant vinylique. Avant d'appliquer le badigeon ajoutez une goutte de détergent, ce qui l'empêchera de faire des taches.

Temps de séchage

Aux étapes 2 et 4, le badigeon est travaillé pendant qu'il est en train de sécher. La difficulté du badigeon est son temps de séchage si rapide (10 minutes s'il fait chaud et sec) que l'on ne doit travailler que sur de petites superficies à la fois. Les vernis à l'huile prenant un peu

plus de deux heures pour sécher, utilisez-les si vous craignez de ne pouvoir travailler assez vite ; sans être aussi spectaculaires, les résultats sont bons. Pour teinter le vernis mélangez du vernis gras transparent avec de la couleur à l'huile terre d'ombre naturelle (voir p. 333). Badigeons ou vernis gras ne durcissent pas et il faut donc les protéger avec une couche de vernis polyuréthane.

Liant

Badigeon terre de Sienne brûlée

Badigeon terre d'ombre naturelle

Putois

Alcool à brûler

Brosse à lisser soies beau blanc

Large brosse de décorateur

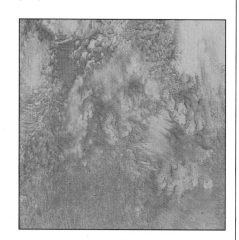

Surfaces verticales *Suivez les étapes 1-4 en utilisant une éponge au lieu du pinceau pour appliquer l'alcool à brûler, l'eau et le badigeon.*

MATÉRIEL ET MATÉRIAUX
Pour faire un badigeon, ajoutez lentement 1/2 litre d'eau (additionnée d'1 cuillerée à soupe de liant vinylique) à 2 cuillerées à soupe de couleur en poudre (mélangée avec un peu d'eau), en remuant sans arrêt. Ajoutez une goutte de détergent. Si la couleur n'est pas exacte, ajoutez soit de la couleur en poudre, soit de l'eau et du liant vinylique. Les couleurs en poudre sont très toxiques, suivez les précautions indiquées page 325. Protégez les yeux à l'étape 3.

1 Si vous utilisez du badigeon, frottez la couche sèche de laque avec de la terre à foulon pour absorber toute trace de graisse. Passez le badigeon terre d'ombre naturelle en passes croisées, sur 0,25 m² ; continuez avec les étapes 2-4. Si vous utilisez du vernis gras, couvrez toute la surface d'un coup.

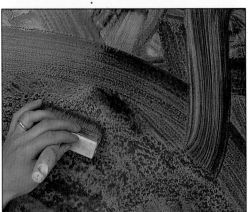

2 Avec une brosse de décorateur, tapotez grossièrement la surface pour rompre le dessin irrégulier des coups de pinceau. Travaillez rapidement si vous utilisez du badigeon ; le vernis gras offre l'avantage de vous donner plus de temps pour achever cette étape.

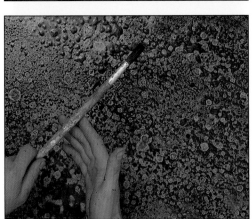

3 Projetez de l'alcool à brûler sur le badigeon pour le craqueler. Jetez ensuite un peu d'eau ici et là pour donner des coulées et des flaques de liquide et (facultatif) projetez quelques points de badigeon terre de Sienne brûlée. Sur le vernis gras utilisez de la térébenthine, puis de l'alcool à brûler.

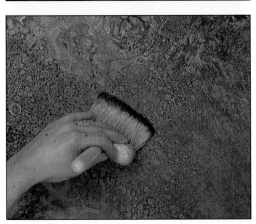

4 Laissez sécher partiellement pour que seules les coulées et les flaques restent fraîches (vous pouvez accélérer le séchage du vernis gras avec un sèche-cheveux). Puis avec un brosse à lisser en soies beau blanc ou un mouilleur, adoucissez ces parties non encore sèches, en estompant les marques de pinceau et en étalant le liquide.

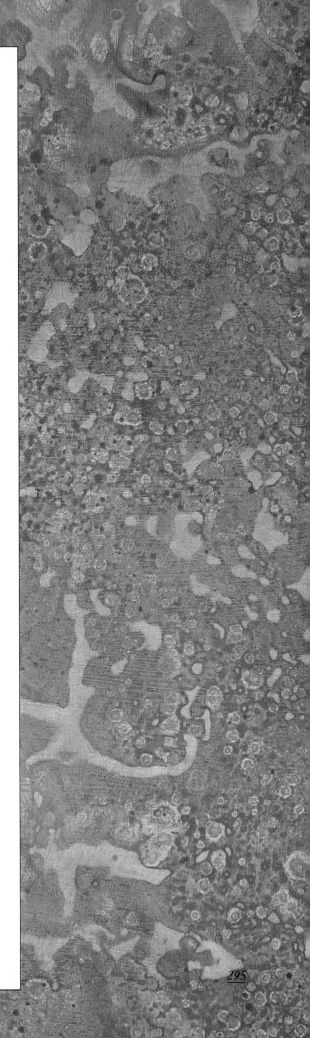

BOIS CLAIR

Si vous voulez apprendre à veiner le bois, commencez par cette technique facile et efficace d'imitation de bois clair. Avec un simple badigeon fait maison et une queue à battre, vous donnerez l'impression d'une belle finition cirée de bois clair (comme l'érable ou le citronnier) sur des surfaces allant des meubles en bois bon marché et des portes aux soubassements et aux planchers. Le mobilier de style Biedermeier étant traditionnellement en bois, cette technique convient particulièrement au décor de ce style page 63 ; je l'ai utilisé pour décorer l'extérieur d'une baignoire, puis j'ai protégé le badigeon de l'eau avec une couche de vernis.

L E BADIGEON utilisé ici sèche vite et peut être brossé en un dessin ressemblant à des plumes, en un graphisme dynamique. Curieusement il est plus facile à travailler que le vernis gras (utilisé pour les techniques de faux bois pp. 298-301) et s'il sèche, on peut le mouiller et le retravailler. Si vous travaillez assez vite, vous arriverez peut-être à terminer toutes les étapes avant que le badigeon soit sec. Sinon, opérez par petites surfaces en passant de l'étape 1 à 2 et inversement. Ou mouillez les endroits secs.

Choix de la finition

Les étapes 1 et 2 donnent une finition ressemblant aux placages de ronces (voir le gros-plan de la moitié supérieure de la double-page et sur la baignoire Biedermeier). On obtient un effet plus subtil en appuyant moins sur la brosse. Un effet de veinure sera donné en suivant les étapes 1 et 2 du veinage allongé (page ci-contre en bas).

Préparation

Plus la surface à veiner est lisse, meilleure sera la finition faux bois clair. Préparez-la en appliquant soigneusement deux couches de laque satinée crème. Après séchage, frottez la surface avec un peu de blanc de Meudon ou de terre à foulon pour absorber toute trace de graisse.

Touches finales

Quand le vernis gras est sec, appliquez une couche de vernis à l'huile. Passez-le rapidement et légèrement pour ne pas abîmer le pigment du glacis. J'utilise de la mixtion à dorer (voir p. 224) qui sèche rapidement ou, si nécessaire, un vernis à l'huile dur.

Pour donner au « bois » un aspect brillant et lisse rappelant la cire, utilisez ce truc de décorateur : quand le vernis est complètement sec, polissez-le d'abord avec de la cire d'abeille passée avec de la laine d'acier extra-fine, puis avec un chiffon à poussière.

Petite brosse de décorateur

Badigeon à l'eau étalé à grands coups de pinceau

Badigeon à l'eau

Couleur en poudre terre de Sienne naturelle

Queue à battre

MATÉRIEL ET MATÉRIAUX

Pour le badigeon, il faut de l'eau et du pigment terre de Sienne naturelle (voir p. 333). Si vous travaillez sur une petite surface, vous préférerez peut-être de la gouache. (Avec les couleurs en poudre prenez les précautions indiquées p. 325). Une queue à battre donne les meilleures imitations bois clair.

FINITION RONCE

1 *Appliquez le glacis avec une brosse de décorateur. Ne vous préoccupez pas des marques de pinceau pourvu que la surface soit recouverte d'une couche de peinture égale. Le badigeon sèche en quelques minutes ; s'il sèche trop vite, humidifiez-le avec une brosse mouillée.*

2 *En tenant la queue à battre « debout », enfoncez fermement les soies dans le badigeon frais. Les longues soies vont s'écraser en s'ouvrant, et donner un dessin irrégulier et tourmenté ressemblant à certains bois de placage en ronce Pour un effet et une texture plus subtils, répétez l'opération en appuyant plus légèrement.*

VEINAGE ALLONGÉ

1 *Poussez une queue à battre sur le badigeon en écrasant les soies vers l'extérieur, ce qui donnera un effet de veinage grossier mais très dynamique. Travaillez rapidement afin de pouvoir passer à l'étape 2 avant que le badigeon ne sèche. S'il sèche, vous le mouillerez avec une brosse.*

2 *Maintenez la queue à battre contre la surface et tapotez le badigeon tout en tirant la brosse vers vous, ce qui adoucira les dessins irréguliers obtenus à l'étape 1.*

VEINAGE CHÊNE
Badigeon (étapes 1 et 2 ci-dessous) lissé avec une brosse. Passez une roulette à faux bois chargée de peinture noire (voir p. 212).

VEINAGE À LA BROSSE

La technique du veinage permet d'imiter le beau dessin naturel irrégulier du bois. Elle devint extrêmement élaborée au XIXe siècle, les artistes hautement qualifiés de l'époque réussissant à imiter les veinages de toutes les sortes de bois. La technique relativement simple page ci-contre donne un veinage non spécifique mais convaincant, illustré sur la porte du salon écossais, ci-dessus. Voir pages 300-301 pour un veinage imitation pin et pages 296-97 pour une finition bois clair.

IL EST possible de faire un veinage sur toute surface lisse pouvant être peinte avec de la laque satinée. On pourra ainsi transformer des portes standard modernes, comme ici, pour qu'elles se fondent dans un décor et imiter des bois sombres onéreux, comme l'acajou, sur un bois bon marché (voir pp. 236-37). Le veinage convient aussi aux plinthes, meubles et planchers.

Glacis et préparation
J'utilise du vernis gras pour le veinage, teinté avec de la couleur à l'huile et dilué à consistance de crème liquide avec de la térébenthine (voir p. 333 comment teinter le vernis gras). Comme ce vernis ne durcit pas au séchage, protégez-le avec un vernis dur.

Préparez la surface en appliquant deux couches de laque satinée, qui donnent une surface lisse.

Couleurs du veinage
La couleur finale du bois sera donnée par la couleur du fond de laque satinée et par celle du vernis gras. Pour la porte de la page ci-contre, j'ai utilisé du vernis gras teinté avec de la couleur à l'huile terre d'ombre brûlée, sur deux couches de fond de laque satinée différentes (brun et jaune tendre) pour donner l'impression de deux sortes de bois.

Pour un veinage de couleur différente, essayez d'autres nuances de laque satinée et du vernis gras mélangé avec l'une quelconque des couleurs de terre à l'huile.

Transformer une porte Cette porte autrefois verte a été poncée et peinte à la laque satinée ocre-crème et rose. Une fois veinée (couleur de vernis gras et technique des étapes 1-6), on a décoré les panneaux au pochoir et souligné les contours en noir.

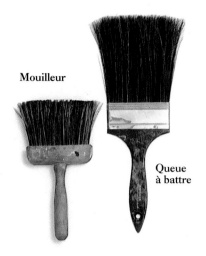

Mouilleur

Queue
à battre

Vernis gras transparent mélangé
avec de la couleur à l'huile terre
d'ombre brûlée

Vernis gras transparent

Chiffon

MATÉRIEL ET MATÉRIAUX
*Utilisez n'importe quelle brosse de
décorateur propre pour appliquer le
vernis teinté. Il faut aussi une queue à
battre, dont les soies longues peuvent
être poussées, tirées et tapotées sur le
vernis. Prenez un mouilleur pour
adoucir le vernis. (Pour le matériel de
décoration spécifique
voir pp. 212-13).*

1 *Passez une couche de vernis
gras sur les moulures. Tapotez
avec une queue à battre pour créer
un veinage irrégulier.*

2 *Appliquez le vernis sur les
panneaux et poussez la queue à
battre vers le haut pour obtenir
volutes et veinures typiques.*

3 *Essuyez les marques
indésirables avec un chiffon puis
posez la queue à battre presque à
plat et tapotez pour adoucir les
marques précédentes.*

4 *Poussez la queue à battre sur
le vernis de l'encadrement de la
porte (comme à l'étape 2). Sur les
parties étroites utilisez le côté de la
brosse.*

5 *Avec le côté plat de la queue
à battre tapotez doucement
le vernis comme dans l'étape 3 et
tout en tirant lentement la brosse
vers vous.*

6 *Si vous préférez un effet plus
nuancé, attendez 10 minutes
puis effleurez le vernis dans le sens
du fil avec l'extrémité des soies du
mouilleur.*

VEINAGE AU TAMPON FAUX BOIS

Si vous craignez d'aborder le veinage, le trouvant trop difficile, essayez cet outil peu connu et merveilleux appelé tampon à faux bois. Il crée des dessins ressemblant à ceux du pin particulièrement utiles si l'on s'en sert en petite quantité dans une pièce, sur les portes par exemple, ou les plinthes, comme dans le décor ci-dessus que l'on retrouve page 95. Pour obtenir un résultat convaincant utilisez seulement des couleurs naturelles sur bois ou sur un fond peint couleur bois. Des variantes fantaisie avec des couleurs inattendues donnent également un bon résultat : j'ai vu des vieilles poutres de ferme au veinage bleu et rouge, qui leur donnait un charme original

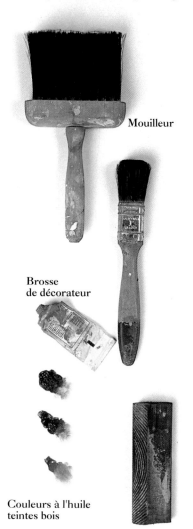

Mouilleur

Brosse
de décorateur

Couleurs à l'huile
teintes bois

Tampon faux bois
en caoutchouc

L A SURFACE d'un tampon à faux bois est incurvée et forme des reliefs en demi cercles qui donnent le veinage du bois. Le médium utilisé est de la couleur à l'huile, diluée avec un peu de térébenthine (pour un dessin soutenu) ou mélangée avec du vernis gras transparent. Un veinage parfait sera appliqué sur une surface lisse et non absorbante. Les irrégularités contrarieraient le dessin, ce qui peut être un avantage si vous désirez un veinage grossier. Quand la peinture ou le vernis sont secs (ce qui peut prendre un ou deux jours) appliquez une couche de vernis à l'hucontre.

UTILISATION DU TAMPON

Tenez le tampon pour que la surface incurvée touche la peinture ou le vernis gras frais et tirez-le doucement vers vous, en changeant lentement l'angle d'attaque. A mesure que le tampon se déplace, ses reliefs marquent le vernis (voir étape 3).

MATÉRIELS & MATÉRIAUX

Un tampon faux bois est indispensable pour cette technique. Même si n'importe quelle brosse peut être utilisée pour appliquer le vernis gras et adoucir le dessin, je préfère un mouilleur pour ce dernier travail, ses soies étant assez solides pour travailler le vernis collant tout en restant fines et douces. Essayez les couleurs à l'huile de teintes bois, terre d'ombre naturelle et Sienne naturelle, en les mélangeant à 1/3 avec du vernis gras transparent et très peu de térébenthine (voir p. 333).

1 Avec une petite brosse de décorateur, passez le vernis gras, en le brossant bien également. Sur les surfaces irrégulières comme les planches ci-contre, insistez sur les creux qui, pour ne pas gâcher l'effet général, doivent apparaître en sombre plutôt qu'en clair.

2 Décidez du sens du veinage et, avec un mouilleur, brossez doucement le vernis dans le même sens, en n'utilisant que l'extrémité des soies. Essayez d'obtenir un aspect égal et lisse.

3 Tirez le tampon faux bois lentement sur le vernis, comme indiqué page ci-contre. Changez constamment l'angle d'attaque, mais de façon régulière et sans à-coups qui laisseraient des marques peu esthétiques. Nettoyez souvent le tampon avec un chiffon pour empêcher le vernis de s'accumuler dans les reliefs.

4 Adoucissez le veinage au mouilleur pour le fondre dans l'ensemble et retirez les éventuels dépôts de vernis laissés par le tampon. Tirez la brosse sur le vernis pour un aspect « en long » (comme je le fais) ou « ouvrez » le vernis en tapotant la surface avec le côté plat d'une queue à battre (p. 213) pour imiter le chêne.

DORURE-FEUILLE D'OR

L'or a quelque chose de magique et de séduisant dans ses reflets intenses et chaleureux. Pendant des siècles, les doreurs à la détrempe ont pratiqué l'art difficile de poser des feuilles d'or sur de la colle fraîche. La méthode plus simple et plus rapide indiquée ici est connue sous le nom de dorure à l'huile. La feuille d'or (sur son support de papier de soie paraffiné) est posée sur de la mixtion à dorer. Elle peut être appliquée directement sur toute surface dure, comme le bois et le plâtre passé au fixateur ou, pour une finition satinée, sur du gesso. Les trois formes célestes, page ci-contre, furent dorées directement sur du plâtre peint.

L A DORURE à la feuille (or véritable ou or-faux cuivre battu) donne une finition plus riche et plus lustrée que la peinture dorée ou les poudres métalliques. Quand vous saurez dorer des surfaces plates, essayez-vous aux moulures sculptées et aux accessoires comme les pieds de lampe. La dorure neuve peut être patinée (voir p. 304).

Préparation au gesso
Pour une finition parfaite, lisse comme de la soie, dorez sur du gesso, pâte épaisse et résistante que l'on applique en couches et qui arrondit légèrement les surfaces plates en donnant encore plus de reflets à l'or.

Pour mieux repérer trous éventuels et imperfections, frottez avec de la terre à foulon, puis poncez et polissez à nouveau. La poussière de gesso pouvant donner de l'asthme, portez un masque si vous poncez de grandes surfaces. Pour imiter les terres colorées parfois utilisées sous la dorure, prenez du gesso pré-teinté, colorez le vôtre avec des couleurs en poudre ou peignez le gesso sec avec de la gouache.

Conseils spécifiques
La feuille d'or collant à la graisse, vous devez vous laver les mains et frottez la surface à dorer avec du blanc de Meudon.

La clé du succès est de poser la feuille quand la mixtion à dorer est presque sèche, mais encore assez collante pour que la feuille adhère.

La vitesse de séchage des différentes marques variant de une à douze heures, vérifiez avant de commencer à dorer.

Finition
L'or faux s'oxyde et noircit avec le temps. Pour éviter cet inconvénient, passez-le plusieurs jours plus tard à la mixtion à dorer, lorsque celle du dessous sera bien sèche. La feuille d'or véritable ne nécessite pas de protection.

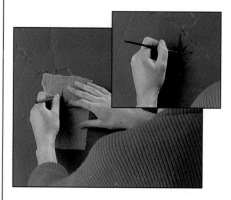

1 *Dessinez les contours du motif à l'aide d'un gabarit. Peignez la mixtion à dorer (teintée avec de la couleur à l'huile pour la rendre visible).*

2 *Quand elle est presque sèche mais encore un peu collante, appuyez doucement une feuille d'or dessus. Retirez avec précaution le support.*

3 *Plusieurs heures plus tard (le temps de séchage varie), retirez la feuille libre avec un chiffon doux ou de la ouate, puis polissez avec un chiffon.*

DORURE-FEUILLE D'OR

Pinceau fin

Gesso à la colle de peau de lapin

Gesso fait maison à la colle de peau de lapin

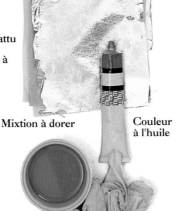

Or faux, cuivre battu

Mixtion à dorer

Couleur à l'huile

Chiffon doux

MATÉRIEL ET MATÉRIAUX

La mixtion à dorer est l'adhésif qui permet de transférer la feuille d'or. Le gesso traditionnel (utilisé ici) est fait avec de la colle de peau de lapin, doucement chauffé au bain-marie et appliqué chaud. Pour faire votre propre gesso traditionnel ou une version moderne au liant vinylique, voyez p. 332. Les produits nécessaires sont indiqués en détail p. 230-31.

PRÉPARATION DU GESSO

1 *Passez 3 ou 4 couches de gesso pour surélever légèrement la surface. Avec du gesso à la colle de peau, laissez durcir toute la nuit.*

2 *Quand il est sec, grattez-le avec un cutter et polissez-le avec du papier de verre et de la laine d'acier extra-fine.*

3 *Appliquez une couche de gesso coloré ou de gouache. Laissez sécher, polissez avec de la laine d'acier extra-fine. Cette étape est facultative.*

4 *Pour dorer sur le gesso, appliquez la feuille d'or. Grâce au relief formé, l'or brillera davantage et aura plus de reflets.*

DORURE-POUDRE MÉTALLIQUE

Le brillant et les reflets chatoyants donnés par la poudre métallique sont de plus belle qualité que ceux de la peinture dorée et, à une certaine distance, peuvent très bien passer pour de la dorure à la feuille. La dorure à la poudre métallique étant moins chère, elle convient pour des surfaces moyennes ou assez grandes, comme cette frise Art Nouveau. Une fois patinée, elle sera encore plus spectaculaire (voir pp. 306-307).

L ES POUDRES métalliques existent en nombreuses couleurs, dont l'or utilisé ici. La poudre est passée au pinceau ou saupoudrée sur la surface recouverte d'une fine couche de mixtion à dorer. Les poudres métalliques étant très toxiques, il faut éviter de les inhaler ; portez un masque sur le nez et la bouche et des lunettes protectrices. Aérez quand vous appliquez la mixtion, mais pas quand vous manipulez la poudre !

Tout ce qui est nécessaire pour dorer à la poudre est une surface raisonnablement lisse et non absorbante. Ces dernières, bois ou plâtre nus, seront d'abord fixées avec une primaire ou un fixateur spécial.

Couche protectrice
Laissez la surface dorée sécher trois jours avant d'appliquer du vernis au tampon ou de la gomme laque (voir pp. 224-25) dilué à 1/1 avec de l'alcool à brûler.

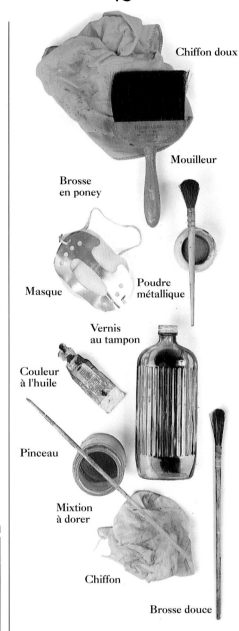

Chiffon doux

Mouilleur

Brosse en poney

Masque

Poudre métallique

Vernis au tampon

Couleur à l'huile

Pinceau

Mixtion à dorer

Chiffon

Brosse douce

MATÉRIEL ET MATÉRIAUX
La mixtion à dorer est un vernis à l'huile. Son temps de séchage varie de une à douze heures (voir conseils spécifiques p. 302). Appliquez la poudre avec un tampon d'ouate, un entreplumes en poney ou une brosse à maquillage douce (voir brosses spécialisées p. 212). Pour patiner utilisez du vernis au tampon (à base de gomme laque) dilué avec de l'alcool à brûler.

OR PATINÉ

1 *Pour patiner la poudre métallique ou la feuille d'or, passez généreusement du vernis au tampon (dilué à 1/1 avec de l'alcool à brûler).*

2 *Retirez un peu du vernis en tamponnant pour révéler l'or dessous. Vous pouvez aussi ajouter du vernis en moucheté (voir p. 262).*

1 Teintez un peu de mixtion à dorer en lui mélangeant un peu de couleur à l'huile, ce qui vous permettra de la distinguer sur la surface. Avec une brosse douce, appliquez la mixtion, en une couche mince et régulière. Attendez qu'elle soit presque sèche, mais encore collante.

2 Protégez bouche et nez avec un masque et les yeux avec des lunettes. Trempez un entreplumes poney (ou un pinceau à maquillage) dans un petit pot de poudre métallique. Secouez l'excès de poudre dans le pot, puis effleurez la mixtion collante avec la brosse pour laisser une fine couche de poudre d'or.

3 Laissez sécher et durcir complètement la mixtion à dorer (de préférence 24 heures). Protégé par un masque et des lunettes, époussetez la poussière d'or non collée avec un mouilleur sec ; retirez cette poussière à l'aspirateur. Polissez doucement la partie dorée avec un chiffon doux ou de la ouate pour qu'elle brille.

Ornement « or ». La dorure à la poudre métallique est une façon rapide et bon marché de transformer un ornement, comme cette feuille en plastique, en une décoration riche et chatoyante. Suivez les étapes ci-dessus, avec des poudres métalliques or, bronze ou argent.

OR PATINÉ

Cette technique, qui donne un intérêt décoratif supplémentaire aux surfaces dorées à la peinture ou à la feuille, ou à la poudre, apporte une finition patinée spectaculaire. (On peut même l'utiliser directement sur les moulages en métal.) L'aspect élaboré de la patine fait mentir la simplicité du procédé. Vernis au tampon, alcool à brûler et peinture aérosol se superposent en couches opaques et translucides de couleurs. La technique convient aux surfaces sur lesquelles on peut travailler horizontalement, des meubles aux moulures, comme la plinthe dorée à l'aérosol et la frise en isorel de cette chambre du Savoy (pp. 188-91).

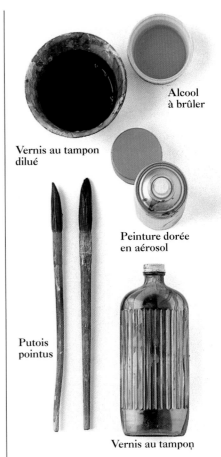

Vernis au tampon dilué

Alcool à brûler

Peinture dorée en aérosol

Putois pointus

Vernis au tampon

DE NOMBREUSES méthodes furent utilisées au cours des siècles pour patiner le métal. Aujourd'hui, la patine chimique est la plus courante, mais le procédé est très toxique et inefficace sur l'or vrai.

La technique employée ici est beaucoup plus sûre et, sur des peintures couleur cuivre, on obtient des surfaces ayant l'aspect du bronze antique. Pour donner à la feuille d'or ou la poudre métallique un patine antique plus subtile, suivez la méthode de la page 304.

Importance du vernis

Toute finition métallique autre que l'or pur ternit lorsqu'elle est exposée à l'air. Il est donc important de protéger la finition avec une couche de vernis à l'huile, qui sert également à durcir le vernis au tampon fragile qui est utilisé dans le procédé.

N'utilisez pas de vernis à l'alcool (voyez pp. 330-31) qui dissoudrait le vernis au tampon (appliqué aux étapes 2 et 3), et gâcherait complètement l'effet.

Autres produits

Le vernis au tampon se trouve chez les fournisseurs spécialisés. Ou fabriquez-le avec de la teinture à bois et de la gomme laque décolorée, à l'aide de la recette page 332.

Vous pouvez également colorer du vernis à l'huile avec de la couleur à l'huile et le diluer à 1/1 avec du white spirit. Avec ce mélange, suivez les étapes page ci-contre, en remplaçant l'alcool à brûler par de la térébenthine.

Précautions

Quand vous projetez l'alcool (ou la térébenthine) en moucheté à l'étape 3, protégez-vous les yeux avec des lunettes. Les vapeurs de l'alcool à brûler sont narcotiques et provoquent parfois des réactions chez les asthmatiques ; si vous l'utilisez en grande quantité, portez des gants, un masque et des lunettes.

MATÉRIEL ET MATÉRIAUX
On trouve le vernis au tampon chez les fournisseurs spécialisés ; si vous ne pouvez pas vous en procurer, suivez la recette page 332. Le vernis au tampon tout fait doit être dilué à 1/1 avec de l'alcool. Il vous faut trois ou quatre couleurs différentes, dont au moins deux nuances de brun. Il vous faut également deux putois pointus (ou des brosses à tableau pointues) : un pour appliquer le vernis au tampon, l'autre pour l'alcool à brûler.

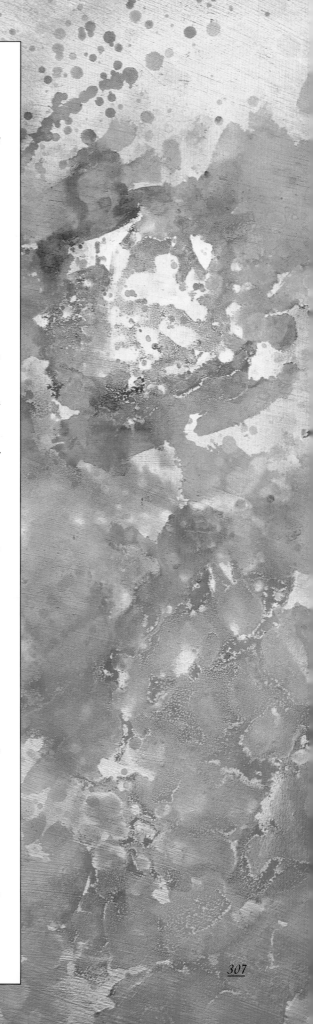

1 *Diluez plusieurs couleurs de vernis au tampon avec de l'alcool. Appliquez chaque couleur en étalant certaines et en projetant les autres en moucheté, la brosse tapotée contre le doigt. (La technique du moucheté est expliquée en détail pp. 262-63.)*

2 *Trempez une brosse propre dans l'alcool à brûler (qui va dissoudre le vernis au tampon) que vous posez sur les taches de couleur, en reliant certaines et en couvrant complètement les autres (pour les rendre presque translucides). Travaillez rapidement pour donner un effet naturel. Laissez l'alcool s'évaporer pendant cinq minutes.*

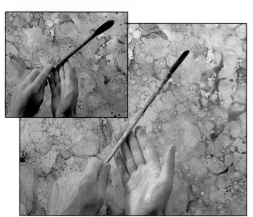

3 *Prenez un peu de vernis au tampon sur la brosse et tapotez-la doucement sur le doigt pour projeter un moucheté de petits points de couleur sur toute la surface. Essayez de distribuer également les pointillés. Faites ensuite de même avec de l'alcool à brûler, qui dissoudra une petite partie du vernis, en formant un graphisme complexe.*

4 *Vaporisez de la peinture dorée sur la surface, là où l'alcool est encore humide. La peinture et l'alcool vont réagir pour donner un dessin aux lignes brisées. Ce procédé adoucissant l'effet, vous pouvez supprimer cette étape, si vous travaillez sur un fond d'or en feuille, qui réfléchit mieux la lumière et est plus satiné.*

VITRAIL

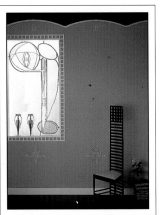

Bien que l'art du vitrail véritable ne soit pas très compliqué, il n'en demande pas moins formation et matériel spécialisé. Ce « vitrail », en revanche, imitation dynamique et spectaculaire, est très simple à obtenir et presque impossible à distinguer d'un vrai, sinon qu'il se raye facilement. On le réalise en peignant des vernis colorés sur du verre et en collant des bandes de plomb. Le vitrail page ci-contre est copié d'un dessin de Charles Rennie Mackintosh, repris, de même que le motif de la fenêtre ci-dessus, d'un meuble marqueté.

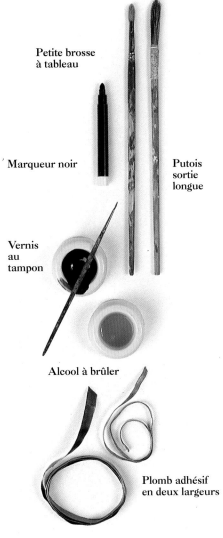

Petite brosse
à tableau

Marqueur noir

Putois
sortie
longue

Vernis
au
tampon

Alcool à brûler

Plomb adhésif
en deux largeurs

LE VERNIS au tampon, médium utilisé pour peindre le verre, se trouve chez les fournisseurs spécialisés, en plusieurs couleurs. Pour nuancer une teinte, diluez le vernis avec de l'alcool à brûler, mais évitez de mélanger différentes couleurs ensemble, ce qui donnerait une teinte terne.

Conseils utiles
Pour aider le vernis à coller au verre, nèttoyez ce dernier à fond avec de l'alcool à brûler avant de commencer à peindre. Essayez d'éviter de mettre du vernis sur la peau, les teintures tachant terriblement. Le vernis au tampon devient cassant quand il est sec, se raye et s'use facilement ; il est pré-férable de protéger votre œuvre par une autre plaque de verre ou de plexiglass. Il vaut mieux également utiliser cette technique décorative aux endroits hors de portée des enfants très jeunes.

Utilisations décoratives
La technique est si simple que l'on a tendance à accumuler les vitraux, mais il vaut mieux rester discret. Le vitrail fait plus d'effet en petites quantités, en panneaux de verre au-dessus d'une porte par exemple, pour des lucarnes ou des miroirs, plutôt que pour décorer toutes les fenêtres ! Les dessins ou motifs abstraits sont généralement plus faciles à obtenir que des re-productions de la réalité.

Idées de motifs *Toutes sortes d'images contrastées (et non seulement des motifs de vitraux) peuvent convenir ; ci-dessus, motif médiéval sur carreau de faïence.*

MATÉRIEL ET MATÉRIAUX
Des brosses douces et souples (putois sortie longue par exemple) sont indispensables pour cette technique, plus quelques petites brosses à tableau. Le vernis au tampon est le médium colorant (voir p. 332 pour le faire vous-même). L'alcool à brûler, utilisé pour diluer le vernis au tampon brossé à l'étape 1 et appliqué à l'étape 2, devrait toujours être employé dans une pièce bien aérée. Le plomb adhésif se trouve dans les magasins spécialisés. Le plomb étant toxique, ne portez pas les doigts à la bouche et lavez-vous les mains.

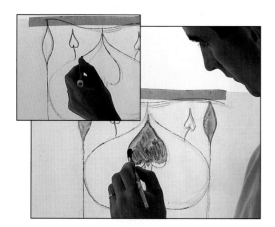

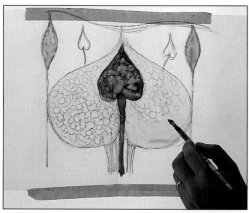

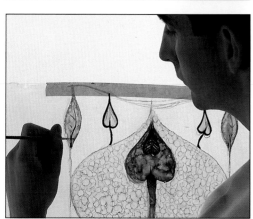

1 Dessinez votre motif sur du calque, puis collez-le avec du ruban adhésif sur l'envers du verre. Tracez le contour du motif sur l'endroit du verre avec un marqueur noir. Avec une brosse très douce (j'utilise un putois soies longues), peignez le vernis au tampon (dilué à 1/1 avec de l'alcool à brûler).

2 Le vernis au tampon séchant rapidement en devenant transparent, il est difficile d'éviter les marques de pinceau. Pour les dissimuler en créant un motif nuageux, passez une petite brosse à tableau trempée dans de l'alcool à brûler sur la surface, en tamponnant. Ceci va dissoudre le vernis, même quand il est sec.

3 Avec du vernis au tampon noir non dilué et un autre petit pinceau à tableau, peignez tous les détails du motif, comme ici les nervures des feuilles. Vous pouvez aussi utiliser du vernis pur pour souligner les parties du motif trop petites pour utiliser le plomb.

4 Quand le vernis est sec, posez avec soin des bandes de plomb adhésif autour de votre motif. Etirez-les autour des courbes et, pour les angles aigus, incisez le bord intérieur avec des ciseaux coupe-tout. Le plomb cachera les lignes noires dessinées avec le marqueur.

MOTIFS PEINTS

Bien qu'aucune méthode ne puisse transformer le décorateur en un artiste inspiré, un certain nombre de techniques permettent de créer des motifs peints et vous les trouverez dans cette partie. Le pochoir est peut-être la plus polyvalente de ces techniques, qui réussit à faire passer le plus simple motif pour l'œuvre à main levée d'un artiste. Le découpage, ancienne tradition utilisant des gravures découpées et collées, m'a inspiré ces photocopies coloriées à la main, pour ajouter une note originale ou comme partie intégrante d'un décor plus somptueux. Enfin viennent les techniques jumelles de grisaille et de trompe-l'œil, qui vous ouvriront le chemin vers la magie plus ambitieuse de l'illusion.

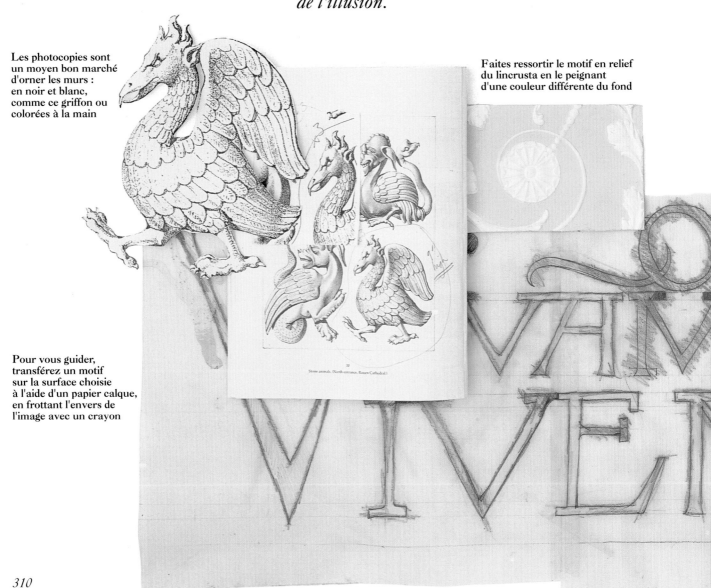

Les photocopies sont un moyen bon marché d'orner les murs : en noir et blanc, comme ce griffon ou colorées à la main

Faites ressortir le motif en relief du lincrusta en le peignant d'une couleur différente du fond

Pour vous guider, transférez un motif sur la surface choisie à l'aide d'un papier calque, en frottant l'envers de l'image avec un crayon

On peut créer différents effets de pochoir
avec des peintures aérosols,
ci-dessous à gauche,
et avec un pochon, ci-dessous

Utilisez les photocopies en couleur
pour une imagerie aux nombreux
détails colorés, en particulier
pour les motifs répétés

En appliquant un pochoir complexe
sur une surface à motifs,
on crée une impression
de dessin à main levée

Pochoir floral

Ornement
peint et
fresque

RÉALISATION DES POCHOIRS

Réaliser ses propres pochoirs peut être fascinant. Même si cela vous prend un peu de temps et beaucoup de patience, vous éprouverez grande fierté et grand plaisir en voyant votre motif prendre forme. Le mur bleu décoré au pochoir, ci-contre (voir aussi p. 141) est un exemple des motifs qu'il est possible de créer. Bien sûr, vous n'avez pas besoin d'avoir tant d'ambition pour commencer ; essayez plutôt un dessin relativement simplifié à partir duquel vous pourrez progresser.

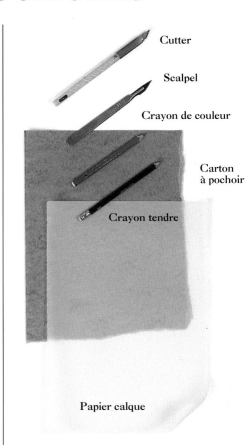

Cutter

Scalpel

Crayon de couleur

Carton à pochoir

Crayon tendre

Papier calque

PENDANT DES siècles les pochoirs ont été découpés dans des feuilles de laiton ou d'étain ou plus couramment, dans de la carte de Lyon, disponible dans le commerce. Elle est faite de carte bulle solide trempée soit dans de la gomme laque, soit dans de l'huile de lin. (Pour la fabriquer vous-même, voir p. 332).

Quand vous avez découpé vos pochoirs, passez un peu de peinture aérosol de chaque côté, ce qui évitera au carton de gondoler quand vous l'utilisez avec des peintures à l'eau.

Iles et ponts
Tout l'art de réaliser un motif compliqué tient dans la façon dont vous reliez les diverses parties du dessin. Les « îles » flottantes de carton au milieu d'une partie découpée doivent être fixées aux bords pour maintenir le pochoir.

Les languettes de fixation doivent se trouver à intervalles réguliers pour éviter que le pochoir ne tombe en morceaux. Avec un peu d'entraînement, vous saurez les in-

corporer dans le dessin. Avec un motif délicat essayez de faire des languettes assez fines. Les motifs très simples ne nécessitent aucune languette.

Sur un pochoir complexe, collez sur l'envers du tulle fin de couturière. Réparez les accrocs du pochoir avec du ruban adhésif imperméable.

Inspiration *Le dessin du pochoir de la page ci-contre est repris d'un livre sur les ornements du XIXe siècle (voir la partie agrandie). Papiers et tissus à motifs donnent aussi de nombreuses idées.*

MATÉRIEL ET MATÉRIAUX
L'outil essentiel pour découper est la patience, plus un cutter bien aiguisé. Avec un scalpel, n'appuyez pas trop fort, la lame pourrait casser et sauter. Si vous voulez faire de nombreux pochoirs, investissez dans une planche de découpe (cutting mat).

VISUALISER LE MOTIF
Motif (en haut) produit par le pochoir (en bas). Mieux vaut vérifier le pochoir sur un morceau de papier avant de vous mettre vraiment à décorer.

1 Dessinez une grille sur le motif original et numérotez et donnez des lettres aux axes horizontaux et verticaux. (Si vous reprenez un motif d'un tissu, dessinez-le ou photocopiez-le pour cette étape). Décidez de la taille de votre pochoir et faites sur un calque un agrandissement aux carreaux.

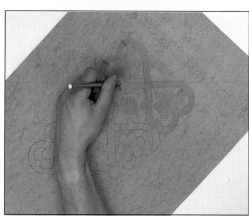

2 Retournez le papier et fixez-le avec du ruban adhésif sur le carton. Retracez le dessin au crayon sur l'envers en appuyant bien, pour transférer le tracé sur votre carton à pochoir (Vous pouvez gagner du temps en collant une photocopie directement sur le carton avant de couper le motif.)

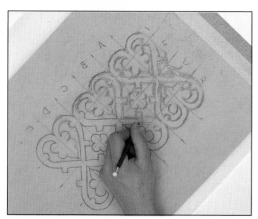

3 Vous pouvez maintenant colorier votre motif, pour vous donner une idée de ce qu'il donnera une fois terminé. Avec un crayon de couleur, dessinez un système de languettes pour relier toutes les parties flottantes de carton au milieu du motif. Ces languettes serviront aussi à renforcer le pochoir.

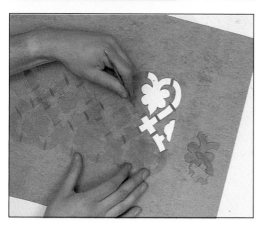

4 Découpez les parties colorées du pochoir en faisant attention de ne pas couper les languettes. Prenez votre temps pour découper, vous apprécierez plus tard d'avoir été précis et vous aurez moins de risque de vous couper. Si vous faites une erreur ou déchirez le carton, recollez-le avec du ruban à masquer.

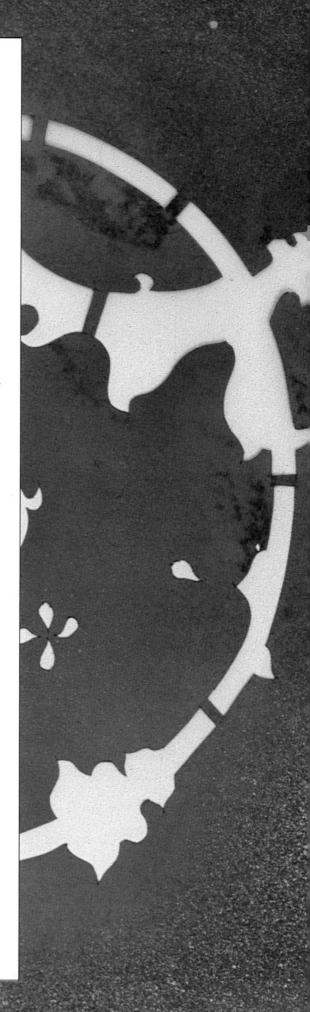

UTILISATION DES POCHOIRS

Le pochoir est l'un des moyens les plus efficaces et les moins chers d'ajouter motifs et ornements à un décor. C'est aussi le plus simple, la peinture étant posée à travers un pochoir de carte de Lyon (voir matériel et matériaux pp. 214-15) pour créer une image d'une douceur délicate que les frises et les papiers peints du commerce peuvent difficilement imiter. La fleur de lys ci-contre a été peinte au pochoir sur le plâtre brut du mur de la cuisine française illustrée pages 90-93. Ajoutez des détails à main levée, comme je l'ai fait, pour que vos pochoirs ressemblent à des motifs exécutés à la main, poncez légèrement pour les vieillir ou passez dessus un fin badigeon de peinture pour les fondre dans l'ensemble.

Émulsion diluée et pinceau en martre

Émulsion et brosse de décorateur rude

MATÉRIEL ET MATÉRIAUX

Une brosse de décorateur rude ou une brosse à pocher pour le pochoir et un pinceau en martre ou un pinceau à remplir pour les détails à main levée.

L A PEINTURE que j'emploie généralement pour les pochoirs est l'émulsion, qui existe en une large gamme de couleurs, sèche vite et peut être utilisée sur de nombreuses surfaces (voir tableaux pp. 328-31). On peut aussi prendre d'autres types de peinture, comme les aérosols, dont les effets sont illustrés pages 316-17.

La brosse devant être peu chargée, retirez l'excès de peinture, en la tamponnant sur du papier. Pour ajouter des détails à la main utilisez un pinceau en martre ou une brosse à remplir et de l'émulsion diluée qui s'étale facilement. Pour les fleurs de lys j'ai utilisé deux couleurs typiques de l'époque : vert pomme foncé et roux.

Techniques associées

Les pochoirs sont légèrement poncés pour leur donner la même apparence un peu fanée que le mur au plâtre craquelé. Le ponçage est aussi une bonne façon de donner aux pochoirs sur bois la même texture que leur fond et, dans le cas d'un arrière-plan à l'éponge ou au badigeon, la même douceur irrégulière. Pour fondre un pochoir encore davantage avec son support, passez sur l'ensemble un fin badigeon d'émulsion diluée.

On peut aussi associer la technique du pochoir avec celle du bois cérusé. Le motif ci-contre a été ainsi posé sur le panneau frotté ensuite avec de la cire à céruser.

Motifs et répétitions

Si vous utilisez votre pochoir pour faire un bordure, une frise ou pour répéter régulièrement un motif, mesurez et marquez la position de chaque image sous peine d'obtenir des images légèrement décalées, qui se raccordent mal aux angles ou se trouvent coupées en deux à la ligne de plafond. Utilisez un niveau à bulle et un fil à plomb.

EFFETS SPÉCIAUX

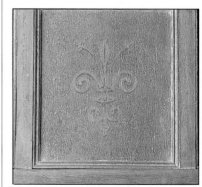

Mur en plâtre, en haut, décoré au pochoir (étapes 1-4), puis peint avec de l'émulsion diluée ; fleur de lys posée au pochoir sur un panneau, cérusé ensuite (voir pp. 260-61).

1 Marquez les endroits choisis pour les pochoirs avec un léger trait de crayon. Utilisez une longue règle pour mesurer, un niveau à bulle pour l'alignement horizontal et un fil à plomb pour le vertical.

2 Fixez le pochoir en place avec du ruban adhésif repositionnable. Mettez un peu de peinture émulsion sur la brosse (enlevez la peinture en excès avant de commencer) et peignez en tapotant la brosse, soies « debout », rapidement. Utilisez une brosse de décorateur rude (comme je le fais ici) ou une brosse à pocher.

3 Quand la peinture est sèche, retirez le pochoir. Pour souligner les contours et ajouter des détails, utilisez une brosse à tableau en martre (comme ici) ou un pinceau à remplir sortie longue, et de l'émulsion diluée à 1/1 avec de l'eau pour qu'elle s'étale facilement.

4 Pour vieillir et faner l'image neuve (encadré), attendez que la peinture soit sèche, puis poncez légèrement avec du papier de verre 100. Ce procédé donne de bons résultats sur les surfaces texturées comme le plâtre et le bois nu et sur les surfaces passées à la peinture à l'éponge ou au badigeon (voir pp. 248-53) et de couleurs nuancées.

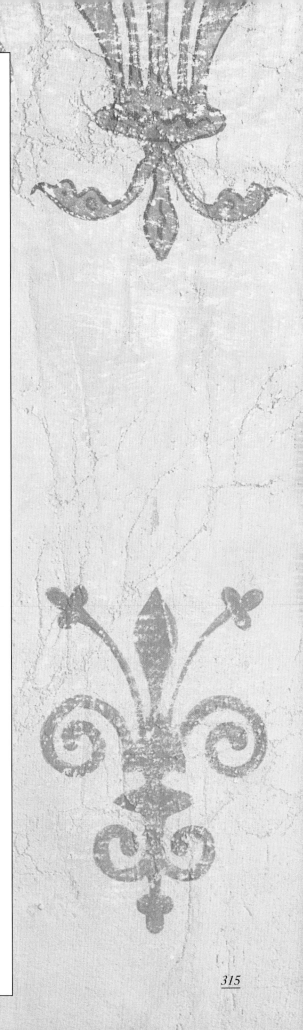

EFFETS DE POCHOIRS

Les bordures décoratives de motifs au pochoir sur fond uni sont courantes dans les maisons, les restaurants et les hôtels. Mais peu de gens connaissent la très grande variété d'effets qu'offrent les pochoirs et leurs nombreux usages en décoration. Il suffit de considérer le pochoir en carton non seulement comme une image décorative à transférer sur une surface, mais comme un gabarit simple, qui permet de compléter et d'enrichir d'autres techniques spéciales de peinture. Le dessin du pochoir lui-même peut être extrêmement intriqué et original, exécuté en couleurs inhabituelles, à moins qu'il ne soit utilisé d'une façon subtile et intéressante, comme sur un fond décoré ou un claustra.

POCHOIRS GABARITS

Pochoirs et caches sont utiles pour d'autres techniques. Je me sers ici du pochoir pour dessiner un contour avant d'appliquer une feuille d'or, (voir page 302) ; page 283, le cache met une zone en réserve.

L A FAÇON la plus simple d'utiliser un pochoir est de le répéter pour former une bordure le long d'un mur. Pour un effet plus complexe, les motifs peuvent se chevaucher et la position du pochoir être légèrement changée à chaque fois (voir la feuille de chêne p. 317). Certains motifs peuvent couvrir une grande surface en donnant un « papier peint », comme le dessin intriqué page 141.

Accentuations différentes

On peut accentuer les nuances et la profondeur d'un pochoir en le posant sur une surface à la finition peinture texturée, badigeon, moucheté ou veinage (voir les chardons imitant la marqueterie sur la porte, page ci-contre), ou même un claus-tra. Les murs en plâtre nu donnent un fond original. Vous pouvez aussi améliorer un pochoir en le peignant : badigeon clair d'émulsion diluée, moucheté, glacis ou même vernis.

Types de peinture

Vous pouvez utiliser de l'émulsion posée à la brosse rude (voir pp. 314-15), de la laque satinée ou de la couleur à l'huile. Avec les peintures à l'huile, il est plus facile de fondre les couleurs en un ombré léger, la peinture mettant plus de temps à sécher. Vous pouvez également vous servir de peintures aérosols en variant la pression. Les pochoirs vaporisés à la peinture or et argent donneront del'éclat à un décor. Le doré du motif floral, page 189, ajoute à la richesse du décor.

Effets de fond

On peut voir ici comment des fonds différents affectent le dessin. Un motif est vaporisé sur un fond gris, l'autre sur un fond rouge. Les couleurs peuvent adoucir ou accentuer différentes parties du pochoir. Sur le fond gris, la bordure est accentuée ; sur le fond rouge c'est la partie centrale qui ressort.

Répétition d'un motif au pochoir

On peut répéter une image unique pour décorer toute une surface ou emplir un espace donné, comme le chardon ci-dessous. Les répétitions s'utilisent aussi en bordure autour d'une pièce. Le motif Colonial américain de feuille de chêne, ci-contre, se chevauche quand s'estompe la couleur dorée. Le second pochoir, utilisé pour ajouter les nervures noires, possède des repères permettant d'aligner le carton avec les feuilles dorées. Cette technique de dorure se pratique traditionnellement en saupoudrant des poudres métalliques sur de la mixtion à dorer collante. Il est plus simple de passer la peinture dorée à la brosse à pocher.

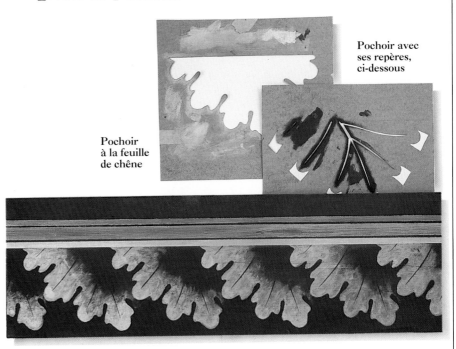

Pochoir avec ses repères, ci-dessous

Pochoir à la feuille de chêne

Frise au pochoir peinte à la peinture dorée

Effets subtils

Les « ponts » de carton qui relient les parties découpées des motifs complexes seront dissimulés pour un effet plus subtil, si le pochoir est peint sur une surface perforée, comme ce claustra.

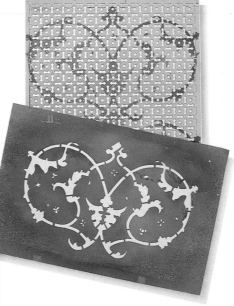

Pochoir et son dessin vaporisé sur un claustra, ci-dessus

Pochoir au chardon (utilisé avec de l'émulsion)

VARIATIONS DE COULEURS

Un pochoir simple en un seul morceau sera masqué partiellement pour permettre de poser des couleurs différentes(à la brosse ou avec aérosol). Les couleurs sont alors utilisées pour accentuer différentes parties du motif et choisies en harmonie avec le fond. Motif de poisson, page 95.

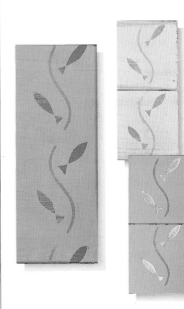

UTILISATION DES PHOTOCOPIES

L'art d'utiliser les découpages remonte fort loin et possède d'illustres ancêtres. A la fin du XVIIIᵉ siècle, par exemple, on appréciait les gravures découpées et collées sur le mur après avoir été coloriées. Les traits des gravures ressortent bien à la photocopie. Je fais des photocopies à partir de livres sur les ornements historiques et les utilise comme partie intégrante du décor d'une pièce, soit en noir et blanc comme dans le décor de salle de bains ci-dessus, ou peintes à la main. Les photocopies en couleur conviennent également (voir le bureau Empire page 59).

ON PEUT coller du papier sur n'importe quelle surface dure déjà peinte ou portant du papier peint, sur du bois nu, du plâtre et du cuir raide. Le liant vinylique dilué avec de l'eau est la meilleure colle pour le papier ; la colle à papier peint convient aussi.

Je me suis servi de peintures émulsion diluées pour colorier la photocopie illustrée page ci-contre, mais acrylique, gouache, aquarelle et couleur à l'huile conviennent également.

Protection du papier
Le papier risque de se décolorer et de s'abîmer s'il n'est pas verni. Une couche de liant vinylique dilué convient parfaitement pour protéger les découpages sur les murs, s'ils ne risquent pas d'être mouillés, auquel cas vous devez utiliser un vernis imperméable comme le vernis acrylique (voir pp. 224-5 et pp. 328-31). Prenez un vernis à l'huile résistant pour protéger le papier collé sur des surfaces très exposées.

Pour patiner un découpage de style victorien, appliquez une couche de vernis au tampon à l'ambre et pour lui donner un aspect délicat et craquelé, du vernis craqueleur (voir pp. 224-25).

Économie de temps
Il n'est pas nécessaire de découper avec beaucoup de précision un dessin intriqué si vous devez ensuite le coller sur une surface peinte, toutes les parties qui doivent disparaître pouvant simplement être peintes de la même couleur que le fond.

***Effet de trompe-l'œil** Cette photocopie peinte fait partie de la décoration en trompe-l'œil du décor page 75. Il est beaucoup plus rapide de colorer à la main des photocopies que de peindre des motifs compliqués.*

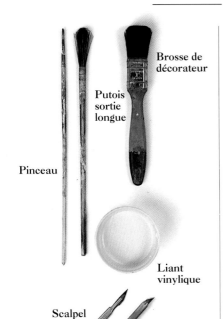

Brosse de
décorateur

Putois
sortie
longue

Pinceau

Liant
vinylique

Scalpel

Cutter

MATÉRIEL ET MATÉRIAUX

Scalpel ou cutter pour découper les photocopies et brosse de décorateur pour les encoller et les vernir. Le liant vinylique est la meilleure colle et un bon vernis pour le papier. Pour peindre utilisez un petit pinceau à tableau ou un putois.

DÉCOUPAGE COLORIÉ

J'ai colorié ces photocopies de gravures du XVIIIᵉ siècle à l'aquarelle, pour qu'elles se fondent avec les tons de vert des murs, authentique couleur XVIIIᵉ (pour l'effet général, voir p. 71).

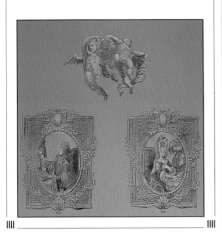

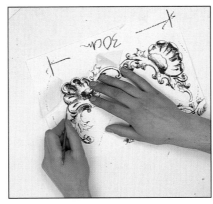

1 *Placez la photocopie sur une surface dure et lisse et découpez-la soigneusement avec un cutter ou un scalpel en maintenant le papier.*

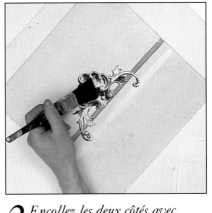

2 *Encollez les deux côtés avec du liant vinylique (dilué à 1/1 avec de l'eau). Posez-la et brossez-la pour l'aplatir.*

3 *Le papier va se tendre en séchant. Peignez la photocopie avec de l'émulsion (diluée à 1/1) de la même couleur que le fond.*

4 *Après séchage, peignez les ombres à la brosse. Guidez-vous sur les parties sombres de la photocopie et estompez la peinture au doigt.*

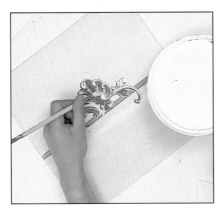

5 *Peignez les reliefs en blanc en vous guidant sur les parties de la photocopie qui paraissent en relief. Soyez très précis avec la peinture.*

6 *Adoucissez le raccord entre les reliefs et le fond en étalant la peinture blanche avec le doigt. Quand tout est sec, passez du liant vinylique ou du vernis.*

GRISAILLE

La grisaille, appréciée dans toute l'histoire de la décoration, est la forme la plus simple de trompe-l'œil. Des nuances de peinture noire, blanche et grise sont utilisées pour imiter les sujets en trois dimensions, comme les ornements en pierre et les cartouches, ou pour les structures comme l'encadrement de porte du décor ci-contre. Dans les différentes étapes de la page ci-contre, je montre comment imiter une moulure de panneau en camaïeu sur un mur en plâtre texturé ; vous trouverez page 322 la même moulure peinte en couleur (procédé plus complexe) ainsi qu'à la page 75 dans son contexte, dans le décor exubérant en trompe-l'œil d'une salle à manger.

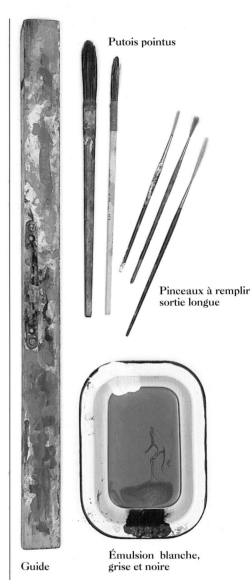

Putois pointus

Pinceaux à remplir
sortie longue

Guide

Émulsion blanche,
grise et noire

MATÉRIEL ET MATÉRIAUX
Les meilleures brosses pour peindre des lignes sont des pinceaux plats à remplir et des putois pointus. Prenez un morceau de moulure d'encadrement (ou de cimaise) comme guide. Diluez l'émulsion à 1/5 avec de l'eau (sauf pour l'étape 6 où la dilution doit être au 1/4).

J'AI suivi la tradition des peintures à l'eau pour la grisaille et utilisé de l'émulsion, facile à travailler et qui sèche vite. D'autres peintures conviennent, dont les couleurs à l'huile diluées avec de la térébenthine, qui peuvent prendre jusqu'à 24 heures pour sécher, et la peinture au gesso faite-maison (voir p. 332), qui sèche assez rapidement.

Préparation et finition
Les surfaces non-absorbantes peintes à l'émulsion sont les meilleures pour recevoir la grisaille. Celles déjà peintes avec une peinture à l'huile, comme la laque satinée, doivent être frottées avec de la terre à foulon ou du blanc de Meudon (voir pp. 228-29) pour absorber toute graisse éventuelle. Protégez la grisaille, qui risque d'être endommagée, par du vernis mat. On imite une moulure en peignant des lignes, qui représentent les ombres et les parties éclairées. Servez-vous d'une longueur de cimaise ou de baguette d'encadrement pour vous aider à peindre des lignes droites et nettes. Placez la baguette de façon à ce que le bord en arête soit juste au-dessus du mur. Puis, en reposant la virole de votre brosse sur l'arête, peignez la ligne. La peinture ne risque pas de se glisser sous la baguette, les soies n'étant en contact qu'avec le mur.

Si, après l'étape 7, les lignes peintes paraissent trop sévères, adoucissez-les avec une brosse de décorateur trempée dans l'eau.

Encadrement de tableau
Pour imiter une moulure d'encadrement, dessinez quatre fois la section d'un vrai encadrement ; indiquez sur chacune les parties en relief éclairées et les parties en creux et en sombre. N'oubliez pas les coins en onglet pour parfaire l'effet de trompe-l'œil.

Le système
Choisissez une moulure à imiter et dessinez sur le mur sa section. Tenez la moulure à plat et choisissez la source de lumière (au-dessus, pour moi). Marquez en différentes couleurs, le long de la section, les reliefs éclairés et les ombres dans les creux. Ici j'ai utilisé du jaune et du noir.

1 *Tracez au crayon des lignes correspondant aux ombres et lumières indiquées sur la coupe.*

2 *Appliquez de l'émulsion gris pâle sur toute la surface, ce qui donnera le corps de la moulure.*

3 *Avec un putois et de l'émulsion noire, peignez de larges lignes pour les ombres les plus claires.*

4 *Pour suggérer l'arrondi, adoucissez les bords de certaines ombres avec une brosse mouillée.*

5 *Avec un pinceau à remplir très fin, peignez des lignes noires qui représentent les ombres et les creux.*

6 *Peignez des lignes blanches là où la moulure reçoit la lumière. Diluez la peinture à 1/4.*

7 *Peignez une « ombre portée » (terre d'ombre naturelle) sur le bas de la moulure et le mur.*

TROMPE-L'ŒIL

On peut utiliser les effets en trompe-l'œil pour obtenir des ornements séparés ou la décoration de tout un mur, comme celui illustré ci-contre (voir aussi p.75). Pour ces techniques je me sers de peinture et de photocopies peintes. A moins d'être très versé dans l'art de la perspective, oubliez les paysages et les personnages et contentez-vous d'imiter les structures architecturales, comme colonnes et bas-reliefs, à l'aide d'un système d'ombre et de lumière (copiez éventuellement d'autres sources), pour donner l'illusion du relief.

Option papier *Les motifs tout faits en papier comme celui-ci permettent de réaliser un trompe-l'œil plus rapide. Il se fond dans l'ensemble grâce à une couche de peinture diluée de la couleur du mur.*

DÉCORATION MURALE PEINTE

L'ombre au crayon donne du relief à la frise de feuilles de lierre ci-dessus. L'image ci-dessous, agrandie à partir d'un poster, est facile à peindre, car elle ne comporte aucune ombre ou fondu de couleurs. Voir p. 189.

POUR LA moulure en trompe-l'œil ci-dessous, j'ai utilisé la technique de la grisaille indiquée pages 320-21, en remplaçant le fond gris par du rose pâle et en choisissant des nuances plus claires et plus sombres de la même couleur (bleu pour cet exemple) pour « l'ombre portée ». De la même manière, pour les autres parties, commencez par une couleur de fond et superposez les parties d'ombre et de lumière.

Les références les plus utiles pour le trompe-l'œil architectural sont les reproductions d'artistes, comme Piranèse et Léonard de Vinci, qui montrent clairement les zones d'ombre et de lumière. Observez d'abord la couleur du fond et remarquez la façon dont cette couleur et les autres sont posées. Observez également les deux sortes d'ombres : les ombres propres, qui déterminent la forme d'un objet, et l'ombre portée. Utilisez la détrempe et la peinture au gesso (voir p. 332), ou des couleurs à l'huile mélangées à un peu de térébenthine ou du vernis gras transparent, ou avec de l'émulsion.

Moulure en couleur *Version en rose de la moulure de panneau peinte en camaïeu de gris, pages 320-21.*

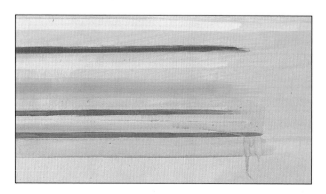

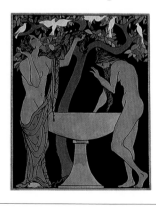

RÉFÉRENCES
DU DÉCORATEUR

PIGMENTS ET COULEURS

LES PEINTURES que j'utilise sont souvent déjà colorées, comme l'émulsion et la laque satinée. Certaines techniques, cependant, demandent des peintures faites maison, colorées avec des pigments (couleurs concentrées naturelles ou synthétiques), sous forme de couleurs en poudre ou en tubes, couleurs à l'huile, acryliques et gouache, chacune d'elles ayant un liant différent. Les pigments permettent également de changer la teinte des différents types de peinture déjà colorées et de teinter les vernis. Les couleurs à l'huile et les colorants universels peuvent être ajoutés au vernis gras transparent.

Caractéristiques des couleurs

Vous trouverez ci-contre et dans les pages suivantes une sélection de couleurs, illustrées sous forme de couleurs à l'huile pour artistes. Des couleurs identiques avec les mêmes noms se trouvent aussi sous forme de couleurs acryliques, gouache, en poudre et colorants universels.

Les caractéristiques des différents pigments varient considérablement. Certains sont opaques, d'autres presque transparents ; certains possèdent un bon pouvoir couvrant et d'autres non. Le blanc de Meudon, par exemple, est translucide quand il est mélangé avec des médiums à l'huile, mais opaque dans l'eau. *Voir page 326 les explications des termes employés dans le tableau.*

Assortir les couleurs

A côté des tubes de couleurs à l'huile se trouvent des échantillons de peinture du commerce. C'est pourquoi je donne souvent à ces peintures, comme l'émulsion, le nom des pigments auxquels elles sont assorties.

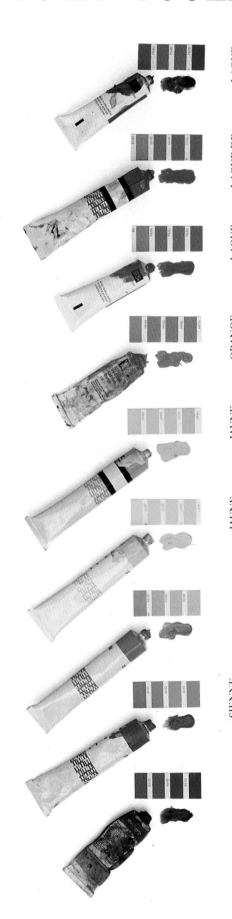

	QUALITÉS/UTILISATIONS
LAQUE CRAMOISIE	Autrefois faites à partir de la cochenille, les laques sont aujourd'hui d'origine chimique. Voir aussi laque écarlate. Ces couleurs, intenses et brillantes, ont tendance à passer à la lumière.
LAQUE DE GARANCE ROSE	Rouge doux, translucide. Autrefois fait à partir de la garance, ce pigment est maintenant produit synthétiquement. Mélangé à du blanc, donne de beaux roses.
LAQUE ÉCARLATE	Pigment semblable à la laque cramoisie (ci-dessus) : pigment intense convenant en décoration.
ORANGE DE CADMIUM	Les pigments à base de cadmium, bien que toxiques, ont un bon pouvoir couvrant, sont intenses et stables pendant longtemps. Existe aussi en rouge, en substitut de la laque écarlate.
JAUNE DE CHROME	L'une d'une gamme de couleurs intenses et puissantes dérivées des chromates de plomb.
JAUNE DE CADMIUM	Voir aussi orange de cadmium (ci-dessus). Bon pouvoir couvrant ; intense; couleur stable.
OCRE JAUNE	L'une des couleurs de terre : beau et chaud jaune brunâtre utilisé sous la dorure. L'ocre jaune chauffé donne l'ocre rouge pourpre.
SIENNE NATURELLE	Ancienne couleur de terre jaune brunâtre, utile pour adoucir les couleurs, patiner et mélanger avec de l'ombre naturelle.
SIENNE BRÛLÉE	Couleur de terre, obtenue en chauffant la terre de Sienne naturelle. Bonne couleur terre cuite, donnant de délicieux roses en badigeons.

POUVOIR COLORANT	OPACITÉ	RÉSISTANCE AUX ALCALIS	RÉSISTANCE À LA LUMIÈRE	COMPOSITION	TOXICITÉ
****	□□□	✗	2 ampoules ·	Pigments précipités sur alumine.	(contact ×2, inhalation ×2, ingestion ×2)
***	□□	✗	4 ampoules	Extraits de garance ; pigments chimiques.	(contact ×1, inhalation ×1, ingestion ×1)
**** ·	□□□	✗	2 ampoules	Pigments précipités sur alumine.	(contact ×2, inhalation ×2, ingestion ×2)
***	□□□	✗	3 ampoules	Sélénio sulfure de cadmium.	(contact ×1, inhalation ×5, ingestion ×4)
*****	□□□□	✗	3 ampoules	Chromate de plomb.	(contact ×5, inhalation ×5, ingestion ×5)
***	□□□□	✗	3 ampoules	Sulfure de cadmium.	(contact ×1, inhalation ×5, ingestion ×5)
****	□□□□□	✓	4 ampoules	Oxyde de fer.	(contact ×1, inhalation ×1, ingestion ×1)
***	□□□ ·	✓	4 ampoules	Terre contenant des oxydes de fer et des oxydes d'aluminium.	(contact ×1, inhalation ×1, ingestion ×1)
***	□□□	✓	4 ampoules	Terre contenant des oxydes de fer.	(contact ×1, inhalation ×1, ingestion ×1)

Symboles

Ce tableau utilise un système de symboles imagés pour classer les différentes propriétés des pigments.

Un mauvais pouvoir colorant par exemple, est marqué * ; un bon pouvoir colorant ***** et ainsi de suite.

De même, le degré de toxicité des pigments va de 1 à 5 (extrêmement toxique) dans les trois catégories suivantes :

✋ contact avec la peau

🧴 inhalation

🥄 ingestion

Les pigments avec 5 symboles « contact avec la peau » ne doivent être manipulés qu'avec des gants. Les couleurs résistantes aux composés alcalins sont marquées d'un trait, celles qui ne le sont pas, sont marquées d'une croix.

Couleurs en poudre

Soyez particulièrement prudents avec les couleurs en poudre, les pigments sous cette forme pouvant être très dangereux. Portez toujours des gants (les pigments peuvent être absorbés par la peau et s'accumulent sous les ongles), et un masque à poussière en papier, indispensable pour éviter d'inhaler des petites particules de poussière. Les pigments dotés de 5 symboles « inhalation » ne doivent *jamais* être utilisés sous forme de poudre.

EXPLICATION DES TÊTES DE COLONNES

Qualités/utilisations
Caractéristiques des pigments et applications.

Pouvoir colorant
Pouvoir du pigment à pénétrer une surface et à la teinter. Si le pouvoir colorant est haut, il ne faut comparativement qu'une petite quantité de pigment par rapport à une surface donnée.

Opacité
L'opacité indique le pouvoir couvrant. L'ocre jaune, par exemple, est opaque et couvre la plupart des couleurs de fond en une seule couche, alors que d'autres, comme la laque de garance rose, sèchent avec une finition transparente, ce qui permet de les utiliser pour teinter le vernis gras transparent. L'opacité du blanc de Meudon varie selon son liant.

Résistance aux composés alcalins
La chaux est un composé alcalin qui peut décolorer les couleurs. Pour teinter le plâtre, utilisez des couleurs en poudre qui sont résistantes aux composés alcalins.

Résistance à la lumière
Certains pigments passent quand ils sont exposés à la lumière naturelle, leur résistance est indiquée ici. Les fabricants l'indiquent aussi.

Composition
Formule chimique du pigment, à l'exclusion de son liant.

Toxicité
De nombreux pigments sont très toxiques, certains sont même cancérigènes. N'avalez et n'inhalez jamais de pigments et évitez que les plus toxiques touchent la peau, surtout pour les couleurs en poudre. Conservez-les hors de portée des enfants. Lisez leurs formules chimiques et faites particulièrement attention s'ils présentent 5 symboles de toxicité ou sont classés « hautement toxiques ».

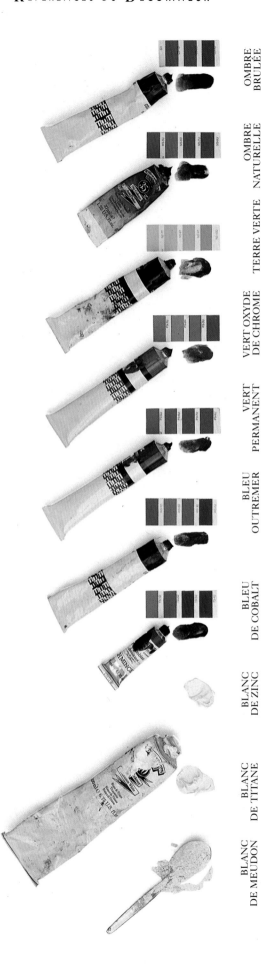

QUALITÉS/UTILISATIONS

OMBRE BRÛLÉE
Couleur de terre d'un riche brun-chocolat, obtenue en chauffant le pigment ombre naturelle.

OMBRE NATURELLE
Couleur de terre gris-brun, légèrement verte. Pigment neutre très utile pour adoucir d'autres couleurs.

TERRE VERTE
Couleur italienne, joli vert teinté de gris bleuâtre.

VERT OXYDE DE CHROME
Pigment doux à la jolie teinte verte organique. Extrêmement opaque. Se mélange bien et par conséquent souvent utilisé avec des peintures à l'eau ou à l'huile.

VERT PERMANENT
Ce vert polyvalent est résistant aux acides, composés alcalins et à la lumière, mais il est aussi peu solide en badigeon mince. Comme il ne passe pas, il est utile en couleur de fond unie.

BLEU OUTREMER
Cet ancien et beau pigment bleu foncé était autrefois très coûteux parce qu'il provenait du lapis lazuli.

BLEU DE COBALT
Ancien pigment, apprécié pour son brillant et sa pureté de ton. Idéal pour les surfaces unies et les détails plats. Etant relativement translucide, il se mélange bien avec les vernis gras.

BLANC DE ZINC
Connu aussi sous le nom de blanc de Chine. Utilisé dans certaines sous-couches. Excellent pouvoir couvrant. Durcit quand il est mélangé avec du vernis gras.

BLANC DE TITANE
Excellent pigment très blanc. Utilisé dans les pâtes à céruser. Légèrement crayeux et donc souvent durci avec de l'oxyde de zinc.

BLANC DE MEUDON
Ingrédient de la détrempe, le blanc gélatineux et le gesso. Bonne opacité avec de l'eau ; faible opacité avec des médiums à l'huile et de la cire.

POUVOIR COLORANT	OPACITÉ	RÉSISTANCE AUX ALCALIS	RÉSISTANCE À LA LUMIÈRE	COMPOSITION	TOXICITÉ
***	□□	✓	💡💡💡💡	Terre contenant des silicates et des oxydes de fer et de manganèse.	(1 main, 4 flacons, 4 godets)
***	□□	✓	💡💡💡💡	Terre contenant des silicates et des oxydes de fer et de manganèse.	(1 main, 4 flacons, 4 godets)
**	□□	✓	💡💡💡💡	Silicates de fer et de magnésium naturels.	(1 main, 1 flacon, 1 godet)
***	□□□□□	✓	💡💡💡💡	Oxyde de chrome.	(2 mains, 4 flacons, 4 godets)
****	□□	✓	💡💡💡	Émeraude (oxyde de chrome), mélangé avec du chromate de zinc et des barytes.	(3 mains, 5 flacons, 5 godets)
*	□	✓	💡💡💡💡	Silico-aluminate de sodium polysulfuré.	(1 main, 1 flacon, 1 godet)
***	□□□ (dans l'eau) □ (dans l'huile)	✓	💡💡💡💡	Aluminate de cobalt.	(1 main, 2 flacons, 1 godet)
	□□□□	✓	💡💡💡💡	Oxyde de zinc.	(1 main, 2 flacons, 2 godets)
	□□□□□	✓	💡💡💡💡	Dioxyde de titane.	(1 main, 1 flacon, 1 godet)
	□□□ (dans l'eau) □ (dans l'huile)	✓	💡💡💡💡	Carbonate de chaux, broyé, lavé et séché.	(1 main, 1 flacon, 1 godet)

Autres pigments extrêmement toxiques : manipuler avec d'extrêmes précautions (à éviter sous forme de poudre)

Pigments à l'antimoine
Pigments à base de plomb
Pigments à base de chrome
Pigments à base de cadmium
Pigments à base de phtalocyanine
Jaune de baryte
Jaune de cobalt
Vert émeraude
Noir de carbone
Jaune citron
Jaune de Naples
Vert de Scheele
Jaune de strontiane
Vermillon

Autres pigments toxiques : manipuler avec précaution

Laque alizarine cramoisie
Alumine
Bleu céruléum
Vert de cobalt
Rouge anglais
Rouge indien
Noir d'ivoire
Noir, brun, rouge, orange, violet, jaune de mars
Bleu de Prusse, bleu de Paris
Terre rose
Bleu, vert, rouge, violet outremer

PEINTURES, VERNIS, SOLVANTS

TABLEAU DES compositions, propriétés et utilisations des divers types de peintures et de vernis.

Solvants

Peintures et vernis peuvent être dilués dans des solvants spécifiques, utilisés pour nettoyer les brosses. De plus les solvants peuvent être utilisés en association avec divers peintures et vernis pour des effets décoratifs (voir pp. 226-27).

Toxicité

Peintures et vernis demandent à être manipulés avec précaution. Certains de leurs composants sont toxiques, mais les solvants utilisés en même temps sont pour la plupart très toxiques. Le corps peut absorber ce genre de solvants de trois façons, tout autant que les peintures et les vernis, indiquées dans le tableau par trois symboles, allant de 1 (moyennement toxique) à 5 (extrêmement toxique).

✋ contact avec la peau

🖋 inhalation

🔺 ingestion

L'effet toxique des solvants dépend de la quantité absorbée.

Précautions à prendre

N'utilisez peintures, vernis et solvants que dans des pièces bien aérées. Étiquetez soigneusement les récipients et gardez-les hors de portée des enfants. Évitez de manger, boire ou fumer quand vous travaillez. Pour certaines substances il est conseillé de porter gants et lunettes de protection. Un masque respiratoire protège des vapeurs toxiques, et un masque à poussière de la poudre de couleurs.

TYPE	UTILISATIONS	MÉLANGER AVEC
PEINTURE ÉMULSION (mate et satinée)	Peintures à base d'eau pour décoration d'intérieur, plafonds, murs et boiseries. Peuvent être diluées pour le badigeon ou épaissies avec du blanc de Meudon pour un effet textural.	Eau (pour diluer), colorants universels, couleurs en poudre, couleurs en tube à base aqueuse, comme gouache et couleurs acryliques.
LAQUE SATINÉE, PEINTURE GLYCÉROPHTALIQUE ET SOUS-COUCHE A L'HUILE	A base d'huile. Diluées, donnent des badigeons résistants. La laque satinée est parfaite comme couche de base pour le vernis gras. Teintées, les sous-couches à l'huile donnent une finition très mate.	Colorants universels, couleurs à l'huile, vernis gras.
GESSO, DÉTREMPE ET PEINTURE A LA CASÉINE	Peintures traditionnelles à base aqueuse, pour murs et meubles. Moins employées aujourd'hui mais le gesso est encore très utilisé pour préparer les surfaces, donner du relief et comme fond pour la dorure.	Gouache, couleurs en poudre
LAIT DE CHAUX	Traditionnel pour murs extérieurs. Aussi utilisé pour les murs intérieurs à la place du blanc gélatineux pour donner une finition crayeuse et mate.	Couleurs résistantes aux composés alcalins.
PEINTURES AÉROSOLS	Excellent pour le pochoir, couches de base pour la dorure, pour l'imitation vert-de-gris.	Rien.
LIANTS VINYLIQUE ET ACRYLIQUE	Le liant vinylique est un bon liant pour les peintures artisanales (faites avec des couleurs en poudre) utilisées en badigeons. Utile pour coller et protéger le papier. L'acrylique est imperméable.	Peinture émulsion, colorants universels, couleurs en poudre, couleurs acryliques, encres à base aqueuse.
COULEURS A L'HUILE	Peintures utilisées par les artistes. Excellentes pour colorer vernis gras transparent, vernis et laque satinée. Mélangez avec de la cire d'abeille et de la térébenthine pour les patines.	Vernis gras transparent, laque satinée, glycérophtalique, encaustique à la cire d'abeille, vernis à l'huile et aux résines solubles dans la térébenthine.
COULEURS EN POUDRE	Pour faire des peintures artisanales pour badigeons et détails à main levée. Utiles aussi pour teinter peintures du commerce, vernis et plâtre.	Eau, émulsion, liant vinylique, vernis gras transparents, vernis à l'huile et polyuréthanes.

AVANTAGES	INCONVÉNIENTS	SOLVANTS	COMPOSITION	TOXICITÉ
Bon marché. Relativement propre. Séchage rapide (1-3 heures). Peut être teintée à la nuance requise. Finition imperméable. Immense gamme de couleurs.	Les couleurs foncées manquent d'intensité et de richesse. Étant difficiles à laver les finitions doivent souvent être protégées.	Eau. Après séchage peuvent être ramollies et retirées avec de l'alcool à brûler.	Pigment, résines synthétiques et liant vinylique (ou liant polyacrylique en suspension dans l'eau).	[icônes : 1 main, 1 flacon, 2 bombes]
Finition dure et solide, bonne profondeur de couleur. Immense gamme de couleurs.	Laque et glycéro demandent une sous-couche et sur les surface poreuses, une primaire. Lente à sécher (6-12 heures). Émanations déplaisantes, dangereuses en quantité.	Térébenthine, white spirit.	Pigment, huiles siccatives synthétiques et résines alkydes synthétiques. Huiles siccatives traditionnelles et résines naturelles ont été remplacées par des composés synthétiques.	[icônes : 3 mains, 3 flacons, 5 bombes]
Texture douce et couleurs crayeuses. Le gesso et la caséine peuvent être polis et donnent alors beaucoup de caractère à la finition d'une surface. Laissent passer l'humidité.	Peuvent s'abîmer dans le pot. Faible pouvoir couvrant. Adhère seulement sur les surfaces poreuses. Pas imperméables. Tendres et sujettes à s'écailler quand elles sont humides. Difficiles à trouver.	Eau	Pigment (souvent de la craie) dans l'eau, liant naturel, comme de la gélatine animale ou de la caséine (dérivé du lait) et parfois huile hydrofuge.	[icônes : 1 main, 1 flacon, 1 bombe] *
Désinfectant et insecticide. Comme il laisse passer l'humidité, il est recommandé pour les vieux murs qui doivent « respirer ».	Très caustique quand il est frais. Seulement à demi-imperméable quand il est sec. S'effrite facilement.	Eau	Eau, chaux éteinte (hydroxyde de calcium) et un agent hydrofuge comme le suif minéral.	[icônes : 4 mains, 5 flacons, 4 bombes]
Sèchent rapidement en donnant une finition dure et parfaitement lisse. Adhèrent à la plupart des surfaces. Rapides à appliquer. Peuvent être réactivées après séchage avec du solvant.	Substances très toxiques, odeur déplaisante. Perte de peinture considérable, recouvrant toute la surface autour de la partie à décorer. Contient souvent des gaz nuisibles à la couche d'ozone ; à éviter.	Xylène, acétone et toluène	Pigment, laque cellulosique (ou acrylique dans un distillat de pétrole) et agent propulseur.	[icônes : 2 mains, 5 flacons, 3 bombes]
Médiums polyvalents parfaits comme fixateurs et liants. Sèchent vite. Bon marché et faciles à trouver.	Donne souvent un léger brillant en séchant et reste souple.	Eau	Acétate de polyvinyle en dispersion dans l'eau.	[icônes : 1 main, 1 flacon, 1 bombe]
Couleurs intenses, concentrées pouvant être largement diluées. Se mélangent bien avec d'autres médiums à l'huile. Faciles à travailler parce que séchant lentement. Large gamme de couleurs.	Plus ou moins translucides et pouvoir couvrant variable. Certaines couleurs sont trop chères pour être utilisées sur de grandes sufaces.	Térébenthine, white spirit	Pigment finement broyé, huile de lin et huiles siccatives.	[icônes : 1-4 mains, 1-4 flacons, 1-4 bombes] *
Les badigeons à la couleur en poudre sont particulièrement plaisants. Peuvent être mélangées ensemble à sec pour assortir des tons. Bon marché et faciles à trouver.	Propriétés variant énormément selon les couleurs. Réclament généralement une protection pour les empêcher de s'effacer. Beaucoup sont extrêmement toxiques.	Eau	Pigment finement broyé (naturellement ou chimiquement)	[icônes : 1-4 mains, 1-4 flacons, 1-4 bombes] *

* La toxicité varie selon la couleur. Voir pages 324-27

SOLVANTS UTILISÉS

On doit se protéger si l'on utilise un quelconque des solvants ci-dessous en grandes quantités. La térébenthine et le white spirit peuvent être nocifs même en petites quantités si on souffre d'allergie ou d'une peau délicate.

Alcool à brûler
Contient : méthanol, alcool de bois, alcool dénaturé, méthylène. Inflammable.

✋ *Évanouissement possible et dommages organiques. Gants.*

🧴 *Évanouissement et dommages organiques. Masque.*

🦺 *Mortel ; peut rendre aveugle.*

Térébenthine
Contient : térébenthine pure, distillation des gommes de pin. Inflammable.

✋ *Allergies cutanées. Gants*

🧴 *Vapeurs irritantes. Masque*

🦺 *Mortel*

White spirit
Contient : distillats de pétrole. Moins cher que la térébenthine et possède les mêmes propriétés. Inflammable.

✋ *Porter des gants.*

🧴 *Vapeurs irritantes. Masque*

🦺 *Mortel*

Acétone
Contient : acétone (l'un des composés cétoniques). Très inflammable.

✋ *Irritante. Porter des gants*

🧴 *Peut provoquer l'évanouissement*

🦺 *Provoque des nausées et des douleurs abdominales*

TYPE	UTILISATIONS	MÉLANGER AVEC
GOUACHE/ COULEURS ACRYLIQUES	Couleurs en tube concentrées, base aqueuse pour couleurs unies et badigeons. Gouache traditionnellement utilisée sur le gesso (décors de meubles).	Eau, émulsion, liant vinylique.
COLORANTS UNIVERSELS	Couleurs intenses, polyvalentes, en liquide, peuvent être mélangées avec presque tous les types de peintures et vernis à l'huile ou à l'eau pour donner une large gamme de couleurs.	Eau, émulsion, laque satinée, vernis gras transparent, vernis à l'huile et polyuréthane, teinture à bois.
VERNIS GRAS TRANSPARENT	Utilisé avec des couleurs à l'huile ou des colorants universels pour donner un glacis coloré convenant au veinage, faux bois, pour patiner et pocher.	Couleurs à l'huile, peintures à l'huile (alkyde), colorants universels, vernis à l'huile et polyuréthane (pour une finition brillante).
GOMME LAQUE ET VERNIS AU TAMPON	La gomme laque est utilisée comme vernis fixateur, pour patiner et pour recouvrir les cartons de pochoir : le vernis au tampon est utilisé pour le vitrail.	Les produits à base de gomme laque peuvent se mélanger entre eux et acceptent les teintures à bois solubles dans l'alcool à brûler.
BOUCHE-PORES ET FIXATEUR DE NŒUDS	Fixe les bois avant de peindre et vernir pour éviter la décoloration. Le fixateur de nœuds empêche la résine de sortir.	Autres produits à base de gomme laque et alcool à brûler.
MIXTION A DORER	Base adhésive pour feuille d'or et poudres métalliques, et pour vernir l'or faux pour l'empêcher de s'oxyder. Utile comme vernis à séchage rapide pour des petites surfaces.	Peintures à l'huile, couleurs à l'huile, couleurs en poudre, vernis gras transparent.
VERNIS A L'HUILE POLYVALENTS	Vernis traditionnels comme le vernis copal et le vernis décoratif, pour protéger toutes sortes de finitions peinture. Remplacés aujourd'hui par les vernis polyuréthanes.	Peintures à l'huile, couleurs à l'huile, couleurs en poudre, colorants universels, vernis gras transparent.
VERNIS POLYURÉTHANE	Vernis polyvalent, dur et solide, pour de nombreuses surfaces à l'intérieur. Existe en mat, satiné et brillant.	Peintures à l'huile, couleurs à l'huile, couleurs en poudre, vernis gras transparent.
VERNIS ACRYLIQUE	Nouvelle génération d'excellents vernis aux résines acryliques base eau ou de distillats de pétrole, séchant vite. Bons vernis décoratifs.	Mélanges à base aqueuse avec colorants universels et couleurs en poudre.
ENCAUSTIQUE A LA CIRE D'ABEILLE	Utilisée pour polir la peinture ou les meubles. Peut être colorée comme cire à patiner ou à céruser.	Couleurs à l'huile, couleurs en poudre, tripoli, terre à foulon, cirage.

AVANTAGES	INCONVÉNIENTS	SOLVANTS	COMPOSITION	TOXICITÉ
Couleurs fortes, excellent pouvoir couvrant. Peuvent être diluées pour des badigeons vifs. Acryliques imperméables après séchage.	Chers. Les couleurs acryliques sèchent très vite (1 heure). La gouache sèche n'est pas imperméable.	Eau	Pigments concentrés dans une base aqueuse.	🖐-🖐🖐🖐* / 🍶-🍶🍶🍶 / 🖌-🖌🖌🖌
Les couleurs sont très fortes et peuvent donc être diluées. Se mélangent bien. Peu chers et polyvalents.	Gamme de couleurs limitée. Pour obtenir des nuances, mélanger avec peintures toutes faites, comme l'émulsion et la laque satinée.	Térébenthine, white spirit	Pigments liés dans une base de solvant.	🖐🖐 / 🍶🍶🍶 / 🖌🖌🖌🖌
Façon économique et efficace d'étendre la couleur. Sèche en 6 heures. Se travaille bien pendant une demi-heure.	A tendance à former une peau dans le pot. Jaunit à la lumière du soleil. Protéger avec une couche de vernis car il ne durcit pas.	Térébenthine, white spirit	Blanc de Meudon (craie), huile de lin (ou une résine alkyde synthétique), huiles siccatives et white spirit.	🖐🖐 / 🍶🍶 / 🖌🖌🖌🖌
Tous les produits à base de gomme-laque sèchent très vite. Gomme-laque : plusieurs sortes, brun standard, fine orange et décolorée.	Fragiles et jaunes (excepté vernis au tampon). Doivent se travailler rapidement parce qu'ils sèchent vite mais peuvent être dissous à l'alcool à brûler.	Alcool à brûler	Écailles de shellac (cristaux de substance résineuse sécrétée par un insecte, le coccus lacca) et alcool. Vernis au tampon : à base de gomme-laque, pigments à l'aniline.	🖐🖐🖐 / 🍶🍶🍶 / 🖌🖌🖌🖌
Sèche vite ; protège bien le bois.	Fragiles ; le fixateur de nœuds est foncé et ne convient pas sous des badigeons clairs (utiliser à la place du vernis au tampon).	Alcool à brûler	Écailles de shellac (voir ci-dessus) et alcool.	🖐🖐🖐 / 🍶🍶🍶 / 🖌🖌🖌🖌
Vernis séchant vite, dur, brillant, à l'excellente fluidité.	Légèrement fragile. A tendance à former une peau et à s'oxyder partiellement dans le pot. N'est pas aussi dure en séchant qu'un vernis polyuréthane.	Térébenthine, white spirit	Fait traditionnellement d'huile de lin, résine et huiles siccatives. Souvent huiles et résines naturelles, ces dernières en quantité importante pour un séchage rapide.	🖐 / 🍶🍶🍶 / 🖌🖌🖌🖌
Finitions de très haute qualité. Peuvent être poncés.	Sèchent souvent lentement, à cause de la faible quantité de résine. Parfois fragiles.	Térébenthine, white spirit	Huiles et résines naturelles, avec des huiles siccatives.	🖐 / 🍶🍶🍶 / 🖌🖌🖌🖌
Bon marché, facile à trouver et à utiliser. Sèche en 4-6 heures pour donner une finition dure et solide.	Parfois jaunâtre et fragile. A tendance à s'écailler au ponçage.	Térébenthine, white spirit	Résines synthétiques et huiles.	🖐 / 🍶🍶🍶 / 🖌🖌🖌🖌
Vernis à l'eau séchant vite, dur et très transparent. Agréable à travailler.	A base de distillats de pétrole, très toxique. Préférer base aqueuse, si possible. Le degré de toxicité indiqué ici est pour la base aqueuse.	Varie selon la composition	Résines acryliques dures dispersées soit dans l'eau, soit dans des solvants à base de distillats de pétrole (xylène et toluène).	🖐 / 🍶 / 🖌
Souple et polyvalente. Se retire facilement avec du solvant. Imperméable. Brille bien. Agréable à travailler.	Nécessite des applications régulières pour garder le brillant. Si elle trop chauffée, émet des vapeurs toxiques et se décompose.	Térébenthine, white spirit	Cire d'abeilles souple et autres cires, comme la cire dure végétale de Carnauba ou une cire synthétique au silicone dans un solvant (généralement un substitut de la térébenthine).	🖐 ** / 🍶🍶🍶🍶 / 🖌🖌🖌🖌

* La toxicité varie selon la couleur
** Risque de toxicité par inhalation seulement si le produit est trop chauffé

RECETTES

LES RECETTES suivantes vous permettront de fabriquer vos propres produits. Ces recettes sont celles de produits difficiles à trouver, ou qui n'existent pas dans le commerce. Voir également page 335 pour connaître les quantités de peinture, vernis ou vernis gras nécessaires.

CARTE À POCHOIR PAPIER PARAFFINÉ

Si vous ne trouvez pas de carte à pochoir (carte de Lyon), fabriquez-la.

Il vous faut

Papier fort épais ou carte bulle
Huile de lin ou gomme laque ou fixateur de nœuds

Passez de l'huile de lin sur les deux côtés du papier ou de la carte et laissez sécher une semaine. L'huile l'assouplit et permet au pochoir de suivre une surface incurvée. Vous pouvez aussi enduire la carte avec de la gomme laque ou du fixateur, pour l'assouplir et la fixer. On peut de la même manière renforcer des papiers décoratifs et faire des abat-jour ou des stores.

VERNIS GRAS TRANSPARENT

Pour de nombreuses techniques. Quand il est sec, protégez le vernis gras avec une couche de vernis mat

Il vous faut

0,5 litre de térébenthine
0,3 litre d'huile de lin cuite
0,2 litre de siccatif
1 cuillère à soupe de blanc de Meudon

Mélangez les ingrédients avec un fouet de cuisine. Conservez le vernis gras dans un récipient hermétique.

GOMME ARABIQUE FLUIDE (MÉDIUM CRAQUELEUR)

On peut utiliser un médium craqueleur du commerce pour produire une peinture craquelée (voir page 193), mais la gomme arabique est un excellent substitut. Vous l'achèterez sous forme liquide, déjà dissoute, ou en cristaux que l'on dissout dans l'eau bouillante jusqu'à consistance de crème liquide, aux proportions de 500 g de cristaux pour 1 ou 1,5 litre d'eau.

VERNIS CRAQUELEUR

Le vernis craqueleur est utilisé pour donner une finition craquelée délicate (voir pages 268-69). Vous pouvez l'acheter ou le faire vous-même. L'un et l'autre sont en deux parties : un vernis à l'huile et un vernis à l'eau. Pour le premier vernis utilisez de la mixtion à dorer, et pour le second, de la gomme arabique fluide (médium craqueleur décrit ci-dessus), en ajoutant une goutte de liquide à vaisselle pour l'empêcher de s'ouvrir.

VERNIS AU TAMPON

Ajoutez à 0,5 l de gomme laque décolorée un coquetier de teinture à bois soluble à l'alcool, pour obtenir la teinte désirée.

GESSO TRADITIONNEL

Le gesso (voir p. 228) s'applique en couches pour donner une surface lisse pour la dorure. Le gesso à la peau de lapin est appliqué chaud. Il refroidit vite en une gelée ferme, permettant de le superposer rapidement. Retirez la peau qui se forme sur le gesso chaud et ajoutez un peu d'eau.

Il vous faut

5 cuillerées à soupe de colle de peau de lapin en poudre
35 cl d'eau bouillante
250 g de blanc de Meudon

Mettez la colle en poudre au bain-marie. Versez doucement l'eau bouillante, en remuant jusqu'à dissolution complète. Incorporez le blanc de Meudon (1/3 à 1/2 du volume total) jusqu'à obtention d'une peinture épaisse.

Si vous achetez la colle en granulés grossiers, faites-les tremper toute la nuit dans 35 cl d'eau froide. Ils gonfleront en une gelée que vous chaufferez au bain-marie.

On peut colorer le gesso avec des couleurs en poudre, traditionnellement ocre rouge et jaune.

GESSO MODERNE

Le gesso moderne au liant vinylique possède toutes les qualités du gesso à la colle de peau, mais il sèche plus lentement. Je le préfère au gesso acrylique, difficile à racler et à polir.

Il vous faut

5 cuillerées à soupe de liant vinylique
5 cuillerées à soupe d'eau
Blanc de Meudon

Diluez le liant vinylique à 1/1 avec de l'eau, mélangez bien. Ajoutez le blanc de Meudon (1/3-1/2 du volume total).

PEINTURE AU GESSO

Remplace l'émulsion pour un travail en grisaille, voir pages 320-21. Ajoutez la couleur en poudre au gesso. Suivez la recette du gesso traditionnel mais remplacez le blanc de Meudon par un mélange à 1/3 de blanc de Meudon et de couleur en poudre. Après séchage, le gesso peut être poli avec laine d'acier et encaustique.

DÉTREMPE OU BLANC GÉLATINEUX

Cette ancienne peinture, que l'on trouve encore dans le commerce, permet à l'humidité de s'évaporer, elle est donc utile pour les murs des vieilles maisons souvent humides. Voici une version artisanale simple.

Il vous faut

10 kilos de blanc de Meudon
4,5 litres d'eau
Couleur en poudre (ou colorants universels)
Colle de peau de lapin chaude (voir Gesso Traditionnel) ou liant vinylique

Versez le blanc de Meudon dans l'eau jusqu'à ce qu'un pic se forme au-dessus de la surface. Laissez tremper toute la nuit. Le jour suivant, retirez 5 cm d'eau claire sur le dessus. Ajoutez 5-10% de colle par volume. Teintez avec couleur en poudre ou colorants universels et de l'eau.

CIRE À CÉRUSER

La cire à céruser est utilisée pour les bois à pores ouverts (voir pp. 260-61) et pour patiner le plâtre (voir pp. 272-73).

Il vous faut

1 boîte d'encaustique à la cire
d'abeille

De la couleur en poudre blanc
de titane

*Chauffez doucement l'encaustique au
bain-marie jusqu'à liquéfaction.
Ajoutez 1/3 de son volume de blanc de
titane en poudre et mélangez. Versez
dans un récipient et laissez figer.*

SÉCURITÉ : Chauffez toujours doucement la cire. Trop chauffée, elle donne des vapeurs très toxiques.

PÂTE À CÉRUSER

*Utilisez la pâte à céruser à la place de
la cire quand la surface doit être
vernie. Essuyez bien la surface avec
un chiffon humide avant.*

Il vous faut

1 cuillerée à soupe de blanc de titane
en poudre

0,5 litre d'eau

Colle de peau de lapin chaude (voir
Gesso Traditionnel) ou gomme fluide
(voir Gomme arabique fluide)

Mélangez blanc de titane et eau jusqu'à consistance de crème liquide.
Pour chaque 1/2 litre du mélange,
ajoutez 6-7 cuillerées à soupe de colle
(chauffée au bain-marie, voir Gesso
traditionnel) ou 3-4 cuillerées à soupe
de gomme fluide.

BADIGEONS

*Les badigeons (peintures liquides) se
préparent de plusieurs façons, pour les
techniques avec badigeons et pour
passer un film mince de couleur sur
une couche de base de teinte différente.
Vous aurez besoin de ces 3 recettes
(voir aussi pp. 248-53).*

Badigeon à l'émulsion

*Badigeon polyvalent que j'utilise
fréquemment.*

Il vous faut

Peinture émulsion

Eau

Mettez la peinture à diluer dans un
seau. Ajoutez un peu d'eau en remuant pour dissoudre les grumeaux.
Diluez 1 volume de peinture avec
entre 1 et 10 volumes d'eau pour obtenir un badigeon. Notez les proportions utilisées. Ceci est important si
vous travaillez sur de grandes
surfaces ; en effet, le badigeon se dé-
cante et doit être mélangé chaque
jour dans les mêmes proportions.

Badigeon a l'eau

*Ce badigeon peut être retravaillé une
fois sec, en le mouillant avec une
éponge, mais doit être protégé par un
vernis à l'huile, car il disparaît
quand on le frotte.*

Il vous faut

Couleur en poudre

Eau

Mélangez la couleur avec un peu
d'eau jusqu'à consistance crémeuse.
Pour vous guider, 3 cuillerées à soupe
de couleur mélangée à 1 litre d'eau
suffiront pour toute une pièce. Remuez sans arrêt la peinture.

Badigeon au liant vinylique

*Pour de petites surfaces vous
préférerez peut-être encres de couleur,
gouache, couleurs acryliques ou en
poudre, trop chères pour de grandes
superficies.*

Il vous faut

Couleur en poudre

Liant vinylique ou colle de peau
de lapin (voir Gesso traditionnel)

Eau

Mélangez la couleur avec un peu
d'eau jusqu'à obtention d'une consistance crémeuse. Ajoutez 5 à10 % de
colle de peau par volume. (Si vous
utilisez de la colle chaude, mélangez
la couleur avec de l'eau chaude pour
que la colle ne refroidisse pas trop rapidement et se transforme en gelée.)
Diluez ce mélange à la consistance
requise : ajoutez environ 8 volumes
d'eau pour le badigeon ou pour les
demi- tons de grisaille et de trompe-
l'œil. Plus la peinture est liquide, plus
vite la poudre se déposera dans le
fond. Remuer constamment.

TEINTER LES MÉDIUMS

Teinter l'émulsion

*Utilisez couleurs en poudre,
acryliques, gouache ou colorants
universels.*

Il vous faut

Couleurs en poudre, couleurs acryliques, gouaches ou colorants
universels

Eau

Peinture émulsion

Mélangez d'abord la couleur avec un
peu d'eau. Avec des colorants universels, mélangez d'abord avec un peu
d'émulsion sans mettre plus d'1
cuillerée à soupe de colorant pour
5 d'émulsion, sinon la peinture ne
séchera pas. Ajoutez ce mélange à
l'émulsion, en remuant soigneusement.

Teinter le vernis gras transparent

*Quand vous choisissez une couleur
pour teinter le vernis gras, n'oubliez
pas qu'il commencera à jaunir trois à
quatre mois après avoir été appliqué.
Le rouge, par exemple, deviendra
orange et le bleu pâle deviendra vert.
Pour cette raison, essayez d'éviter les
couleurs claires, ou choisissez une
peinture à l'eau au lieu de vernis. Une
façon d'éviter le jaunissement est
d'ajouter une ou deux gouttes de laque
satinée blanche au vernis gras quand
vous le teintez. Les quantités données
ci-dessous peuvent varier selon le
pouvoir colorant de la couleur (voir
tableau pp. 324-27).*

Il vous faut

Environ 7 à 10 cm de couleurs
à l'huile pressées du tube

Térébenthine

0,5 litre de vernis gras

Mettez la couleur à l'huile dans un
récipient. Ajoutez un peu de térébenthine et remuez bien avec une
brosse pour obtenir un mélange lisse.
Ajoutez le vernis gras, mélangez
bien, les petits points de couleur non
dissoute devenant des traînées
quand vous peignez.

Teinter vernis/ laque satinée/glycéro

*Suivez la méthode ci-dessus, en
remplaçant le vernis gras par du
vernis (polyuréthane ou à l'huile), de
la laque satinée ou de la glycéro.*

Teinter le plâtre

*Le plâtre blanc peut être mélangé avec
des couleurs en poudre. Certains
pigments ne résistent pas aux composés
alcalins et la chaux du plâtre les
décolorera complètement en quelques
mois. Ne choisissez que des pigments
résistant aux composés alcalins (voir
tableau pp. 324-27). Pour une jolie
couleur parchemin, mélangez environ
1/2 tasse (1dl) à 1 tasse (2dl) de
couleur en poudre terre de Sienne
naturelle à un seau de plâtre blanc.
Puis, en suivant les instructions du
fabricant, mélangez le plâtre coloré
avec de l'eau.*

CONSEILS & SUGGESTIONS

CERTAINS matériaux et produits indiqués dans ce livre vous sont peut-être familiers et d'autres non. Voici quelques suggestions pour vous aider à les acheter et les conserver, ainsi que des conseils pour vernir les finitions peinture.

Protection des finitions peinture

On peut utiliser du vernis pour protéger n'importe quelle finition peinture décorative, mais il est particulièrement utile pour le vernis gras et les badigeons à l'eau, qui se détériorent facilement. Quand vous choisissez un vernis, prenez en compte le rôle que doit jouer la surface et le type de peinture qui la recouvre (le tableau pp. 328-31 donne un résumé des utilisations et propriétés des différents types de vernis).

Les vernis polyvalents à l'huile et les polyuréthanes sont les plus durs et les plus imperméables. Ils conviennent pour les finitions peinture des salles de bains, cuisines et pièces fréquentées par les enfants et les animaux.

Le vernis gras transparent ne peut être recouvert que d'un vernis à l'huile, mais les peintures à l'eau (émulsion ou badigeons faits maison) peuvent être protégées avec des vernis à l'huile ou à l'eau, dont le liant vinylique dilué (protecteur mais pas imperméable) et le vernis acrylique.

ACHAT ET RANGEMENT DES PRODUITS

Les achats en gros reviennent généralement moins cher et la plupart des produits se gardent plusieurs mois et même plusieurs années s'ils sont conservés dans de bonnes conditions. Certains demandent des conditions spéciales, mais en règle générale gardez-les à l'abri de la lumière et des températures extrêmes. Évitez les endroits où il peut geler, comme un hangar. Vous trouverez ci-dessous certaines suggestions.

Cires

Cires et encaustiques durcissent parfois dans le pot, même n'ayant jamais été ouvert. Vous pouvez les ramollir en plaçant le pot au bain-marie et en chauffant très doucement jusqu'à ce que la cire soit souple; mélangez ensuite avec un peu de térébenthine.

Colle à base de gélatine

Les colles à base de gélatine comme la colle de peau de lapin, se gardent indéfiniment, dans leur forme originale de poudre ou granulés et à l'abri de l'humidité et des insectes. Une fois mélangées avec de l'eau, elles commencent à moisir au bout de quelques jours seulement. C'est pourquoi vous ne devez faire que la quantité nécessaire.

Couleurs en poudre (dont blanc de Meudon)

Petites quantités vendues en pots, quantités plus importantes en sacs. Gardez couleurs en poudre et poudres métalliques dans un endroit sec, dans des récipients hermétiques aux couvercles vissés. Toxiques et ne devant jamais être inhalées, il faut les sortir du récipient à la cuillère, avec précaution (ne les versez jamais) et évitez les pots à couvercles fixés par pression qui ont tendance à projeter la poudre quand on les ouvre.

Feuille d'or et poudres métalliques

Le coût de la feuille d'or vrai varie selon le cours de l'or. L'or pur 22 carats ne ternit jamais, mais le cuivre battu (ou or faux) ternira au long des années, même dans sa présentation originale, en feuilles. L'or faux doit être protégé avec du vernis pour éviter qu'il s'oxyde et ternisse. Les poudres métalliques existent en petits conditionnements ou en pots de 750 g à 1 kilo. Elles doivent être vernies pour éviter de ternir. Voir à « couleurs en poudre » ci-dessus la façon de les conserver.

Peinture et vernis

Replacez soigneusement les couvercles des pots de peinture et de vernis et s'ils ne sont pas endommagés, retournez les pots à l'envers ; si une peau se forme, elle restera dans le fond. Avant de réutiliser la peinture, retirez la peau et remuez ensuite vigoureusement. N'agitez pas les vernis, ce qui leur incorporerait des bulles d'air qui apparaîtraient dans la finition. Gardez des brosses destinées uniquement au vernis, celui-ci pouvant dissoudre des restes de peinture dans les soies, ce qui gâcherait la finition.

Plâtre

Il est important de garder le plâtre au sec mais, même dans de bonnes conditions, sa durée de vie est limitée à quelques mois, après lesquels il commence à absorber l'humidité, s'agglomère et devient inutilisable. Le temps de séchage du plâtre s'accroît après quelques semaines seulement d'entreposage.

Pochoirs

Il vaut mieux les garder à plat, en interposant une feuille de papier entre chaque pour éviter que les motifs ne s'accrochent et se déchirent.

Vernis gras transparent

Vendu en boîte de même contenance que la peinture, 1/2 litre et plus. Selon les marques la couleur est légèrement différente dans le pot, mais non à l'application. Le vernis gras se conserve environ un an.

Pour un résultat parfait

Pour donner à une surface peinte vernie une finition lisse et parfaite, appliquez plusieurs couches de vernis, en ponçant légèrement avec du papier de verre moyen entre chaque couche.

Quand la dernière couche est totalement sèche, frottez la surface comme vous le feriez avec un meuble, avec de l'encaustique à la cire d'abeille passée à la laine d'acier extra fine. Vous aplanirez ainsi les moindres imperfections de la surface pour donner un beau brillant satiné, sans poussières qui s'incrustent dans le vernis quand il sèche. Dix minutes plus tard, frottez avec un chiffon à poussière. Cette méthode de finition est particulièrement utile pour les effets spéciaux qui imitent des matériaux brillants, comme le marbre.

Redécorer les surfaces

Les peintures standard du commerce, comme la glycéro et l'émulsion, peuvent être poncées ou lavées selon le cas, puis repeintes. Les finitions de vernis seront frottées au papier de verre ou décapées avec un décapant approprié. Les finitions de cire, comme la céruse et la patine, peuvent, avec beaucoup de patience, être retirées et repeintes. Frottez la surface avec de la térébenthine suivie par du détergent et de l'eau, puis poncez pour donner un fond approprié à la peinture.

Le vernis gras transparent sera poncé et peint avec une couche de base à l'huile, avant d'être redécoré avec des peintures à l'huile ou à l'eau ou du vernis gras. C'est un travail ardu, qui prend beaucoup de temps, et convient surtout pour les meubles et les petites surfaces, comme les soubassements. Le résultat ne sera jamais parfait. Si vous envisagez de passer au vernis gras des murs entiers, pensez à poser du papier à peindre, qui s'arrache facilement par la suite si l'on veut redécorer.

Décoration « verte »

Presque tous les domaines de la décoration touchent d'une façon ou d'une autre à l'environnement. On trouve le pour et le contre, à la fois avec les produits d'origine animale et les produits chimiques. Même si certaines personnes refusent l'utilisation des produits contenant des colles animales par exemple, l'argument en leur faveur est leur biodégradabilité. Les colles synthétiques, comme le liant vinylique, d'un autre côté, n'ont rien d'organique, mais peuvent contenir des produits chimiques nuisibles à l'environnement.

Tous les aérosols ne contiennent pas de CFC, mais beaucoup laissent échapper d'autres gaz toxiques. Recherchez et essayez d'acheter ceux qui ne contiennent pas de CFC et respectent l'environnement (indiqué sur l'aérosol).

Certaines sortes de brosses sont faites avec des soies animales. Les blaireaux sont faits de poils de blaireau importés de Chine et d'Extrême-Orient. Les blaireaux sont protégés dans de nombreux pays. Pour adoucir des glacis, j'utilise une brosse à lisser en soies beau blanc au lieu de blaireau. Ce n'est que pour adoucir l'aquarelle que le blaireau donne une finition supérieure à celle de toute autre brosse.

Où jeter les produits

Bien des peintures et solvants résistent au traitement des eaux usées et il est important de ne pas les jeter au tout-à-l'égout (sauf l'alcool à brûler et l'eau). Versez-les plutôt dans des vieux récipients vides, en marquant soigneusement la nature du solvant ou de la peinture.

Ne mélangez pas différents types de solvants et évitez d'utiliser des récipients ayant contenu des denrées alimentaires, non seulement il y a risque de confusion, mais certains solvants peuvent dissoudre le récipient, avec les dégâts que l'on imagine. Fermez toujours parfaitement les couvercles et gardez les produits hors de portée des enfants.

Demandez à votre mairie s'il existe une possibilité de vous débarrasser de ces produits. Dans le cas contraire vous devrez vous résoudre à les jeter avec le reste des ordures ménagères.

QUANTITÉS

Il est impossible d'être précis, la superficie couverte dépendant de la façon plus ou moins généreuse dont vous appliquez la peinture, la porosité de la surface et le temps qu'il fait (s'il fait chaud, la peinture s'évapore et il en faut plus). Le tableau ci-dessous vous donnera une idée des quantités nécessaires de peinture ou de vernis pour une couche sur les murs d'une pièce de taille moyenne dont la superficie au sol est de 4,5 x 4,5m et la hauteur sous plafond de 3 m, ce qui donne une surface de murs de 60 m². La quantité de badigeon dépend de son degré de fluidité.

Type de peintures	Nombre de litres
Primaire	7$^{1/2}$
Sous-couche	7$^{1/2}$
Emulsion	7$^{1/2}$
Vernis	5
Laque satinée	7$^{1/2}$
Glycéro	7$^{1/2}$
Vernis gras	2
Badigeon	1-2
Lait de chaux	7$^{1/2}$

Pâtes et poudres sont utilisées en finitions spéciales pour les petits objets, meubles et boiseries.

CIRE À PATINER Pour une commode moyenne : une boîte de 500 g d'encaustique à la cire d'abeille et environ 250 g de poudre à mélanger avec la cire (couleur en poudre, terre à foulon ou tripoli).

CIRE À CÉRUSER Pour une commode moyenne, une boîte de 500 g d'encaustique à la cire d'abeille et pas plus de 500 g de couleur en poudre blanc de titane.

POUDRE MÉTALLIQUE 100 g suffisent pour dorer un pied de lampe de taille normale.

GLOSSAIRE

a

Adam Robert (1728-1792) Architecte et styliste écossais, personnage marquant du mouvement néo-classique dans l'architecture d'intérieur britannique.

aniline constituant synthétique de

Palmette

certaines peintures et vernis.

applique murale Odéon lampe en verre Art Déco en forme de coquille, que l'on trouvait dans les cinémas en Grande Bretagne.

arabesque décoration des surfaces, à l'origine sur les peintures islamiques, consistant en formes de feuilles, fleurs ou animaux s'entremêlant, ou de motifs rythmés.

architrave encadrement mouluré entourant une porte, un arc, une fenêtre ou un panneau mural.

arc en ogive arc gothique caractéristique à nervures saillantes, populaire dans la décoration gothique XVIIIᵉ siècle.

arc gothique arc pointu, caractéristique de l'architecture médiévale.

arc trilobé arc décoratif de l'architecture gothique, comprenant trois arcs disposés en cercle.

Art Déco style design des années d'entre deux guerres (nommé d'après l'*Exposition des Arts Décoratifs* de 1925, à Paris) qui fut influencé fortement par l'art Cubiste et les formes mécaniques contemporaines.

Art Nouveau style d'art et d'architecture de la fin du XIXᵉ siècle, opposé au classicisme qui l'avait précédé.

association de dorures méthode de dorure qui emploie deux techniques ou plus pour donner l'impression que seule la plus élaborée a été utilisée.

Aztèque caractéristique de l'art et la culture des Aztèques, civilisation indo-mexicaine ancienne.

b

badigeon à la chaux brossé technique de peinture qui donne aux murs l'apparence d'un badigeon à la chaux bien brossé, autrefois utilisé pour peindre les murs extérieurs.

badigeon dilué, peinture faite maison ou peinture du commerce diluée, comme l'émulsion.

badigeon technique simple de peinture à l'eau utilisée pour donner une finition nuageuse et doucement

texturée, par l'application de plusieurs couches de peinture diluée.

baguette à chapelet moulure destinée à l'origine à ressembler à une rangée de grains et utilisée pour les bordures et pour décorer.

bain-marie récipient plongé dans un autre contenant de l'eau bouillante, permettant de chauffer doucement des ingrédients ; utile pour la confection du gesso.

bakélite premier plastique entièrement synthétique industriel, breveté en 1907.

Baroque riche style européen d'architecture et de décoration, en vogue au XVIIᵉ et XVIIIᵉ siècle, caractérisé surtout par ses lignes florales, son assurance, et l'usage spectaculaire de l'ornementation et du grandiose.

bas-relief sculpture légèrement en relief sur un fond, mais qui n'en n'est pas détachée.

Bauhaus école d'architecture et d'arts appliqués en Allemagne, dans les années 1920, qui cherchait à abattre les barrières entre l'art décoratif et l'industrie.

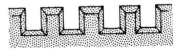

Crénelé

Biedermeier style de décoration et de design d'intérieur qui est une version des styles néo-classiques du début XIXe siècle, comme l'Empire. Le nom vient d'un personnage de fiction allemand.

biseauté usé forme des soies d'une brosse de décorateur améliorées par une usure sur les côtés.

bois clair technique utilisée pour imiter les finitions cirées des essences de bois clairs.

bois de citronnier bois cher, clair, dur au grain satiné.

boiseries revêtement en bois recouvrant généralement le bas des murs.

Boucher François (1703-1770) Artiste et styliste français Rococo, dont l'œuvre est typique de l'art de cour français du XVIIIe siècle.

Brescia ville de Lombardie, Italie, connue pour le marbre rouge-brun tiré des carrières locales.

brocart soie lourde et opulente, à motifs en relief autrefois en fils d'or et d'argent.

brosse sèche technique de peinture avec une brosse presque sèche, qui permet d'obtenir un effet nuageux ou de souligner les reliefs d'une surface texturée.

Byzantin style artistique florissant au VIe siècle et plus tard, du IXe au XIe siècle, à Byzance (plus tard Constantinople), et qui associait des éléments de la Grèce antique, de la culture orientale et de la chrétienté.

C

cache forme en carton découpé utilisé pour protéger une surface de la peinture appliquée autour.

calicot coton uni à tissage irrégulier originaire de l'Inde.

cantonnière structure utilisée pour dissimuler le haut des rideaux.

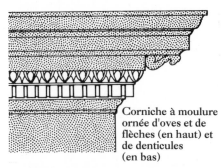

Corniche à moulure ornée d'oves et de flèches (en haut) et de denticules (en bas)

cariatide sculpture ou buste féminin, généralement utilisée pour soutenir un plafond ou l'architrave, la corniche et une frise au-dessus d'une porte ou d'une cheminée.

Carrare ville de Toscane, célèbre pour son marbre blanc veiné de gris.

carton à pochoir carte de Lyon, carte bulle paraffinée ou papier fort, dans lesquels on découpe des formes qui servent de pochoirs.

carton-pâte couches de papier, ou de pulpe de papier, mélangées à de la colle de pâte, qui sèche en formant un matériau léger mais solide. Papier-mâché.

cartouche panneau portant inscriptions ou emblèmes, souvent en trompe-l'œil.

céruse technique décorative qui

emploie la cire à céruser pour laisser un pigment blanc dans les pores du bois nu, en lui donnant une finition satinée.

Cézanne Paul (1839-1906) peintre post-impressionniste majeur, dont l'œuvre se caractérise par des touches de peinture texturée, aux couleurs riches et soigneusement placées.

CFC abréviation pour le chlorofluorure de carbone, substance nocive pour l'environnement utilisée comme gaz propulseur dans certains aérosols.

chagrin matériau grenu obtenu à partir de la peau séchée de certains poissons ; utilisé en incrustations.

Champêtre style frivole de décoration du XVIIIe siècle, appliqué aussi bien au mobilier d'extérieur qu'aux œuvres en plâtre à l'intérieur.

chevron ligne régulière en zigzag, souvent utilisée dans les motifs héraldiques médiévaux.

chiffon (peinture au) technique de peinture avec un chiffon froissé, qui permet de créer des finitions décoratives nuageuses ou marbrées.

Chinoiserie nom donné aux objets décoratifs chinois du style occidental du XVIIe et XVIIIe siècle, qui associait les formes européennes contemporaines avec des motifs orientaux.

chintz tissu de coton à tissage serré, moyennement lourd, généralement glacé et traditionnellement imprimé de motifs floraux colorés sur fond clair.

cimaise à tableaux moulure courant en haut d'un mur sur laquelle on pose les crochets qui permettent d'accrocher des tableaux.

cimaise moulure horizontale en avancée, courant habituellement à un mètre de hauteur le long d'un mur, séparant le soubassement du haut du mur.

Classique motifs architecturaux ou décoratifs de la Grèce et la Rome antiques.

Cliff Clarice (1899-1972) Styliste anglaise en faïence, associée avec le mouvement Art Déco.

Cooper Susie (née en 1902) Céramiste britannique des années 1920-30.

corniche avancée en haut d'un mur ou moulure utilisée pour cacher la jonction entre le haut du mur et le plafond.

couleurs complémentaires couleurs opposées sur le cercle chromatique. La complémentaire de toute couleur primaire (rouge, jaune bleu) est la couleur secondaire obtenue en mélangeant les deux autres.

couleurs de terre pigments oxydes, comme la terre d'ombre naturelle, obtenus à partir de terres et de minéraux raffinés. Existant en poudres ou liquides, ils possèdent un naturel et une pérennité qui les rendent parfaits pour teinter, estomper et patiner.

couleurs du spectre couleurs de l'arc-en-ciel, résultant de la décomposition de la lumière blanche.

couleurs primaires en termes de peinture : rouge, jaune et bleu, à partir desquelles on peut obtenir toutes les autres couleurs.

craquelure finition décorative de vernis qui se développa au XVIIIe siècle, en France, pour imiter le fin réseau craquelé des laques et des faïences orientales.

crénelé ressemblant aux créneaux sur le mur d'un château.

d

damas tissu de soie ou de lin aux motifs texturés opulents.

découpage méthode de décoration des murs et des objets avec des images en papier découpé.

Delft (faïence) faïence hollandaise, traditionnellement bleue et blanche.

Della Robbia famille florentine de sculpteurs de la Renaissance, qui utilisaient une céramique vernissée en sculpture décorative, de sujet généralement religieux encadré par une couronne florale.

demi-ton toute nuance se trouvant à mi-chemin entre une couleur donnée et du blanc.

denticule moulure ornementale

répétant des motifs rectangulaires également espacés, généralement placés sous une corniche classique.

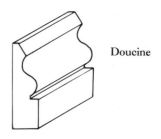

Doucine

détrempe groupe de peintures obtenues en mélangeant des pigments avec de l'eau, liés avec de la caséine, de la colle ou de l'œuf, qui étaient très utilisées avant l'invention de l'émulsion.

dorure méthode pour dorer des surfaces, soit par l'application de la feuille d'or, soit par la peinture dorée.

doucine moulure décorative en forme de S.

e

embrasse cordelière ou ruban ou anneau de métal relevant un rideau sur le côté.

Empire style français grandiose, qui associe les procédés décoratifs classiques à l'imagerie égyptienne et napoléonienne.

encensoir vase dans lequel brûle l'encens sur du charbon de bois pendant les cérémonies religieuses.

encorbellement avancée souvent en pierre ou en brique qui soutient une corniche ou une poutre.

éponge (peinture à l') technique de peinture qui utilise une éponge humide pour donner un effet nuageux, marbré.

étamine tissu de coton à tissage lâche, utilisé autrefois pour égoutter le caillé et faire le fromage.

f

faïence à l'éponge céramique décorée avec des couleurs qui sont appliquées avec une éponge pour donner une effet brouillé.

faïence vernissée au sel obtention d'un vernis légèrement piqueté en jetant du sel sur le feu de cuisson.

filigrane ornementation délicate en dentelle, souvent obtenue avec des fins fils d'or ou d'argent.

fleur de lys ancien motif en forme de fleur d'iris stylisée.

fleur multiple soies de porc naturellement fendues à l'extrémité.

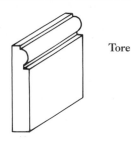

Tore

Les brosses à fleur multiple donnent une finition supérieure.

fleuron partie qui termine une avancée ornementale, sous forme de fleur ou d'épi, sur un bâtiment ou un meuble.

fresque peintures se trouvant généralement sur les murs et les plafonds, obtenues en incorporant des couleurs à l'eau directement dans une surface de plâtre frais ; la technique fut perfectionnée en Italie, à la Renaissance.

frise large bande horizontale sur la partie haute d'un mur, décorée différemment du reste de la pièce, au pochoir, à la peinture, avec du papier peint ou du plâtre.

g

gabarit forme faite en papier ou en carte, qui sert de guide pour découper la même forme dans divers autres matériaux.

Gill Eric (1882-1940) sculpteur anglais, graveur et typographe.

gothique XVIIIᵉ siècle style décoratif début-milieu du XVIIIᵉ siècle prônant les éléments les plus exubérants du style gothique médiéval, en les interprétant dans un environnement contemporain.

gothique style architectural du Moyen Age français, qui s'est étendu dans toute l'Europe jusqu'à ce qu'il soit supplanté par les influences classiques de la Renaissance.

gouache peinture à base aqueuse opaque, dont les pigments sont liés avec de la colle ou de la gomme arabique.

grisaille trompe-l'œil en teintes monochromes représentant des jeux d'ombre et lumière qui donnent, sur

une surface plate, l'illusion d'un ornement ou d'une structure architecturale en trois dimensions.

Gropius Walter (1883-1969) Architecte et styliste allemand,

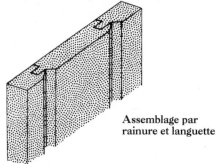

Assemblage par rainure et languette

directeur du Bauhaus, de 1919 à 1928.

guingan textile à carreaux ou rayé tissé généralement avec deux fils de couleur différente.

guirlande motif festonné, représentant généralement une chaîne de feuilles, de fleurs ou de fruits, ou une draperie.

i

icône peinture à l'huile de type byzantin,comprenant une série d'images religieuses exécutées sur un panneau de bois.

imitation bois technique utilisée pour imiter les différents veinages du bois.

imitations finitions réalisées pour imiter un autre matériau, comme le marbre (faux marbre) ou le bois (faux bois).

incrustation décoration de surfaces plates, meubles par exemple, faite en insérant dans la surface d'autres matériaux : bois colorés, métaux ou nacre par exemple.

j

joint ou raccord en onglet coin à angle droit formé quand deux bandes de matériau, surtout du bois, sont raccordées , chacune se terminant en biais à un angle de 45°.

jute toile unie et grossière utilisée pour l'ameublement.

k

Kandisky Wassily (1866-1944) peintre expressionniste, né en Russie, qui ouvrit la voie à un style d'art purement abstrait. Il enseigna au Bauhaus jusqu'à sa fermeture.

kelim tapis en tapisserie tissé à plat, production du Moyen-Orient, caractérisé par ses couleurs vives et ses grands motifs.

Klee Paul (1879-1940) peintre et graveur suisse, dont l'œuvre associe éléments formels et d'imagination.

l

lait de chaux substance composée de chaux éteinte et d'eau, utilisée pour blanchir les murs extérieurs.

Lalique René (1860-1945) décorateur français, connu pour ses œuvres en verre moulé Art Nouveau.

lambris boiseries obtenues avec des lames de bois assemblées par languettes et rainures.

Landseer, Sir Edwin Henry (1802-1873) peintre réaliste anglais, célèbre pour ses études d'animaux et de paysages.

Langley Batty (1697-1751) architecte, éditeur de meubles et auteur, en partie responsable du renouveau d'intérêt pour les arcs en ogive et les rosettes, qui ont marqué le style gothique XVIIIe.

languettes et rainures assemblage entre deux planches, la languette s'insérant dans la rainure.

lapis lazuli minéral bleu utilisé comme pierre semi-précieuse et comme pigment sous le nom de bleu outremer.

laque décoration orientale dont la surface laquée offre une finition dure et très brillante.

lincrusta nom déposé du XIXe siècle d'un type de plastique moulé.

Lloyd Loom meubles (surtout des sièges) industriels, en ficelle tressée très serrée, inventés par l'américain Marshall Lloyd.

m

Mackintosh Charles Rennie (1868-1928) Artiste, architecte et éditeur de meubles écossais, proche du mouvement Art Nouveau.

majolique style de faïence au vernis blanc épais coloré par des pigments.

marbre de Sienne marbre jaune et veiné, originaire de Sienne, en Toscane.

marbre granitique pierre à laquelle animaux et plantes fossilisés donnent un aspect moucheté.

marbre serpentin marbre veiné à motifs vert foncé ou brun.

marbrure diverses techniques de peinture permettant de reproduire l'apparence du marbre en imitation.

marqueterie placage décoratif composé de formes diverses incrustées, en bois exotiques, os, métal ou ivoire.

mauresque associé avec l'art, l'architecture et la culture des Maures, qui dominèrent l'Afrique du Nord et l'Espagne méridionale au VIIIe siècle.

maya caractéristique de l'art et de l'architecture de l'ancienne civilisation indo-américaine de ce nom.

Modernisme style qui se développa dans les beaux-arts et les arts appliqués dans la première partie du XXe siècle, fondé sur un rejet des approches traditionnelles au profit de genres plus industriels et dépouillés.

Morris William (1834-1896) décorateur, peintre, poète anglais majeur, qui participa à la renaissance des arts décoratifs. Personnage de premier plan du mouvement Arts and Crafts, il eut aussi une influence considérable sur les préraphaélites.

mosaïque motif décoratif obtenu par l'assemblage de petits morceaux de pierre, marbre ou verre.

moucheté technique décorative par laquelle une brosse, trempée dans la peinture, l'encre, le vernis gras ou le vernis, est tapotée pour jeter des pointillés de couleurs sur une surface.

Mouvement Arts and Crafts groupe d'artistes de la fin de l'époque victorienne, qui prônaient la renaissance de l'artisanat traditionnel et les valeurs d'avant l'ère industrielle.

n

néo-classique relatif au mouvement européen du XVIIIe siècle, inspiré par les formes architecturales du Classicisme et caractérisé par le sens des proportions et de l'harmonie.

néo-gothique robuste style gothique de la moitié du XIXe siècle, connu pour sa sombre authenticité et son déploiement de pompe médiévale.

Nouveau Bauhaus école de décorateurs, qui se forma à Chicago après la fermeture du Bauhaus par les Nazis en 1933.

o

obélisque monument en pierre, carré ou rectangulaire, se terminant en pointe pyramidale.

onyx marbre ornemental.

Orientaliste membre d'un mouvement victorien de décorateurs et d'artistes, caractérisé par un intérêt pour la décoration et les motifs orientaux.

oves et flèches motif souvent présent sur les moulures sculptées, comprenant une rangée de formes ovales alternant avec des flèches.

p

palmette motif en forme de fleur de chèvrefeuille ou de lotus, ou motif de feuille en forme d'éventail.

panneau à plis de serviette style de panneau, moulé ou sculpté, imitant les plis produits par le linge qui retombe.

parquet plancher formant un dessin géométrique.

patine couleur et texture qui apparaît sur la surface d'un matériau, résultat de l'âge ou de la corrosion atmosphérique.

patine procédé décoratif qui donne aux surfaces peintes un air d'ancienneté, en imitant la décoloration causée par la poussière et les salissures.

peigner technique par laquelle les dents d'un peigne de décorateur sont tirées sur une surface vernie.

peinture au lait peinture utilisée en couche primaire, autrefois appliquée sur les meubles, et à base de protéines du lait.

pied de biche style de pied de meuble en forme de S, très utilisé pour les sièges au début du XVIIIe siècle.

pierre angulaire pierre marquant le coin extérieur du mur d'un bâtiment.

pietra serena type de pierre très utilisée à Florence pendant la Renaissance.

pilastre section de pilier rectangulaire et peu épaisse, ajoutée à un mur pour lui donner un intérêt ornemental.

Piranèse, Giovanni Battista (1720-1778) décorateur, graveur et architecte italien, dont les principales œuvres comprennent la série de gravures appelée *Antiquités romaines*.

plâtre de gypse plâtre classique pour murs intérieurs, surfaces à enduire et moulures.

pocher peindre ou texturer une surface avec un fin réseau de peinture mouchetée, à l'aide d'une brosse à pocher ou à soies rudes.

pochoir méthode de décoration par laquelle la peinture est appliquée à travers un motif découpé pour produire des images sur une surface.

porcelaine de Sèvres porcelaine faite à la manufacture de Sèvres, qui joua un rôle important de 1760 à 1815.

porphyre roche rouge violet, incrustée de cristaux de feldspath, que l'on peut imiter avec de la peinture en moucheté.

portique galerie ouverte, à arcades ou à colonnades, à l'intérieur ou à l'extérieur.

post-impressionniste terme se référant à certains artistes venant après le mouvement Impressionniste, en France.

préraphaélite se dit d'un groupe de peintres anglais de l'ère victorienne qui se donnèrent comme modèles idéaux les œuvres des prédécesseurs de Raphaël.

r

Raku faïence japonaise cuite dans un four à bois ouvert.

Régence anglais style décoratif anglais, qui absorba quantité d'influences étrangères contemporaines. En vogue au début du XIXᵉ siècle.

Rococo style décoratif exubérant du début du XVIIIᵉ siècle en Europe, caractérisé par ses courbes en coquilles, ses rouleaux élaborés et ses couleurs pastel.

s

sanguine craie rouge contenant des oxydes ferriques, utilisée dans les dessins.

Shaker nom d'une secte américaine fondée en 1747. Son mobilier est caractérisé par ses lignes fonctionnelles et son manque d'ornement.

siccatifs produits chimiques ajoutés aux matériaux de décoration pour accélérer leur temps de séchage.

sienne pigment jaune-brun, originaire de la ville du même nom.

similor ornement en alliage de métal moulé, doré industriellement.

sisal fibre robuste, utilisée pour les revêtements de sol et les cordes.

Soane, Sir John (1753-1837) architecte anglais, dont le style de décoration d'intérieur fut influencé par l'architecture romaine et byzantine.

soubassement partie basse d'un mur entre la cimaise et le sol.

sphère armillaire sphère céleste, assemblage de plusieurs cercles au centre desquels est placé un petit globe figurant la terre

stuc matériau apparenté au plâtre, utilisé pour recouvrir des briques à l'extérieur et décorer des murs et plafonds à l'intérieur.

stuc pâte de colophane, colle et blanc de Meudon, utilisée pour faire moulures et corniches.

t

taches de mouches finition obtenue en projetant des points de peinture, vernis gras coloré, vernis ou encre sur une surface pour donner un aspect vieilli.

tampon à imprimer (ou bloc) bloc de bois dans lequel on a gravé un motif. Utilisé pour imprimer une image sur les murs ou les meubles.

terra verde couleur de terre, terre verte en italien.

terre cuite. Argile cuite de haute qualité non vernie.

toile à matelas ou coutil tissu de coton solide à rayures étroites.

tore moulure pleine de profil curviligne que l'on trouve sur les plinthes, moulures, baguette à chapelet et à la base des colonnes classiques.

trompe-l'œil toutes sortes d'illusions d'optique, comme la grisaille, qui sont destinées à créer le relief.

v

veinage technique consistant à tirer une brosse à soies longues sur du vernis gras transparent ou de la détrempe, pour obtenir une série de lignes fines sur les murs ou les meubles.

vernis au tampon vernis fin, qui donne une surface très brillante et très lisse.

vernis à la gomme laque semblable au vernis au tampon.

vert-de-gris couleur verte produite par la corrosion naturelle sur le cuivre, bronze et laiton.

Victorien éclectique personne qui pense que l'art et la décoration d'intérieur doivent offrir un mélange de différents styles.

vieillir diverses techniques abrasives permettant d'imiter les effets du temps et de l'usure sur la peinture, le bois, le plastique ou le plâtre neufs.

vignette petite illustration non incluse dans une bordure.

virole bague de métal sur une brosse ou un pinceau, renforçant le manche et enserrant les soies.

Voysey, Charles Francis (1857-1941) décorateur anglais influencé par William Morris, mais au style plus léger.

W

Wright, Frank Lloyd (1867-1959) architecte et éditeur de meubles américain, qui cultivait les formes modernes, dynamiques et angulaires.

Z

ziggurat style architectural pyramidal aux côtés en créneaux, adapté dans l'Art Déco.

INDEX

a

acétone, 226, 330
Adam Robert, 18, 53, 54-7, 244, 336
alcool à brûler, 226, 227, 330
Américains (styles) :
  chambre du Savoy, 188-91
  living-room Miami Déco, 196-99
  living-room Nouvelle Angleterre, 94-97
  salle à manger Santa Fe, 98-101
  style colonial, 52, 76-79
  style Shaker, 22, 106-7
aniline, 331, 336
appliques bougeoirs, 56, 70-1, 94, 120
arabesque, 38, 48, 336
architraves, 44, 76, 336
arcs :
  fer-à-cheval, 36-7
  gothique XVIIIᵉ, 126-27
  ogive, 126
  trilobé, 116, 336
armillaires (sphères), 169, 342
Arts and Crafts (mouvement), 16, 17, 170, 186, salon Arts and Crafts, 176-79
Art Déco, 186-87, 198-91, 336
  chambre du Savoy, 188-91
  living-room Miami Déco, 196-99
Art Nouveau, 170, 171, 190, 202, 336
  salle à manger, 172-75-
associations de dorures, 230, 236
atmosphère, éclairage et, 28-29
australien (balcon), 166-69
Aztèques, 98, 186, 336

b

badigeon, 336
  bois, 238, 246
    boiseries, 94-95, 176-77
    sols, 66-7, 80-1, 86-7, 102-3, 106-7, 126-7
    techniques, 252-53
  plâtre, 144-45
  recettes, 333
  sols, 66-67, 106-7
  techniques , 248-53
  trois couleurs, 247
    effets simples, 54-5, 102-3
    murs, 40-3, 106-7, 136-37, 188-89
    techniques, 250-51
badigeon à la chaux brossé :
  imitation, 98-99, 114-15, 192-93, 247
  techniques, 254-5
badigeon à l'eau, 336
  à base d'eau (couleurs en poudre), 248, 250-1, 252-3, 296-97
  recette pour, 333
  à base de liant vinylique à l'eau, 248-9, 250-1, 294-95
  recette pour, 333
  coloré vert-de-gris, 42
  émulsion, 248-9, 250-1, 252-3
  recette pour, 333
  protéger, 334
badigeon à la chaux, 336
  composition et propriétés, 328-9
  voir aussi badigeon à la chaux brossé
baguette à chapelet, 22, 336
baignoires :
  finition bois clair, 62-3
  au pochoir, 126-7
  finition vert-de-gris, 40-1
bain-marie, 332-34, 336
bakélite, 196, 198, 336
balcon australien, 166-69
bambou, 82
Baroque, 336

salon anglais, 66-9
chambre, espagnol, 44-7
bas-relief, 40, 198, 336
Bauhaus, 186, 187, 336
  bureau, 200-2
Biedermeier (style), 52-3, 296, 336
  salle de bains, 62-65
biseauté usé (brosses), 206, 207, 336
blocs à imprimer, 48-50, 162
boiseries, 176, 337
bois :
  badigeon, 238, 246
    boiseries, 94-95, 176-77
    céruse, 126-7
    sols, 66-7, 80-1, 86-7, 102-3, 106-7, 176-77
    techniques, 252-3
  boiseries, 70-72
  bois clair (imitation), 62-4, 118
    techniques, 296-97
  céruser, 44-5, 76-77, 94-95, 102-3, 126,7, 239
    techniques, 260-1
  décorer, 238-9
  imitation, 238
  lambris, 176-77
  moulures, 22, 236
  naturel, 236-7
  préparation, 236, 239
  sculpté, 44, 86-7, 194
  styles rustiques, 84, 94
  types de, 236-7
  vernir, 236
  vieillir peinture sur, 238
    encorbellement, 166-67
    meubles, 94-95, 102-3, 114-15
    soubassements, 86-7, 108-9
    techniques, 266-67
  vieillir poutres, 114-15
boiseries :
  crénelées, 118-19
  décoration en papier, 88
  lambris, 176-77
  rythmes, 24

soubassement, 66-7, 102
Tudor, 132-33
verticales, 70-72
bois cérusé, 238-9, 246, 337
  boiseries, 102-3
  matériaux, 229
  meubles, 44-5, 76-77
  sols, 94-95, 126-7
  techniques, 260-1
bois clair ; imitation, 62-4, 118, 337
  techniques, 296-97
bois de citronnier, 296, 337
bois durs, 236, 237
bois tendres, 236
bordures :
  style colonial, 76
  papier, 85, 240
  photocopies, 104
  pochoir, 314
Boucher, François, 72, 337
bougies (éclairage), 122, 27
Bourraine, 190
Brescia (marbre), 337
  imitation, 136-37
  techniques, 292
Brighton (Pavillon), 80
brocart, 70, 337
brosses, 206-13
  à lisser, 210-11
  à pocher, 212
  à remplir, 208
  émulsion, 207
  entretien, 218-19
  martre, 208
  moucheté, 262-63
  mouilleur, 210-11
  pouce, 207
  pour techniques spécifiques, 212-13
  pour vernir, 210
  putois, 208-9
  soies beau blanc, 206-8
  stryper, 208
  tableaux, 209
  veinage avec, 298-99
brosses à lisser, 210-11
brosses métalliques, 216, 218
brosse sèche, 337

effet de peinture, 98-99, 108-9
techniques, 254-55
bureaux :
Bauhaus, 200-2
du globe-trotter, 162-5
Empire, 58-61
néo-gothique, 118-121
Byzantin (art), 35, 337
toilettes, 48-51

C

cabochons, 24, 162-3
caches (carton), 214, 337
pour frise, 132-3
techniques, 282-3
calicot, 134, 146, 337
candélabre, 116
cantonnières, 338
néo-gothique, 118-19
caractéristiques structurales, 22-3
Caraïbes style :
cuisine, 108-11
moulures, 23
cariatides, 60, 337
Carrare (marbre), 337
imitation, 54-5, 136-7
techniques, 290-91
carreaux (carrelage)
ardoise, 98-99, 233
byzantin, 51
couleurs, 143, 161
espagnol, 100-1
géométrique, 140-1
plastique, 245
salle de bains victorienne, 158-61
terre cuite, 233
carte, 240-41
carte de Lyon, pochoirs, 214-15, 240, 312-13, 317, 332
carton-pâte, 26, 46, 98-99, 149, 244, 337
cartouches, 320, 337
céramique à l'éponge, 78, 97, 339
Cézanne, Paul, 92, 337
CFC (chlorofluorure de carbone), 222, 337

chambres :
baroque espagnol, 44-7
mauresque, 36-9
médiévale, 122-25
parisienne, 70-73
Savoy, 188-91
champêtre (style), 82, 337
chanvre, 232, 196-97
chapiteaux, 136
chardon (motifs de), 154, 157
chêne, 237
chérubins, baroque, 66-8
chevrons, 116, 337
chiffons, 217
chinoiseries, 43, 128, 194-95, 337
chinoises (influences), 80, 82-3, 194-95
chintz, 61, 169, 337
cimaise :
soubassement, 20-1, 22-3, 74-75, 106-7, 342
tableaux, 54-5
cimaise pour tableaux, 54-5, 338
cire, 228
céruser, 229, 260-61, 332-33
conserver, 334
quantités, calcul, 335
retirer, 335
techniques de patine, 269-70, 335
vieillir les murs en plâtre, 272-73
cire à céruser, 260-1, 335
recette, 332-3
classiques urbains (styles), 52-83
bureau Empire, 58-61
chambre parisienne, 70-73
entrée néo-classique, 54-7
living-room colonial américain, 76-79
salle à manger rococo, 74-75
salle de bains Biedermeier, 62-5,
salon baroque anglais, 66-9
salon régence, 80-3
Cliff, Clarice, 190, 191, 338
collections (exposer) :
associations de thèmes, 90-91
ethniques, 164
faïences, 78-79

matériaux naturels, 146
style 20e siècle, 202
styles victoriens, 148-49, 150-51
ustensiles de cuisine, 102-3
colles :
acheter et conserver, 334
à base de gélatine, 221, 234
colle d'os, 220-21, 334
de peau de lapin, 221, 228, 230, 302
recette, 332
voir aussi liant vinylique
colonial américain (style), 52
anglais, 165
espagnol, 101
living-room, 76-79
colonial espagnol (style), 101
colorants universels, 220, 223, 330-1, 333
conserver les matériaux, 334
Cooper, Susie, 191, 338
cordes :
guirlandes 66, 80-1
motifs en papier, 144
techniques, 234, 245
corniches, 338
diviser l'espace mural, 20
néo-classique, 54-5
patiner, 176-77, 235
peint, 80-1, 180-1
structures, 22-3
styles classiques, 58-9
style Renaissance, 132-33,
styles rustiques, 108-9
couleurs :
Arts and Crafts, 178-79
Art Déco, 190-91, 196, 199
Art Nouveau, 175
badigeon, 248-252
baroque anglais, 69
Bauhaus, 200-202
Biedermeier, 64-5
caraïbe, 108, 111
carreaux de faïence, 143, 161
chambre parisienne, 70, 72-73
colonial, 76-79
complémentaires, 28, 108, 111, 336
couleurs de terre, 47, 221
cuisine de ferme,102
cuisine française, 92-93,
cuisine primitif anglais, 114

échantillons, 16-17
éclairage et, 28-29
faïence byzantine, 51
historiques, 18-19,
Mackintosh, 180
mauresque, 36, 39
néo-gothique, 120-21
pigments, 324-27
pour plinthes, 58-59
primaires, 39
Régence, 82-83
rococo, 74
salle à manger Delft, 140, 143
salle de bains carrelée, 158-59, 161
salle de bains gréco-romaine, 43
style écossais, 156-57
style Empire, 60-61
style gothique 18ème, 128-29
style médiéval, 116-17, 122-23, 125
styles méditerranéens, 34
style néo-classique, 54, 56-7
style Nouvelle- Angleterre, 94, 97-8
style oriental, 195
style Renaissance, 131, 138-39, 147
style rustique, 105
style Sante Fe, 100-101
style Shaker, 106
style suédois, 89
style Tudor, 135
styles Victoriens, 152, 164-65, 166-67, 169
vernis gras transparent, 256, 333
couleurs acryliques, 22, 324, 328-29, 333
couleurs à l'huile, 220, 324-27, 328-29
couleurs complémentaires, 28, 108, 111
couleurs de terre, 47, 221, 338
couleurs en poudre :
acheter et conserver, 334
composition et propriétés, 328-29
pour peintures artisanales, 220
précautions, 325

recettes utilisant, 332-3
couleurs primaires, 39, 338
Crane Walter, 178
craquelure, 70-71, 264, 338
    recette, 332
    techniques, 268-69
    vernis craqueleur, 224
    voir aussi peinture laquée
        craquelée
créneaux, 118-19, 338
cuir, 98-99, 101
    imitation, 132-33, 135, 147,
        277
    techniques, 282-3
cuir « repoussé », 282-3
cuisines :
    caraïbe, 108-111
    ferme, 102-5
    française, 90-93
    primitif anglais, 114-17
cuivre :
    laqué, 242
    tuyauterie, 36-7, 242

d

dais (lits), 122-23
dalles d'ardoise, 98-99, 233
damassé, 43, 46, 68, 74, 338
De Morgan William, 178
découpage, 52, 85, 148, 240-41,
    338
    techniques, 318-19
    voir aussi photocopie
Delft (salle à manger), 140-43
Della Robbia, céramiques ;
    184, 338
demi-ton, 333, 338
denticulé, 338
    corniche denticulée, 22-3, 76
dessins géométriques :
    Art Déco, 188
    Renaissance, 130
détails d'architecture :
    matériaux de récupération,
        184
    styles classiques, 52, 54
    style médiéval, 124
    styles Renaissance, 136-37
    trompe-l'œil, 74-75
détrempe, 338
    badigeon à la, 248

composition et propriétés,
    328-29
finition peinture, 90, 92
imitation, 54-6, 69
recette, 332
dorure, 40-1, 70-71, 242-3, 338
    feuille métallique, 58-9, 66-7
    bords, 43
    feuille d'or, 230, 302
    lincrusta, 172-73
    matériaux et produits, 230-1,
        334
    meubles, 92-93
    objets en métal, 182-3
    or faux (cuivre battu), 230,
        302-3, 334
    or patiné, 188-9, 306-7
    plâtre, 74-75, 234
    poudres métalliques, 304-5,
        334
    techniques, 302-5
doucine, 22, 236

e

eau, comme solvant, 227
ébène, imitation, 62-3
échantillons, couleurs, 16-17
éclairage :
    Art Déco, 188, 191, 198
    Art Nouveau, 172-73
    Bauhaus, 200-3
    couleur et atmosphère, 28-9
    jardin d'hiver, 185
    styles, 26-7
écossais (salon), 154-7
écrans, fenêtres, 26, 27, 192
effet de granit, moucheté, 57,
    262
effets de peinture :
    au « sac », 258
    à l'éponge, 172-73
        techniques, 248, 258
    badigeon à la chaux brossé,
        98-99, 114-15, 192-93, 247
        techniques, 254-55
    bois clair, 62-4, 118
        techniques, 296-97
    chiffon, 258, 259
    cuir, 132-3, 134, 147, 277
        techniques, 282-3
    détrempe, 54-6, 69

grès, 154-55
    techniques, 280-81
grisaille, 44-5, 320-21, 339
imitation fer, 44-5, 242
    techniques, 288-9
imitation granit, 57
    techniques, 262
imitation plomb, 126-7
    techniques, 284
    marbre de Brescia, 136-7
        techniques, 292
    marbre de Carrare, 54-5,
        136-7
        techniques, 290-91
    marbre granitique, 54-5, 172-
        73, 196-97, 277
        techniques, 294-95
    marbre jaune de Sienne, 136-
        37
        techniques, 277, 292-93
    marbre serpentin, 136-37,
        290-91
    marbrures, 54-5, 136-7, 142
    mosaïque, 182-3, 188-9
    moucheté, 54-5, 140-41, 162-
        63,
        techniques, 262-63
    patiner, 270-71
    peigne, 258, 259
    pietra serena, 136-7
        techniques, 278-79
    pochoir, 48-9, 62, 132, 134
    porphyre, 54-5
        techniques, 262
    rouille, 44-5, 122-23, 182-3,
        242
        techniques, 288-89
    terre cuite, 36-38, 47, 143,
        144, 277
        techniques, 284-85
    trompe-l'œil, 322
    veinage, 58-9
        techniques, 258
    vernis adouci, 122-23, 150-
        51, 158-9
        techniques, 256-7
    vieillir, 84, 85, 98-99, 108-9
    vieillir le bois, 239
        meubles, 94-95, 102-3,
        114-15
        soubassements, 86-7,
        108-9
        techniques, 226-7
    voir aussi badigeon, vert-de-

gris; imitation bois
Égyptiennes (influences), 18,
    60
embrasses, 70, 339
Empire (style), 52, 338
    bureau, 58-61
    couleurs, 18
émulsion, 223
    badigeon avec, 248
    brosses pour, 207
    composition et propriétés,
        328-29
    pochoir, 314
    recette pour badigeons, 333
    teinter, 333
encadrements de tableaux :
    baroque anglais, 66-7
    grisaille, 320
encaustique à la cire d'abeille :
    acheter et conserver, 334
    cire à patiner, 228, 270-71,
        335
    composition et propriétés,
        330-31
    finition pour bois, 236, 335
encensoir, 117, 338
encorbellements, 114, 136,
    150-51, 166, 235, 338
encres, 222
entrées :
    du collectionneur, 150-3
    florentine, 136-9
    Mackintosch, 180-1
    néo-classique, 54-7
entrée du collectionneur; 150-
    53
entrelacs, 132
environnement, 335
éponges, 217
escalier suédois, 86-9
étain, 68, 134
étamine, 110, 339

f

faïences, céramiques :
    chinoises, 192-93
    exposer, 78, 97
faïence de Delft, 140-41, 338
faïence vernissée au sel, 96,
    339
fenêtres :

« aveugles », 136-37
écrans, 26, 27, 192
néo-gothique, 118
rideaux, 80-1, 148
vitrail, 180-1
ferme (cuisine), 102-5
fer :
　imitation peinture, 44-5, 243
　techniques, 288-89
fer forgé, 44-5
fer ouvragé :
　balcons, 166
　fer forgé, 116
　fonte, 44-5, 149
feuille d'or, 230-1, 302
filigrane, 54, 339
finitions, pour peinture vernies, 335
fixateur de fonds (fondur), 150, 225, 260, 304, 330-31
fixateur de nœuds, 236, 238, 330-31
fleurons, 64, 80, 339
fleur de lys, 339
　pochoir, 214-14
florentine (entrée), 136-39
France :
　couleurs, 18
　cuisine, 90-93
frêne, 237
fresques, 46, 93, 234, 339
frises, 339
　gabarits, 188-9
　lincrusta, 40-2, 54-5, 154-5, 244
　papier d'emballage, 12
　photocopies, 158
　pochoir, 158-9, 314
　Renaissance, style; 132-3
　victoriennes, 150-51

g

gabarits, 339
　pour frises, 188-9
gesso, 228
　composition et propriétés, 328-9
　dorer sur, 230, 302-3
　recette, 332
Gill, Éric, 198, 339
glacis :

adouci, 48-9, 112-23, 150-51, 158-59
　techniques, 256-57
finitions patinées, 269-70
matériaux, 224-25
motifs, 258-59
protéger, 334
gomme arabique :
　peinture laquée craquelée (effet de), 192
　recette, 332
gomme laque, 225
　acheter et conserver, 334
　brosses, 210
　composition et propriétés, 330-31
　fixer le plâtre, 234
　patiner le plâtre, 270-71
　vernir, 220, 342
gouache, 222, 328-29, 339
granit, effet de, moucheté, 57, 262
gravures, 104-5
　affiche, 191
　découpage, 148
　reproductions, 129
gréco-romaine, salle de bains, 40-3
grès :
　imitation, 154-5
　matériaux, 229
　techniques, 280-1
grisaille, 339
　effet de peinture, 44-5
　techniques, 320-21
Gropius, Walter, 200, 339
guingan, 106, 110, 339
guirlandes, 44-5, 62-3, 138
　corde, 80-1

h

Hollywood, 186

i

icônes, 50-1, 117, 125, 339
imagerie religieuse, 47
imitations, 228, 276-309, 339
　bois,

bois clair, 62-4, 118, 296-97
cuir, 132-3, 135, 147, 277, 282-3
fer, 44-5, 242, 288-9
grès, 154-5, 229, 280-1
marbre de Brescia, 136-7, 292, 337
marbre de Carrare, 54-5, 136-7, 290-91, 337
marbre granitique rose, 294-95
sols, 54-5, 172-73, 196-97
soubassements, 196-97
marbre serpentin, 136-7, 290-91, 340
pietra serena, 136-7, 278-79
plâtre, 182-3, 284
plomb, 126-7, 284
terre cuite, 36-9, 144, 277, 284-5
vitrail, 180-1, 244, 308-9
voir aussi dorure, rouille, vert-de-gris, veinage
imitation chêne, 297
imitation pierre, 276
　grès, 154-5, 280-1
　pietra serena, 136-7, 278-9
imitation pierre calcaire, 278
imprimer au tampon, 48-50, 162, 342
incrustations, 339
　marbre, 146
　photocopies, 136-7
indiennes (influences), 162-3, 165
inspiration (sources d'), 16-17
ionique (chapiteau), 40
Italie, Renaissance, 34-5

j

japonaises (influences), 174, 194
jardin d'hiver, 104-5, 182-85
jardin d'hiver-véranda italien, 182-85
jute, 117, 340

k

Kandinsky, Wassily, 202, 340
kelim, 162, 340
Klee, Paul, 202, 340

l

Lalique, René, 190, 202, 340
lambris, 23, 108-9, 176-77, 340
lampes à poser, 26
Landseer, Sir Edwin Henry, 156, 340
Langley, Batty, 129, 340
lapis lazuli, 326, 340
laque satinée, 223
　composition et propriétés, 328-29
　teinter, 333
Léonard de Vinci, 322
liants dans peintures, 220, 222, 324
liant vinylique :
　badigeon, 248
　badigeon à l'eau, 248-9, 250-51, 294-95, 333
　composition et propriétés, 328-29
　gesso, 228, 230, 302-3
　peintures artisanales, 221
　préparer le plâtre avec, 234
　vernis, 225
Liberty & Co., 172
lincrusta, 244, 340
　dorure, 172-73
　frises, 40-2, 54-5, 154-55, 244
　peinture, 310
　plaques, 54-5
　soubassement, 153
lits, dais, 122-23
living-rooms :
　Arts and Crafts, 176-79
　colonial américain, 76-79
　écossais, 154-7
　Miami Déco, 196-99
　Nouvelle Angleterre, 94-97
　Oriental, 192-95
　Régence, 80-3
　Shaker, 106-7
　Tudor, 132-35
livres de motifs, 52

Lloyd Loom (mobilier), 156, 185, 340

lunettes de protection, 205, 294, 304-5, 306

lustres, 26, 80-1, 116, 122-23, 142, 172-73

m

Mackintosch, Charles Rennie, 170-71, 308-9, 340
  entrée, 180-1

maisons d'époque, 30

majolique, 184-5, 340

marbre granitique, 340
  effets de peinture, 54-5, 172-73, 196-97, 277
  techniques, 294-95

marbre jaune de Sienne, 74-75, 136-7, 277, 340
  techniques, 292-93

marbre serpentin :
  imitation, 136-7, 340
  techniques, 290-91

marbrure, 75-75, 136,37, 142, 233, 340
  Brescia, 136-7, 337
  techniques, 292
  brosses pour, 212
  Carrare, 54-5, 337
    techniques, 290-91
  granit rose, 54-5, 172-73, 196-97
    techniques, 277, 294-95
  papier, 139
  serpentin, 136-7, 340
    techniques, 290-91
  Sienne, 74-75
    techniques, 277, 292-93

marqueterie, 136, 340

masques (protecteurs) :
  poussière, 205, 302, 304-5, 325
  respiratoire, 205, 306, 328

masque à poussière, 205
  avec couleurs en poudre, 325
  avec du gesso, 302
  avec poudres métalliques, 304-5

masque respiratoire, 205, 306, 328

matelassage, 79

matériaux :
  acheter et conserver, 334
  dorure, 230-31
  pâtes et poudres, 228-9
  peintures, 220-23
  solvants, 226-7
  vernis et vernis gras, 224-25

matériel :
  brosses, 206-13, 218-19
  grattoirs, 216
  pochoirs, 214-15

mauresque (style), 340
  chambre, 36-39
  maya, 98, 186, 340

médiévaux (styles), 112-29
  bureau néo-gothique, 118-21
  chambre médiévale, 122-25
  cuisine primitif anglais, 114-17
  salle de bains gothique XVIIIe, 126-29

méditerranéens (styles), 34-51, 92
  chambre baroque espagnol, 44-47
  chambre mauresque, 36-39
  salle de bains gréco-romaine, 40-43
  toilettes byzantines, 48-51

meubles :
  Arts and Crafts, 176-79
  Art Déco, 199
  bambou, 110, 165
  Bauhaus, 200-1
  Biedermeier, 296
  doré, 92-93
  Lloyd Loom, 156, 185, 340
  Mackintosh, 180
  métal, 125
  néo-gothique, 120
  osier, 82, 149, 165, 185
  peints, 78, 86-7, 90-92, 94-96
  pochoir, 78
  rotin, 149, 156
  Shaker, 106-7,
  victoriens, 149

Miami Déco
  living-room, 196-99

miroirs, 86, 142, 244

mixtion à dorer, 224, 230-31, 330-31
  techniques de dorure, 302, 304-5

mobilier d'osier, 82, 149, 165, 185

mobilier en rotin, 149, 156

Modernisme, 120, 340

Moholy-Nagy, Laszlo, 200

Morris, William, 12, 150-51, 170, 176-78, 340

mosaïque, 341
  imitation, 182-83, 188-89

motifs peints, 310-323

moucheté :
  effet de peinture, 54-5, 57, 140-1, 162-3, 341
  précautions, 226
  techniques, 262-3
  mouilleurs, 211

moulures :
  authentique, 22-23
  bois, 236
  corniche, 54-5
  imitation, 320-21
  plastique, 148, 235
  plâtre, 40-1, 233, 234, 235
  style colonial, 76-77

moulures de boiseries, 322

mousseline, 58, 60, 65, 106, 110, 134, 146

n

Napoléon (empereur), 18, 58, 60

Navajo (imagerie), 98-100

néo-classique (style), 53, 341
  couleurs, 18
  entrée, 54-57
  moulures, 23

néo-gothique, 113, 341
  bureau, 118-21

nettoyage des brosses, 218-19

Nouveau Bauhaus, 200-201, 341

Nouvelle-Angleterre (living-room), 97-97

o

obélisque, 132-33, 282-83, 341

Odéon (appliques électriques), 198, 336

onyx, 165, 341

or, voir dorure

Oriental (living-room), 192-95

ouvrages en métal :
  Art Nouveau, 175
  dorure, 182-83
  finitions, 242-43
  imitations, 286-89
  imitation rouille, 182-83
  meubles, 125
  patiner, 243
  peints, 166-7
  primaire, 242
  protéger, 242

oves et flèches (motif), 56, 341

p

palmette, 243, 245, 341

papier, 240-41
  à peindre, 76, 240-41, 335
  boiseries, 88
  collé, 73
  d'emballage, 27, 176, 241
  découpage, 52, 85, 148, 240-41
  techniques, 318-19
  huilé, 27, 240, 332
  imprimé, 48-9, 256-57
  marbré, 139
  oriental (style), 195
  vernis, 256-57
  voir aussi photocopies

papier à peindre ou d'apprêt, 76, 240-41, 335

papier calque, 240, 310

papier d'emballage, 27, 176, 241

papier de soie, huilé, 27, 241

papier de verre, 217
  papiers peints, 240-41
  Arts and Crafts, 17, 176-79
  couleurs, 19
  hollandais, 142
  patiner, 262 Art Déco, 198
  style gothique XVIIIe, 129
  style médiéval, 125
  style victorien, 148, 152
  tampon imprimeur, 48-9, 256-57
  vernis, 150-51

papiers peints vernis, 150-1

parisienne (chambre), 70-73

parquet, 62, 341
pâte à céruser, 333
pâte vert-de-gris, 229
patiner, voir vieillir et patiner
patines, 243, 341
    antique, 166-7, 257
    or, 188-9, 306-7
peigne, 213, 341
    techniques, 258, 259
peigne faux bois, 213
    veinage avec, 300-1
peintures :
    acheter et conserver, 334-35
    compositions et propriétés,
        328-29
    du commerce, 222-23
    faites maison, 220-21
    finitions protectrices, 334
    métalliques, 243
    pigments, 324-27
    pour pochoir, 314, 316
    quantités, 335
    recettes pour, 332-33
    teinter, 333
peinture aérosol, 222, 328-9
peinture au chiffon, 258, 259,
    337
peinture au lait, 78, 341
peintures à base de colle, 221
peinture à l'éponge :
    effet de peinture, 172-73,
        258, 339
    techniques, 248
peintures à l'huile, 220, 223,
    328-29
peinture émail finition
    martelée, 200, 223, 243
peinture laquée craquelée
    effet, 192-93, 265
    recette, 332
peintures métalliques, 243
peintures murales, 196-97, 311
    photocopies, 310
    bordures, 240
    couleur, 58-9, 102-3, 241, 311
    découpage, 52, 85, 240-41
    frises, 158
    gothique XVIIIe, 126
    gravures, 73
    marqueterie, 136-7
    panneaux décoratifs, 88
    peintes, 72, 74-75, 104
    pochoir, 215
    techniques, 318-19

pierre, 233
pierre d'angles, 117, 341
pietra serena, 341
    imitation, 136-7
    techniques, 278-79
pigments, 19, 220-21
    caractéristiques, 324-7,
    peintures artisanales, 220-21
pilastres, 64, 158-9, 341
pinceaux à remplir, 208
Piranesi, Giovanni Battista,
    322, 341
placages, 52
plafonds, couleurs, 20 (voir
    aussi corniches)
plaques, « plâtre », 54-5
plastique, 224-5
    moulures, 148, 235
    carreaux, 245
plâtre :
    badigeon, 144-5
    baroque, 66-7
    conserver, 334
    décoration, 234-5
    dorure, 74-75, 234
    enduit, 232
    finitions protectrices, 334
    fresques, 234
    imitation, 182-3, 235, 284
    matériaux, 228
    mélanger, 232
    moulé, 12, 235
    moulures, 22, 40-1, 233, 234,
        235
    murs vieillis, 90-91, 144-45,
        196-97, 232
    techniques, 272-73
    nu, 182-3
    patiner, 235
        corniches, 58-9, 176-77
        panneaux, 40-41, 74-75
        suspensions, 62-4
        techniques, 264-65
    préparation, 232, 234
    quantités, 335
    séchage, 234
    stabiliser, 232
    stuc, 23, 244, 342
    teinter avec couleurs en
        poudre, 234, 333
    types, 234
plâtre moulé, 235
plinthes :
    Art Déco, 196-97

authenticité, 22-3
    couleurs, 58-9
    moulures, 188-9
    pietra serena, 136-7
    porphyre, 54-5
plis de serviettes (boiseries),
    118-19, 341
plomb :
    adhésif, 308-9
    imitation, 126-7
    techniques, 284
pocher :
    brosses à, 212
    effet de peinture, 48-9, 62,
        132, 134
pochoirs, 40-1, 311, 341
    badigeon, 251
    brosses pour, 212, 215
    carte à pochoir, 214-15, 240,
        312-13, 317, 332, 337
    conserver les pochoirs, 334
    effets, 316-17
    frises, 158-9, 317
    matériaux, 240
    matériels, 212, 214-15
    meubles, 78
    motifs indiens, 162-3
    panneaux, 48-9
    pochoir chardon, 157
    réalisation, 312-13
    rustiques, 85, 90-1, 93, 102-3
    salle à manger Delft, 140-1
    soulignés, 43
    styles XXe siècle, 188-9, 192-
        93
    style colonial, 76
    style néo-classique, 54
    style Nouvelle Angleterre,
        94-95
    surfaces incurvées, 126-7
    techniques, 314-15,
poirier, 79
ponts et languettes, pochoirs,
    312, 317
porcelaine de Sèvres, 70, 341
porphyre, 341
    imitation, 54-5
    techniques, 262
portiques, 54, 166-7, 341
poudres :
    dorure, 320
    métalliques, 231, 304-5, 334
poudres métalliques :
    acheter et conserver, 334

dorer avec, 231, 304-5
    quantités, 335
poutres, vieillir, 114-15
Pré-raphaélite, 176, 342
précautions de sécurité :
    couleurs en poudre, 325,
        326-7
    peintures, 326-7, 328
    solvants, 226, 328
    vernis, 328-9
primaires, 222, 234, 242
Primitif anglais, cuisine , 114-
    15
protection des finitions
    peintures, 334
Pueblo, 98-101
putois, 206-8, 210-11

q

quantités, calcul, 335
queues à battre, 213

r

raccords en onglets, 320
rainure et languette, 23, 86, 340
Raku, 192, 342
rayures, Régence, 80-3
recettes, 332-3
Régence anglais (style), 52, 342
    chinoiseries, 195
    couleurs, 18
    salons, 80-3
Renaissance (styles), 34-5, 130-
    47
    entrée florentine, 136-9
    pièce de réception Tudor,
        132-5
    salle à manger Delft, 140-3
    studio vénitien, 144-7
repeindre les surfaces, 335
résine moulée, 238, 244
rhodoïd, pochoirs, 214, 240
rideaux :
    Régence, 80-1
    style victorien, 148
rococo (style), 52, 82, 128, 138,
    342
    couleurs, 19

salle à manger, 74-77
ronce de bois (finition), bois clair, 297
rouille :
 effets décoratifs, 242
 empêcher, 242
 imitation, 44-5, 122-3, 182-3, 242-3
  techniques, 276, 288-9
 matériaux, 229
rouleaux :
 peinture standard, 204
 spéciaux, 212
  technique, 297
ruban à masquer, 80, 200, 216
Ruhlmann, Jacques-Emile, 200
rythme, 24-5
rythmes horizontaux, 24-5

S

sabot de biche (pied), 68
salles à manger :
 Art Nouveau, 172-75
 Delft, 140-43
 rococo, 74-77
 Santa Fe, 98-101
salle de bains :
 Biedermeier, 62-5
 carrelée, 158-61
 gothique XVIII\ :sup:, 126-29
 gréco-romaine, 40-3
salons, Régence, 80-3
 baroque anglais, 66-69
 Shaker, 106-7
sanguine, 47, 339
Santa Fe (salle à manger), 98-101
Savoy (chambre du) , 188-91
scagliola, 233
sculpture :
 Art Déco, 198
 Bauhaus, 200-3
sculptures, bois, 44, 86-7, 194
Shakers, 342
 moulures, 22
 salon, 106-7
similor, 68, 342
sisal, 156, 342
Soane, Sir John, 150, 342
soies à fleur multiple, 206, 337
sols :

acier, 200
badigeon, 66-7, 106-7
Biedermeier, 62
bois clairs (effets de), 64
carrelage géométrique, 140-41
cérusé, 94-95, 126,27
dalles d'ardoise, 98-99
dalles de marbre, 158-59
effet de bois, 238
granit, 54-5
marbrures, 172-73, 290
mosaïque (effet de), 182-3, 188-9
peint, 80-1, 108-9
style Renaissance, 130, 146
terre cuite, 90-91
solvants :
 effets de peinture avec, 226-7
 les jeter, 335
 nettoyage des brosses, 218-19
 peintures et, 222, 329
 précautions, 226, 328
 types, 226-7, 330
sol en tôle d'acier, 200
soubassement, 342
 boiserie, 66-7, 102
 cimaise, 20-1, 22-3, 106-7, 338
 trompe-l'œil, 74-75
 couleurs, 66-7
 division de l'espace mural, 20-1
 lambris, 108-9
 lincrusta, 153
 peint, 76
 division soubassement, 40-1
 style Renaissance, 144-45
stores, 118-19
stores, style gothique, 118-19
strypers, 208
stuc, 23, 244, 342
stuc, 199, 342
studio vénitien, 144-7
styles XX\ :sup: siècle, 186-202
 bureau Bauhaus, 200-2
 chambre du Savoy, 188-91
 living-room Miami Déco, 196-99
 living-room oriental, 192-95
styles début XX\ :sup: siècle, 170-85
 entrée Mackintosch, 180-81

jardin d'hiver italien, 182-85
salle à manger Art Nouveau, 172-75
salon Arts and Crafts, 176-79
style gothique XVIII\ :sup:, 112-13, 118, 339
 salle de bains, 126-29
style gothique, 80, 82, 116-17, 339
styles rustiques, 84-110
 cuisine caraïbe, 108-11
 cuisine de ferme, 102-5
 cuisine française, 90-93
 escalier suédois, 86-9
 living-room Nouvelle Angleterre, 94-97
 salle à manger Sante Fe, 98-101
 salon Shaker, 106-7
styles victoriens, 148-69
 balcon australien, 166-69
 bureau du globe-trotter, 162-65
 entrée du collectionneur, 150-3
 salle de bains carrelée, 158-61
 salon écossais, 154-57
suspensions, 188

t

taches de mouche (imitation), 264, 268, 342
tapisseries, 68, 70, 73, 140-1, 178
tapis persans, 140-41
tapis, persan et turcs, 140-1
tapis turcs, 140-1
tartans, 154-7
teinter les médiums, 333
teinture à bois, 332
térébenthine, 226, 330
terra verde, 342
terre cuite, 342
 carreaux, 233
 imitation, 36-8, 47, 143, 144, 277
  techniques, 284-5
 objets, 46, 61
 sols, 90-91
têtes de lit, 70-72

finition craquelée, 268
texture sableuse, 229
tissus
 anciens, 70-71
 Art Déco, 190, 196-97
 Art Nouveau, 174
 caraïbe, 110-11,
 drapés, 58-60, 70-71, 111, 148
 gothique XVIII\ :sup:, 129
 guirlandes, 62-3
 influences orientales, 194-95
 matelassage, 79
 médiéval (style), 122-24
 néo-gothique, 118-20
 Renaissance (style), 131, 146
 rococo, 74
 rustiques, 84-5, 92-93
 Shaker (style), 106
 tapisseries, 68, 73, 140-1, 178
 tente, 60
 victoriens (styles), 148, 153, 169
toile à matelas, 106, 110, 342
toilettes, byzantines, 48-51
topiaire, 135
tore, 136, 342
travail de laque, 192, 340
trompe-l'œil, 342
 dessins au crayon, 158-9
 grisaille, 44-5, 320-21
 papier, 144
 styles classiques, 52, 74-75, 132-33
 styles Renaissance, 132-33, 144
 techniques, 320-3
 utilisation des photocopies, 318

V

veinage, 58-9, 258, 342
veinage :
 brosses pour, 213
 imitation, 94-95, 142, 154-55, 276, 339
 techniques, 239, 296-301
velours, 70
vernis, 224-25
 brosses pour, 210
 composition et propriétés,

330-31
conserver, 334
craqueleur, 224, 264, 268-69
pour bois, 236
pour protéger les finitions
    peintures, 334
retirer, 238, 335
sur bois au badigeon, 252
teinter, 333
vernis adouci, 256
voir aussi vernis au tampon
vernis au tampon, 225
    composition et propriétés,
        330-31
    patiner avec, 154, 243
    patiner l'or avec, 306-7
    recette, 332
vernis à l'eau, 225
vernis à l'huile, 224
vernis gras adouci, 122-3, 150-
    1, 158-9
    techniques, 256-7
vernis gras transparent, 224
    acheter et conserver, 334

adoucir, 122-23, 150-51, 158-
    59
    techniques, 256-57
avec pigments, 220
à motifs, 258-59
composition et propriétés,
    330-31
couleur du, 334
décorer sur, 335
finition patinée, 48-9
finition peinture, 58-60
pour marbrure, 290-93
préparation pour, 335
protéger, 334
recette, 332
retirer, 335
sur papier à peindre, 335
teinter, 333
verre, 244
verrerie, 129, 146
vitrail, 180-1, 244, 308-9
vert-de-gris, 242-3, 342
    imitation, 40-2, 158-60, 166-
        7, 172-73

techniques, 286-7
vert pomme, 72
vieilli (effet de peinture) :
    murs, 98-99, 108-9
    styles rustiques, 84-5
vieillir et patiner, 264-75, 341
    craquelure, 268-69
    métaux, 243
    murs en plâtre, 48-9, 90-1,
        144-5, 196-7
    techniques, 232, 272-73
    objets en plâtre, 235
        corniches, 58-9, 176-17
        panneaux, 40-1, 74-75
        suspension, 62-4
        techniques, 257, 270-71
    or, 304
    papiers peints, 262
    peinture sur bois, 238
        encorbellement, 166-67
        meubles, 94-5,102-3, 114-
            15
        soubassements, 86-7,
            108-9

techniques, 266-7
poutres, 114-15
utilisation des cires et glacis,
    228, 256, 270-71,
    335
vignettes, 102, 343
viroles, 216, 343
vitrail, 180-1, 244
    techniques, 308-9
Voysey, Charles, 170, 176-78,
    343

W

white spirit, 226, 330
Wright, Frank Lloyd, 170, 343

Z

ziggurats, 36, 199, 343

REMERCIEMENTS

Styliste (ameublement et accessoires)
Lucinda Egerton

Peintres décorateurs
sous la direction de *Erin Sorensen :*
Jane Higginbottom
Julia Last
Sophie Lightfoot
Sarah Mander

Remerciements de l'auteur
Je voudrais remercier Michael Crockett pour sa patience et sa compréhension et toute l'équipe de rédaction de Dorling Kindersley qui s'est consacrée à ce projet pendant un an et demi : Rosie, Steve, Mark et Sarah. Merci aussi, à Simon Kenny pour avoir supervisé les chantiers pendant que je travaillais sur ce livre, et particulièrement à mon éditeur, David Lamb pour avoir permis la réalisation de cet ouvrage et facilité chaque étape. Enfin je dois toute ma gratitude à ma femme pour sa patience, son aide et sa compréhension.

Dorling Kindersley désire remercier Katherine Townsend, Crown Paints, The Newson Group, Brian's Props & Locations, Sarah Whelan et The Stylists pour l'aide qu'ils lui ont apportée.